회귀 경찰의 리셋 라이프

The Reset Life

회귀 경찰의 리셋 라이프 10

초판 1쇄 발행 2022년 5월 10일

지은이 | 한길
발행인 | 신현호
편집장 | 이호준
편집 | 송영규 최종건 정재웅 양동훈 곽원호 조정범 강준석 최성화
편집디자인 | 한방울
영업 | 김민원

펴낸곳 | ㈜ 디앤씨미디어
등록 | 2002년 4월 25일 제20-260호
주소 | 서울시 구로구 디지털로 26길 111 JnK디지털타워 503호
전화 | 02-333-2513(대표)
팩시밀리 | 02-333-2514
E-mail | papy_dnc@dncmedia.co.kr
블로그 | blog.naver.com/gnpdl7

ISBN 979-11-364-3364-0 04810
ISBN 979-11-364-2581-2 (SET)

Papyrus Modern Fantasy
한길 현대 판타지 장편소설
회귀 경찰의
리셋 라이프
10
PAPYRUS
파피루스

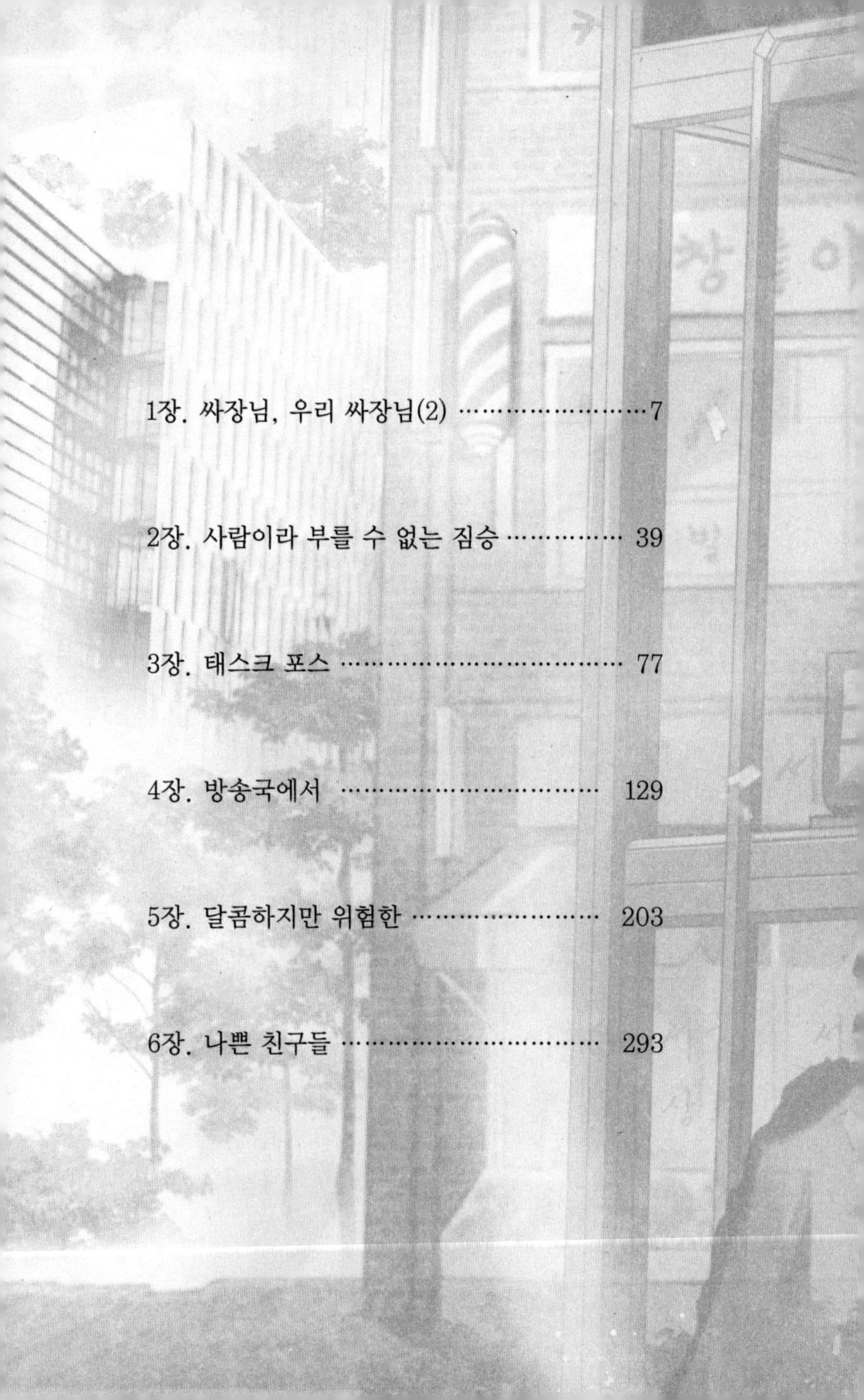

1장. 싸장님, 우리 싸장님(2)

싸장님, 우리 싸장님(2)

기이이잉!

해외로 향하는 비행기가 뜨고 내리는 인천국제공항.

옷을 두툼하게 입은 채 짐을 꼭 끌어안은 검갈색 피부의 남성이 계속 주위 눈치를 보며 입국 게이트를 빠져나온다.

그런 그에게 명품으로 쫙 빼입은 덩치 큰 남성이 다가선다.

"방글라데시에서 온 블랑카 씨? 맞습니까?"

선글라스를 껴서 더 위협적으로 느껴지는 젊은 남성.

하지만 들을 수 없을 거라 여겼던 모국어에 그는 반색했다.

"네, 네. 블랑카입니다."

"한국에 오신 걸 환영합니다. 여긴 보는 눈이 많으니 얼른 이동하시죠."

고개를 끄덕인 블랑카는 남성의 뒤를 졸졸 쫓았다.

살면서 단 한 번도 보지 못한 스포츠카 앞에 선 블랑카는 손을 내미는 젊은 남성에 행동에 얼른 손을 맞잡았다.

"자, 잘 부탁드립니다."

"아니, 여권이요."

"아! 여, 여기 있습니다!"

"들으셨다시피 여권은 저희 업체와 계약이 만료될 때 돌려 드릴 겁니다. 기껏 일자리를 알선해 줬는데, 도중에 도망치는 사람들이 많아서. 관광 비자죠?"

"예, 예. 들었습니다. 네, 관광 비자입니다! 그런데……."

"반년 열심히만 일하면 100퍼센트 취업 비자 따게 해 드릴 테니까 그 점은 걱정 마세요."

"가, 감사합니다!"

"수수료가 매달 받는 월급의 10퍼센트라는 건 들으셨을 테고."

블랑카는 이 부분에서 고개를 연신 끄덕였다.

한국에 먼저 온 친구에게 듣기로 이런 브로커들이 떼어 가는 수수료는 적게는 30퍼센트, 많으면 40퍼센트까지 떼어 간다고 했다.

그래도 방글라데시에서 버는 것보다 훨씬 많이 벌기 때문에 어쩔 수 없이 참는다고 했다.

그래서 이 행운을 잡은 게 얼마나 다행인지 몰랐다.

"그럼 뭐 얼추 서로 알아야 할 건 다 알았나?"

스스로 질문하고 고개를 끄덕인 젊은 청년은 무전기를

들었다.

"오늘 올 사람 다 왔으니까 이만 출발합시다."

'응?'

부르릉! 부르릉!

갑자기 불이 켜지는 두 대의 승합차.

젊은 청년은 당황하는 블랑카를 툭 쳤다.

"당신은 이거 타요. 저기는 탈 자리 없을 테니까."

"아, 네네!"

스포츠카에 겨우 구겨 탄 블랑카는 살다 보니 스포츠카도 타 본다며 놀랐지만, 그가 놀랄 부분은 아직 한참 남아 있었다.

과르릉!

"내려요."

"여, 여긴?"

병원이다. 그것도 제법 큰 병원.

"당신 몸에 무슨 병이 있을지 모르잖습니까. 일하는 도중에 병에 걸려 자빠지면 우리도 손해라. 건강검진 한번 받고 갑시다."

"예?"

그렇게 건강검진도 받고, 예방 주사도 맞은 후 10층짜리 빌딩 앞에 도착한 블랑카는 방금 전까지 자신에게 일어났던 일에 정신을 차리지 못했다.

그때였다.

"오셨습니까, 사장님!"

"오셨습니까!"

불이 켜진 로비를 바쁘게 돌아다니다 젊은 청년을 발견하곤 다급히 허리를 숙이는 덩치 큰 사내들.

'싸, 싸장님?'

한국에 먼저 온 친구가 이 말을 꼭 기억해야 한다면서 알려 준 단어를 떠올린 블랑카는 아연실색하며 젊은 청년을 봤다.

그 시선을 느낀 젊은 청년은 선글라스를 벗으며 씩 웃었다.

"아, 그러고 보니 서로 인사를 안 했네요. 인터내셔널 잡의 사장 최종혁입니다. 다시 한번 한국에 오신 걸 환영합니다."

그랬다. 그는 종혁이었다.

* * *

"뭐? 그런 일이 있다고? 그걸 왜 지금 말해, 새끼야! 알았어, 끊어!"

대장의 고함이 울려 퍼지자 본청 광역수사대 형사들 전원 그를 쳐다본다.

그에 광수대 대장은 담배를 물었다.

"뭔 일이에요?"

"하, 참. 나 원 씨발."

다시 생각해도 어이가 없는 소식.

"어떤 미친 또라이 새끼가 브로커 놈들을 잡아먹고 있단다."

"예?"

"어떤 놈이 대한민국 음지에서 기어다니는 일자리 알선 브로커들을 30퍼센트나 잡아먹었다고!"

"……예?!"

"씨발?!"

화들짝 놀랐던 광수대 형사들은 이마를 잡았다.

따로 떼어 놓고 보면 아무것도 아닌 외노자 일자리 알선 브로커들.

뽑아도 뽑아도 자라나는 잡초라서 여태껏 별일이 아니라면 가만히 방치해 뒀는데, 주제도 모르고 세력을 이뤘다고 한다.

이젠 옛말이 된 전국구 조직이 새로 탄생했다고 봐야 한다.

"시발, 집에 다 갔네."

"아, 이 새끼들은 왜 갑자기 나타나서 지랄이야!"

일단 놈들이 어떤 성향인지, 뭘 지향하는지, 어떤 불법을 저지르는지 알아내기 전까진 집에 다 갔다고 봐야 했다.

'하, 씨발. 사건 밀려서 개들까지 신경 못 쓰는…….'

쿵쿵쿵!

사무실 문이 두드려지는 소리에 고개를 돌렸던 광수대 대장은 눈을 껌뻑였다.

"김 과장?"

"바쁘지 않으면 커피나 하자."

"……아, 뭐 그래."

광수대 대장은 눈을 가늘게 뜨며 김종두 과장을 따라 옥상으로 향했다.

"그래서 뭔데."

"방금 그거 무시하라고."

광수대 대장의 눈이 가늘게 떠진다.

"뭘 꾸미는 거냐? 대체 뭘…… 너 혹시 네가 먼저 물었으니까……."

"그거 종혁이가 작업하는 거야."

"아……."

종혁이. 광수대 대장은 그 이름을 듣자마자 납득을 해 버렸다.

"왜?"

"행방을 감춘 살인 용의자인 외노자 하나 찾자고."

'미친!'이라는 비명이 목구멍까지 솟다가 가라앉았다.

"……진짜 나 주면 안 될까? 내가 우리 애들 다 줄게. 매스컴 탈 사건도 내가 다 팍팍 밀어준다!"

"꺼져."

"너랑 나랑 청장 놓고 겨뤄도 포기할게! 각서 쓸까? 내가 비상금 어디 숨겼는지 말하면 돼? 응?"

"간다."

"야, 진짜 이러기냐! 야, 김 과장! 김 과장-!"

그들이 떠나간 자리에 시원한 바람이 스쳐 지나갔다.

* * *

한껏 위축된 모습으로 입국을 했던 블랑카.

건강검진 결과가 나올 때까지 같은 처지의 사람들과 관광도 하고, 빌딩 내에 있는 PC방에서 가족들과 화상채팅도 한 그는 이제 떠나야 할 때가 되자 가슴 깊은 곳까지 차오르는 아쉬움에 연신 뒤를 돌아볼 수밖에 없었다.

"그럼 한국에서 큰돈 벌어 가시길 기원하겠습니다. 사고 치시거나 힘들 땐 언제든 연락 주시고요. 그리고 저희 회사 많이 홍보해 주시고요."

홍보. 이게 중요하다.

그래서 종혁은 마지막 말에 힘을 주었다.

하지만 그걸 모르는 블랑카는 눈물만 글썽일 뿐이었다.

"가, 감사합니다."

떠나올 때까지만 해도 참 걱정했던 한국행.

이젠 제아무리 힘든 일을 겪어도 이들이 있기에 견딜 수 있을 것 같다.

블랑카뿐만이 아니다. 오늘 전국 각지로 흩어질 외국인 노동자들 모두 똑같은 심정이었다.

종혁은 눈빛이 단단해지는 그들의 모습에 싱긋 웃으며 성철직업알선소의 박 사장, 아니 이젠 인터내셔널 잡의 전무가 된 바성철을 봤다.

"부탁합니다, 박 전무."

"걱정 딱 붙들어 매쇼잉. 내가 안전하게 모셔다 드릴랑께. 그럼 다녀올께라!"

"예. 안전운전 하세요. 돌아오면 한잔하고요."

"허허. 싸게싸게 다녀 오겠당께요!"

종혁은 로비를 빠져나가는 그들을 흐뭇이 바라보다 몸을 돌렸다.

"수고하셨습니다, 사장님."

"뭘요. 다 저희의 소중한 고객인데요."

"크으. 역시 그 전문적인 경영인 마인드! 대단하십니다!"

아부가 아니다. 그는 진심이었다.

대전 일대에서 관리하던 외국인 노동자만 50명을 넘겼던 그, 김 부장.

종혁에게 늘씬 맞아 휘하로 들어오게 된 후 그는 별세계를 맛보게 됐다.

노비나 짐승 따위로 치부했던 불법 체류자들을 약간 대우해 줬을 뿐인데, 도주나 농땡이가 사라졌다. 사고도 안 친다.

그렇다 보니 공장이나 업주들이 하루가 멀다 하고 보내던 클레임이 사라진 것도 모자라 너도나도 보내 달라고 난리다.

거기다 관리하는 숫자가 엄청나다 보니 버는 수익도 단위가 달라졌다.

그가 가져가는 인센티브도 종전보다 높은 수준.

'이래서 장사도 소질 있는 사람이 하면 다르다고 하는

구나!'

종혁은 초롱초롱 눈을 빛내는 그를 보며 울지도 웃지도 못했다.

'이딴 놈에게 이런 소리 들으려고 한 짓이 아닌데…….'

그래도 어쩌겠나. 일을 벌인 이상 감당해야 될 업보다.

그때였다.

"다 같이 죽자, 이 씨벌 새끼들아! 여기 사장 나오라고 해-!"

로비를 쩌렁쩌렁하게 울리는 외침.

한 10명 정도 되는 덩어리들이 험한 분위기를 풍기며 안으로 들어오고 있다.

하지만 로비를 지나던 사람들은 또 왔구나, 어디서 개가 짖냐 한심하게 쳐다보거나 비웃음을 터트렸다.

거의 3일에 한 번씩은 이런 놈들이, 10퍼센트 수수료를 고집하는 그들 때문에 장사 접은 브로커들이 찾아왔기에 이젠 거의 일상이나 다름없었다.

그들은 주기적으로 찾아와 난동을 피웠고, 그러다 죽어라 처맞은 뒤 인터내셔널 잡에 입사를 하거나 검찰에 넘겨졌다.

"제가 처리하겠습니다, 사장님!"

"됐어요. 그 나이에 뼈 부러지면 잘 안 붙습니다. 그냥 오택수 경호실장님 부르고, 로비 문이나 걸어 잠가요."

"옙!"

종혁은 넥타이를 풀며 그들에게 다가갔다.

한편 블랑카는 박 전무를 따라 울산의 한 공장에 도착했다.

"아이고, 박 전무님!"

"잘 계셨어라, 싸장님. 이짝이 싸장님이 말한 인재. 대학물 먹은 양반이라 일머리가 좋을 거랑께요."

"내가 인터내셔널 잡을 못 믿겠습니꺼? 이번에도 좋은 일꾼 보내 주셔서 고맙습니데이. 그란데…… 앞으로도 문제없는 거 맞지예?"

"왜요. 우리가 허벌나게 잘 나가븐께 걱정되어라?"

"그게 이렇게 사업이 크면 경찰이라든지 검찰이라든지…… 내 말 무슨 뜻인지 알지예?"

"으하하하핫! 아따 걱정 마쇼잉. 우리 싸장님이 우떤 양반인디."

경찰이다. 그것도 본청 경찰이다.

아무리 몸집을 키워도 잡혀갈 걱정은 없었다.

"하여튼 그란 게 있응께 우리 강 싸장님은 걱정 콱 붙들어 매고 사업 번창할 생각이나 하쑈!"

"음. 그럼 계속 믿고 부탁합니데이?"

"아따, 내가 더 부탁해야지라!"

악수를 나눈 박 전무는 블랑카를 봤다.

"어이, 블랑카! 일 열심히 하고, 뭔 일 있으면 연락혀. 다음에 보드라고."

"아, 안녕히 가세요!"

"그려어. 굿 빠이! 씨 유 넥스트!"

그렇게 멀어져 가는 박 전무를 응시하던 블랑카는 가자는 공장 사장의 말에 몸을 돌려야 했다.

그리고 그날 저녁, 첫날부터 강도 높은 노동을 하고 돌아온 그는 여러 사람에게 둘러싸여야 했다.

'아, 신고식이 있는 건가…….'

블랑카는 울컥 차오르는 두려움에 방어 자세를 취하려고 했다.

하지만.

"이봐, 블랑카. 당신 정말 인터내셔널 잡을 통해서 왔어?"

"어?"

가쁘게 터져 나오는 영어에 블랑카는 눈을 껌뻑였다.

"정말 거기 수수료가 매달 10퍼센트밖에 안 돼? 건강검진도 해 주고, 백신도 맞게 해 줘?"

"내 말이 맞다니까!"

"당신은 좀 닥쳐 봐, 거짓말쟁이!"

"뭐 인마?!"

눈을 데구루루 굴리며 상황 파악을 끝낸 블랑카는 히죽 웃었다.

"그것뿐이겠어요? 관광도 시켜 주고, 나중에 가족이나 만나러 한국에 올 수 있으면 내가 받은 서비스를 똑같이 해 준다고 약속했어요. 취업 비자도 받게 해 준다고 했고요."

그뿐만 아니다. 가족 중 한국에서 일하기를 희망하는 여성들은 주방 친모니 홀 서빙, 외국어 자격증이 있으면 통번역이나 학원 강사 등 그리 힘들지 않은 직종에 취직시켜 준다고도 했다.

“뭐?! 진짜?!”

“거봐! 내 말이 맞잖아!”

쥐가 나올 것처럼 허름하고 더러운 숙소가 조용해졌다.

“그, 그럼 우리도 거기 통해서 일할 수 있어? 브로커 옮겨도 괜찮을 수 있어?”

블랑카는 간절히 쳐다보는 그들의 모습에 종혁이 한 말을 떠올렸다.

‘홍보를 해 달라고 했지?’

무슨 의도로 그렇게 말한지 모른다면 바보다.

자신 같은 사람이 많아질수록 종혁은 돈을 더 많이 벌게 되는 거다. 그렇다면 내려야 할 결론은 하나다.

“연락처 드릴까요?”

“나, 나도!”

“나도!”

블랑카는 너도나도 손을 드는 사람들을 보며 푸근히 웃었다.

‘이렇게라도 은혜 갚을게요, 싸장님. ……우리 싸장님.’

그리고 이건 전국 각지에서 벌어지고 있는 일이었다.

* * *

화려한 사무실, 독일에서 직수입한 고급 원목 책상에 앉아 이번 주 결산 내역을 살피던 종혁이 미간을 찌푸렸다.
"소개비를 줄인 업주들이 있네요?"
보통 이쪽 업계에선 외국인들에게 월급 중 일부를 알선 수수료로 받는 한편, 업주들에게도 외국인을 소개시켜 준 대가를 받는다. 이를 보통 소개비라고 한다.
"이유는 알아봤습니까?"
"뭐 언제나 똑같은 개소리죠."
외국인을 한껏 부려 먹어 돈을 벌어 놓고는 막상 소개비를 줄 때가 되니 돈이 아까운 것이다.
"앞으로 파견시키지 않으면 땡이니까 사장님은 너무 걱정 마십시오!"
별일 아닌 듯한 모습에 종혁은 고개를 끄덕였다.
"그래요. 이런 업주들은 재깍재깍 블랙리스트에 올리고, 파견 나간 분들은 회사로 불러 올려서 케어 좀 해요. 이런 이기적인 업주 밑에서 얼마나 고생했겠어요?"
"아이고, 사장님. 제가 누차 조언을 드리는 거지만 이런 외국인 놈들은……."
"전 상무."
순간 종혁의 눈빛이 싸늘하게 가라앉는다.
"내가 부탁하는 걸로 보여?"
"……죄, 죄송합니다! 그렇게 하겠습니다!"
종혁에게 꺾였던 팔꿈치가 시큰거리며 아파 오자 그의 등골이 식은땀을 토해 냈다.
"후우. 전 상무님."

"예! 사장님!"

"잘합시다."

"예, 옙!"

"나가봐요."

"사랑합니다, 사장님!"

허리를 꾸벅 숙인 그는 사장실을 빠져나갔고, 종혁은 닫히는 문을 싸늘한 눈으로 쳐다봤다.

"저 새끼도 슬슬 정리해야겠네."

그동안은 그가 가진 노하우와 인맥이 필요해서 데리고 있었던 것뿐이지, 계속 함께하고 싶은 생각은 애초부터 없었다.

혀를 찬 종혁은 탑처럼 쌓인 서류들을 옆으로 밀어내며 마우스를 잡았다.

"오늘은 몇 명이나 이직을 해 왔으려나?"

'오늘은 부디 있기를.'

벌써 이 짓만 세 달째에 접어들고 있다.

그럼에도 아직도 꼬리를 드러내지 않는 놈의 실체에 슬슬 짜증이 났다. 마음 같아선 다시 발로 뛰고 싶은 기분.

하지만 참아야 했다. 이게 가장 빠른 길이기에 참고 견뎌야 했다.

"후우. 음?"

이직 명단을 살피다 고개를 모로 기울인 종혁은 재빨리 하나의 파일을 켰다. 그리고 벌떡 몸을 일으켰다.

"그렇지! 이거지!"

저도 모르게 환호성을 터트린 종혁은 다급히 핸드폰을 들었다.

-예에…… 청소과 대리 최재수…….

"최 대리, 떴다!"

-……!

드디어 떴다.

83명 중 무려 다섯 명이.

수사에 진전이 보이기 시작한 순간이었다.

* * *

"저, 정말이었다니……."

베트남에서 코리안 드림을 꿈꾸며 넘어와 불법 체류자 신분으로 무려 3년을 고생한 응우옌은 인터내셔널 잡에서 제공하는 서비스에 그동안 받았던 설움이 북받쳐 오르는 걸 느꼈다.

사람을 사람답게 대우해 주는 인터내셔널 잡의 서비스.

-으, 응우옌, 울어?

컴퓨터와 전화기가 놓인 작고 아늑한 룸.

응우옌은 황급히 눈물을 닦았다.

"아, 아니야. 오랜만에 당신 목소리 들으니까 너무 좋아서 그래. 하잉은? 지금 4살이지? 얼마나 컸어?"

-……힘들면 지금이라도 돌아와. 여기서 일해도 우리 세 가족 충분히 살 수 있어.

따뜻한 아내의 말에 그의 설움이 더 터져 나온다.

더 이상 듣다간 정말 울어 버릴 것 같아 응우옌은 얼른 말을 돌렸다.

"아, 맞아. 나 9월에 휴가 받아서 잠시 갈 것 같아! 여기 싸장님이 비행기값 빌려준대!"

-저, 정말? 그렇게 좋은 분이 계셔?

"말도 마. 한국 너무 좋아. 아, 다음 달부터 돈을 두 배 정도 더 보낼 수 있다고 내가 말했던가?"

-뭐어어?

응우옌은 토끼처럼 놀라는 아내의 목소리에 웃음을 터트리며 그동안 통화비가 비싸서 나누지 못했던 이야기를 두런두런 나눴다.

그러다 띠링 컴퓨터에 켜지는 알람에 그는 아쉬움을 접고 일어서야 했다.

"이만 끊을게. 당분간은 계속 통화할 수 있으니까 내일 또 통화하자."

-보고 싶다, 자기야. 히이잉.

"……나도. 사랑해."

억지로 전화를 끊은 응우옌은 어느새 흘렀던 눈물의 흔적을 닦아 내곤 일어서 룸을 빠져나갔다가 흠칫 놀랐다.

키가 대나무처럼 큰 남성이 웬 검은 박스를 들고 있는데, 얼굴이 눈물콧물투성이다. 놀랄 수밖에 없었다.

"누, 누구?"

"처, 청소입니다."

"아. 쑤, 쑤고해."

"네, 힘내세요. 파이팅!"

어색하게 웃은 응우옌은 카운터로 걸어갔다.

"가족과 즐거운 시간은 보내셨어요?"

"네! 내, 내일도 돼? 아, 아니 돼요? 해 줘!"

"네, 걱정 마시고요. 예약 알림은 오늘 12시에 갈 겁니다."

"감싸해요. 아줌마!"

"아줌마가 아니라 아가씨고요."

"미, 미안, 아가씨!"

한편 응우옌이 머물렀던 룸에 들어온 최재수는 콧물을 훌쩍이며 검은 상자를 열어 라텍스 장갑을 꼈다.

탁! 탁!

"오. 나 방금 뭔가 있어 보였어."

파출소 시절 사건 현장에 갔을 때, 라텍스 장갑을 낀 채 돌아다니던 국과수 사람들과 형사들이 그렇게 멋져 보일 수가 없었다.

마치 자신과는 격이 다른 존재인 것 같았던 느낌.

그런데 어느새 자신도 그들과 똑같은 행동을 하고 있다.

뿌듯함이 파도처럼 밀려왔다.

"흐흐. 아차!"

최재수는 얼른 전화기, 키보드 마우스 등 응우옌의 손길이 닿았을 모든 곳에 검은 상자에서 꺼낸 도구들로 지문을 채취하고 머리카락이나 휴지 등도 수거했다.

그리고 마지막으로 청소까지 깔끔히 마치고 난 그는 핸드폰을 들었다.

"응우옌의 지문과 DNA 채취했습니다. 다른 사람 갈게요."

—어, 수고했고. 또 수고해.

"네. 아, 그런데 최 경위…… 아니, 사장님. 저도 오 실장님처럼 실장을……."

—최 대리, 이번 작전에서 최 대리 역할이 가장 큰 거 알지?

"흡?! 그, 그랬어요?"

—그럼 내가 괜히 최 대리만 대리를 하라고 했겠어?

"아……."

—믿는다. 수고해.

"옙!"

전화를 끊은 최재수는 얼굴을 씰룩였다.

"흐흐. 그렇지. 내가 가장 중요한 역할이지. 그래, 이 채취가 범인을 잡는 거잖아?"

여태껏 자신만 대리여서 꿍했었던 최재수는 실실 웃으며 수첩을 꺼내 들었다.

"보자, 다음 사람이 몇 번 룸이었더라."

그는 가방을 챙겨 들며 일어났다.

* * *

—최 경위, 이거 채취한 놈 누구야?

"왜요? 이상해요?"

—아니? 꼼꼼한 게 이쪽으로 재주가 있는 것 같아서. 중요한 놈이야?

"하하. 한번 물어는 볼게요. 그보다 얼마나 걸릴까요?"

—누구 부탁인데 오래 걸릴까. 단순 대조만 하면 되니까 1시간만 기다려 줘.

"부탁드리겠습니다!"

전화를 끊은 종혁은 맞은편 소파에 앉은 오택수와 최재수를 봤다.

"1시간이랍니다."

"이야, 한번 보냈다 하면 함흥차사인 국과수가 1시간밖에 안 걸린다고?"

역시 어디든 끈이 있고 봐야 했다.

하지만 그렇게 감탄하는 것도 잠시다. 오택수는 벌써부터 말라붙은 입술에 침을 발랐다.

"긴 1시간이 되겠네."

"언젠 안 그랬나요."

중요 단서가 발견되어 국과수에 검사 의뢰를 넣는 순간부터 형사의 시간은 느려진다. 매분 매초 피가 마른다.

이럴 땐 억지로라도 다른 일을 하는 게 좋았다.

서류를 가져온 종혁은 결재를 시작했고, 할 일이 없어 힐끔 본 오택수는 눈을 빛냈다.

"다문화 가정?"

"아, 다문화 가정 쪽에서도 일을 할 수 있겠냐는 문의

가 종종 접수된다더라고요."

"그쪽도 건드려 보게?"

"겸사겸사하는 거니 어려운 일도 아니니까요. 그리고 그쪽 문제에도 관심이 있기도 하고요."

"가정 폭력?"

"그것도 있는데, 요새 갑자기 신부가 사라져 버리는 일들이요."

"아, 그거?"

결혼식을 올리고 신혼집까지 얻어 잘 살고 있는데, 어느 순간 신부가 자취를 감춰 버리는 사건들.

"거의 시골 일이 힘들고, 고부갈등이 심해서 도망치는 거라며?"

"그런 경우가 대다수이긴 한데……."

국제결혼의 피해 사례로는 한국인 남성, 남편의 폭력이 대표적이다.

그러나 국제결혼의 피해 사례가 그뿐만인 것은 아니다. 한국 국적을 취득하자마자 도망을 치거나 이혼을 요구한다든지 하는 사례도 존재한다.

그 과정에 무언가 안타까운 사연이 있을지도 모르지만, 문제는 처음부터 이를 목적으로 하는 악질적인 경우가 있다는 것이다.

"뭐, 아무튼 일하겠다는 사람이 많아서 나쁠 건 없으니까요."

일자리를 쫓아 한국을 찾는 이들 중 대다수가 이렇게

먼저 한국에 자리를 잡은 이들의 권유에 의해 한국행을 택한다.

거의 대부분이 싸고 절차가 간편한 관광 비자로 들어오는 그들.

그리고 당연하다는 듯 불법 체류자가 되어 버린다.

"그런 그들을 시야 안에 두자?"

종혁은 고개를 끄덕였다.

"와, 이 영악한 새끼."

자신들이 감시당하는지도 모르는 사람들은 일자리를 주는 종혁에게 열렬한 찬사와 지지를 보낼 터.

이렇게 되면 정말로 대한민국에서 일하는 모든 외국인 노동자는 무조건 이곳을 거치게 된다고 봐야 했다.

"왜요? 꺼림칙해요?"

"……아니. 죽이네. 베리 나이스 굿."

"흐흐흐."

고개를 끄덕인 오택수는 이내 신경을 끄며 최재수를 봤다.

다시 수첩에 시선을 돌리며 말 속에 담긴 뜻을 곱씹으며 자신의 것으로 만들려 노력하는 그.

입술을 비튼 오택수는 고개를 뒤로 젖혀 눈을 감았다.

그렇게 얼마의 시간이 흘렀을까.

펜이 글씨를 쓰는 소리와 수첩을 넘기는 소리만 나던 사무실에 음악 소리가 났다.

-지치고 힘들 때…….

셋은 동시에 핸드폰을 응시했다.

기다리던 연락.

심호흡을 한 종혁은 전화를 받았다.

"예, 최종혁입니다. 예. 아……."

기대감에 차 있던 종혁의 얼굴이 흐려진다.

그에 오택수와 최재수도 한숨을 내쉬었다.

"아닙니다. 감사합니다. 다음에 또 부탁드릴게요."

전화를 끊은 종혁은 낯빛이 어두운 둘을 보며 씩 웃었다.

"뭐 완전히 기대하지는 않았잖아요."

"하지만…… 에휴. 알았어. 수고해."

"저도 이만 가 보겠습니다. 충성."

종혁은 문을 닫고 나가는 그들을 보다 고개를 뒤로 젖혔다.

아무렇지 않은 듯 웃긴 했지만, 솔직히 그도 기분이 썩 좋진 못했다.

하지만 언제까지고 처져 있을 순 없었다.

종혁은 볼을 짝짝 치며 흐트러진 정신을 재무장했다.

"자, 그럼 난 다음 단계로 넘어가 볼까?"

종혁은 내선 전화기를 들었다.

"예. 오늘 구내식당에서 전체 회식을 할 계획이니 본사에 체류하는 모든 고객들 역시도 무조건 참석하라고 전파하세요."

종혁의 눈빛이 깊게 가라앉기 시작했다.

*　*　*

치이익!

지하 구내식당에서 여러 나라의 음식들이 만들어진다.

팟타이, 분짜, 른당, 램찹 등 많은 돈을 들고 금의환향을 하지 않는 이상 먹어 보지 못할 거라 생각했던 고향 음식에 외국인들이 이성을 잃는다.

한국에서 몇 년째 온갖 고생을 했던 사람들은 눈물콧물을 모두 쏟아 낸다.

"흑! 끄으윽!"

응우옌도 마찬가지다. 고향의 향이 가득한 쌀국수 국물 한 수저에 목이 막힌다.

응우옌은 맞은편에 앉은 인터내셔널 잡의 직원을 향해 힘겹게 입을 열었다.

"감싸해. 싸랑해……."

"아니, 뭐…… 많이 먹어. 음식은 많으니까."

종혁의 특별 지시에 의해 외국인들과 섞여 앉아야 해서 구시렁거리던 덩치는 복잡미묘한 표정을 지으며 고개를 돌렸다.

'씨부럴. 갑자기 그 씨부럴 동생 새끼가 생각나네.'

눈앞의 응우옌과 비슷한 또래의 남동생.

형을 형 취급 안 하는 때려죽일 놈이다.

'씹새끼. 밥은 잘 챙겨 먹고 다니는지.'

그는 오늘 저녁엔 가족에게 연락을 해 봐야겠다고 생각했다.

그때였다.

"어이구. 밥을 먹으랬더니 왜 콧물들을 먹고 있어요."

식당 안으로 어슬렁 들어오는 종혁을 발견한 사람들이 의자를 박차며 일어선다.

"싸, 싸장님!"

"싸장님! 어허엉!"

선글라스를 낀 종혁은 금방이라도 달려들 듯한 그들의 모습에 속으로 씁쓸히 웃으며 진정시켰다.

"나는 신경 끄고 다들 밥들 먹어요. 부족하면 얼마든지 더 달라 하고. 그러라고 요리사님들을 고용한 거니까."

한국에 있는 외국 식당의 요리사들. 거금을 주고 특별히 고용했다.

"감싸합니다!"

"싸장님, 쌀랑해요!"

피식 웃은 종혁은 일단 아무 자리나 앉아 그들이 진정하길 기다렸다가 슬그머니 몸을 일으켰다.

'어디 보자…… 아, 저기 있네.'

라오스 사람 방티엔. 그가 첫 번째였다.

"싸, 싸장님!"

"됐어요. 뭘 일어나고 그래. 앉아요, 앉아."

슬그머니 먼저 자리 잡고 있던 직원을 밀어내고 그 자리에 앉은 종혁은 방티엔의 잔에 맥주를 따라 주며 입을 열었다.

"에고, 많이 탔네. 한국에서 일하기 힘들죠?"

"……크흡!"

종혁은 울컥하는 울음을 참아 내기 위해 애쓰는 그를 차갑게 응시했다. 선글라스가 그런 그의 눈빛을 가려 주었다.

"싸, 싸장님!"

"앉아요, 앉아. 왜 다들 자꾸 일어나고 그래? 부담스럽게?"

어색하게 웃은 응우옌은 자리에 앉았고, 종혁은 테이블을 살폈다.

"왜 더 먹지 않고요."

"배, 배불러. 더 못 먹어! 배 터져! 고마워, 싸장님!"

'정말 고맙습니다, 사장님! 정말로…….'

그 어떤 브로커가 이런 대우를 해 줄까. 아니, 그가 만난 업주 중 가장 착한 업주도 이런 건 안 해 줬다.

종혁은 눈가에 눈물이 차오르는 그의 모습에 맥주병을 들었다.

"에고, 그동안 많이 힘드셨나 보네. 말도 안 통하고, 기껏 말해도 뜻도 안 통하고. 답답했죠?"

응우옌은 눈을 동그랗게 떴다.

"싸, 싸장님, 우리 말 알아?"

"다른 나라 말 배우는 게 취미예요."

"대, 대단해……."

'이 사람은 정말 뭐가 달라도 다르구나!'

"솔찍히…… 아, 아니……."

응우옌은 방금도 한국어로 말할 뻔한 것에 어색하게 웃으며 입을 열었다.

"솔직히 말이 안 통하는 게 제일 힘들었죠. 그래도 가끔 좋은 분들을 만나서 버틸 수 있었습니다."

"그것도 복이죠. 좋은 사람을 만나는 것도."

이미 한잔 거하게 들어간 응우옌은 연신 고개를 끄덕였다.

"맞습니다. 맞아요. 왜 그렇게 나쁜 사람들이 많은지! 작년에 일했던 고추밭 싸장님은 정말 말도 아니었다니까요?"

종혁을 같은 편이라고 생각해서 그런지 그의 입에서 말이 술술 나온다.

"오, 그래요? 그분들이 누군데요?"

흠칫!

"예?"

"아, 걱정 마세요. 그런 악덕업주들은 블랙리스트에 올리려고 그래요. 응우옌 씨도 내 소중한 고객인데, 험한 꼴을 당하게 두면 안 되잖아요."

"싸장님……."

다시 눈물을 글썽인 응우옌은 자신이 겪은 모든 업주들을 말했다. 그중엔 문제의 그 공단도 있었다.

"아, 그 공단."

"아세요? 아니, 싸장님이라면 당연히 아실 테죠. 저희 같은 사람들을 전국에 보내니까."

"아니, 그것 때문이 아니라 재작년에 거기서 끔찍한 일이 벌어졌잖아요. 꺼림칙해서 기억하고 있는 곳입니다. 그런 위험한 곳과 중개 알선을 할 때엔 몇 번이고 심사숙고해야 되니까요. 당신들이 다칠 수도 있으니까."

"싸장님은 정말……."

싱긋 웃은 종혁은 입을 열었다.

"그래서 하는 말인데, 그때 일에 대해 뭔가 들은 건 없어요?"

종혁은 반쯤 기대를 버리며 물었다. 앞서 네 명도 그 사건에 대해 아는 게 없었기 때문이다.

"들은 거요? 음……."

흐리멍텅한 눈으로 천장을 보며 기억을 더듬던 응우옌은 이내 곧 고개를 저었다.

그에 종혁은 속으로 한숨을 내뱉었다.

'그래, 첫술에 배부르려고 하지 말자.'

어차피 어망 안에 들어오기 시작한 물고기들이다.

하나둘 확인하다 보면 결국 놈을 잡을 수 있게 될 터였다.

'오늘은 여기서 만족하자.'

종혁은 아쉬움을 삼키며 마무리 멘트를 날리려 입을 열었다.

그때였다.

"아!"

"음?"

"같은 베트남 친구가 뭐가를 말한 적이 있어요."

순간 종혁의 엉덩이가 들썩였다.

"뭔데요?"

"뭐였더라? 아, 맞아. 어느 날 그 친구가……."

함께 방을 쓰는 룸메이트와 숙소에서 술을 마시다가 술이 떨어졌고, 그 룸메이트는 무슨 일인지 자기가 선뜻 편의점에 술을 사 오겠다고 나갔는데 오랜 시간 돌아오지 않았다.

그에 이미 자기 주량을 훌쩍 넘겼던 응우옌의 친구는 깜빡 잠이 들어 버렸는데, 잠결에 문이 열리는 소리가 들려 슬쩍 깼다가 어렴풋이 피 냄새를 맡았다.

그런데 너무 취한 상황이라서 '그냥 어디서 굴렀는가 보다'라며 신경을 끄고 다시 잠들었다.

"다음 날 보니까 얼마나 세게 구른 건지 무릎이나 팔이 상처투성이였대요. 멍도 있고."

"혹시 그 숙소 뒤에 작은 마을이 있지 않았던가요?"

종혁은 그러며 마을 이름을 덧붙였다.

"어? 아세요?"

'미친!'

종혁은 들썩이는 몸을 억지로 제어했다.

아직은 아니다. 아직은 용의자일 뿐이다.

종혁은 애써 그렇게 스스로를 다독이며 태연함을 가장했다.

"그 룸메이트의 평소 행실은 어땠습니까?"

"썩 좋지 못했다고 해요. 만날 틱틱거리고 아무에게나 시비 걸고, 그러다 싸우고. 그 숙소에서도 좋아하는 사람이 별로 없었대요."

응우옌의 베트남 친구가 성격이 워낙 좋아서 어울렸던 것뿐이다. 그래서 룸메이트가 선뜻 술을 사러 나간다고 했을 때 많이 놀랐었다.

"그랬단 말이죠……."

"네. 그런데 그건 왜……. 설마……?"

혹시 하는 의심이 응우옌의 눈에 들어차자 종혁은 싱긋 웃었다.

"아니요. 그렇게 행실이 좋지 못한 분을 알선할 수는 없으니까요. 그럼 응우옌 씨처럼 성실한 사람까지 도매급으로 욕먹는 거잖아요."

"아, 그런 깊은 뜻이!"

"그래서 그런데 그 베트남 친구분의 연락처 좀 알려 줄 수 있을까요? 응우옌 씨의 친구에다가 그런 나쁜 사람도 포용하는 사람이라면 우리 회사와 계약을 맺을 자격이 충분할 것 같아서요."

"싸, 싸장님!"

"고마우면 다른 아는 분들에게 저희 회사 홍보 좀 해 주세요."

"네, 당연하죠! 꼭 그럴게요!"

"부탁드릴게요. 그럼 전 이만……. 적당히 마시세요."

"네!"

푸근히 웃으며 일어선 종혁은 돌아서며 눈빛을 가라앉혔다.

'일단 한 놈은 추렸군.'

기대를 버리던 와중에 얻은 소득.

'역시 이 방법이 맞았어.'

한 번 더 이번 계획이 탁월했음을 깨달은 종혁은 구내 식당을 빠져나가며 핸드폰을 들었다.

"오 실장님, 최 대리 데리고 내 방으로 오세요."

수사가 한 번 더 진척을 보였다.

2장. 사람이라 부를 수 없는 짐승

사람이라 부를 수 없는 짐승

기이잉! 치이잉!

소음으로 가득한 공장 안.

2층의 사무실에서 컴퓨터로 작업을 하던 오십대 장년인이 기지개를 펴며 일어선다.

"어우, 죽겠네."

시계를 보니 어느덧 오후 4시. 점심 식사 후 3시간 동안 컴퓨터 앞에만 앉아 있었으니 피곤할 만했다.

하지만 아직 퇴근까진 멀었는지라 기지개를 펴며 피로를 쫓던 장년인은 공장 안으로 뚫린 창가에 섰다.

"다들 열심히 하고 있군."

흐뭇이 웃던 장년인 이내 고개를 모로 기울였다.

뭔가 이상했다. 아니, 뭔가 허전했다.

"하나, 둘, 셋, 넷…… 어?"

사람의 숫자가 무려 세 명이나 빈다.

담배를 피우러 갔겠거니 생각하던 장년인은 순간 뭔가가 떠올라 얼굴을 와락 구겼다.

"이 쌍놈의 새끼가 또!"

격분을 하며 사무실을 박차고 나온 장년인은 공장 뒤편으로 달려갔다.

그리고 볼 수 있었다. 팰릿에 앉아 히히덕거리는 동남아인 3명과 그들 밑에 수북하게 쌓인 담배 꽁초들을.

혈압이 그의 뒷목을 때렸다.

"야, 이 개새끼들아-!"

낄낄거리며 웃다가 화들짝 놀란 3명.

그중 하얗게 질린 2명은 얼른 담배를 껐지만, 남은 한 명은 능글맞게 웃었다.

"왜? 싸장님?"

"왜? 왜에? 느엉, 너 언제부터 여기 있었어!"

"방금 왔어, 싸장님."

"방금 오긴, 새끼야! 그 밑에 담배가 수북한데!"

그 말에 밑을 본 느엉은 혀를 차곤 미안한 표정을 지으며 일어섰다.

"알았어. 일하러 갈게. 그럼 됐지?"

"이 자식이 진짜!"

"나 일한다. 일하러 간다."

느엉은 잰걸음으로 장년인을 스쳐 지나갔고, '어? 어?' 하던 그는 얼굴을 와락 구겼다.

"너 또 이러면 정말 잘라 버릴 줄 알아! 알았어? 알았냐고! 에이, 씨부럴. 인터내셔널 잡에서 사람을 구하든 해야지."

싸다고 막 쓰는 게 아니었다.

툴툴거린 장년인은 담배를 물었다.

한편 코너를 돌아선 느엉은 잔뜩 굳어 따라오는 두 친구를 향해 입을 열었다.

"봤지? 저 늙은 새끼는 우릴 자르지 못해."

"방금 자른다고……."

"흥. 그거야 말뿐이지!"

한국인은 130만 원 받는데, 자신들은 60만 원밖에 안 받는다. 절대 못 자른다.

"즉, 우린 두 사람이 한 사람 몫만 해도 된다는 거지. 오케이?"

"와. 역시 느엉 넌 한국에 오래 살아서 잘 아는구나?"

"굳이 힘들게 일할 필요 있어? 어차피 월급은 정해져 있는데?"

"우와아."

느엉은 감탄하는 친구들의 모습에 콧대를 세웠다.

'정말 자르면 그땐 확 불질러 버리면 돼.'

느엉의 눈빛이 순간 위험하게 빛났다.

"들어가자. 한 번 욕먹었으니 일하는 흉내는 내야지."

"오오오."

그렇게 공장 안으로 들어간 셋은 일을 하는 둥 마는 둥 하다가 퇴근 시간이 되자 재빨리 퇴근을 해 버렸다.

“야, 이 쌍놈의 새끼들아-!”

복장이 터지는 사장의 외침을 뒤로하며 거리로 나선 셋.

그들은 때가 가득한 허름한 옷차림을 한 그들은 슬리퍼를 찍찍 끌며 숙소로 향했다. 그런 그들의 모습에 사람들은 분분히 비켰다.

“봐. 내가 말했지? 한국인들 다 겁쟁이라서 우리가 이렇게 다니면 겁먹을 거라고?”

“큭큭큭. 뭐야, 정말이잖아?”

느엉의 말에 둘의 얼굴이 느슨하게 풀린다.

그들은 어깨를 펴며 껄렁하게 걸었다.

“어? 여자다. 예쁜데?”

“엉덩이 흔드는 거 봐라. 저런 애랑 자 봤으면 소원이 없겠네.”

그들은 느엉을 봤고, 순간 움찔한 느엉은 이내 단호히 고개를 저었다.

“그건 안 돼. 쟤들 우리 사람 취급 안 하니까.”

“아, 느엉도 그건 힘들구나…….”

실망하는 두 친구의 모습에 느엉은 입술을 이죽거렸다.

‘이건 나만 알아야 하는데…….’

하지만 패거리를 만들어 목소리를 높여야 편히 일할 수 있기에 어쩔 수가 없었다.

‘쯧.’

"대신 이런 건 할 수 있지."

느엉은 비틀거리며 넘어지는 척 앞에서 걷는 여자의 엉덩이를 잡았다.

"꺅! 이 미친 새끼가!"

"미, 미안! 잘못했어! 때리지 마!"

잔뜩 움츠리는 느엉의 모습에 손을 들었던 여성의 눈이 흔들렸다.

"뭐야. 무슨 일이야?"

"이익!"

사람들의 시선이 모이자 주춤 물러서던 여성은 결국 돌아설 수밖에 없었다.

"별꼴이야, 진짜!"

여자가 빠르게 멀어지고 사람들의 시선도 떠나자 느엉은 넋을 놓은 두 친구를 봤다.

"봤지? 이러면 절대 안 맞아."

"……우와아아!"

"감촉은 어땠어? 탱탱했어?"

"쉿. 가자."

얼른 숙소로 복귀한 셋은 숙소 근처의 편의점 테이블에 앉아 술판을 벌였다. 이 근방은 모두 같은 처지 사람들이 쓰는 곳이라 이곳에서만큼은 마음 편히 마실 수 있었다.

"그래서 아까 어땠는데?"

"어떻긴 죽였지. 역시 한국 여자는 베트남 여자랑 살결부터가 달라."

"하아, 부럽다. 나도 만져 보고 싶은데……."

"내일 만져 보면 되지."

"그렇지?"

셋은 웃음을 터트렸다.

그때였다.

"으하하핫!"

그들의 웃음을 파고드는 또 다른 웃음소리.

고개를 돌린 그들은 혀를 찼다. 땟국물이 가득한 옷을 입은 자신들과 달리 깨끗한 옷을 입은 무리들.

"인터내셔널 잡 애들이네."

순간 부러움이 그들의 눈에 차오른다.

하지만 그것도 잠시다.

"개새끼들. 그거 추천해 주는 게 뭐 그리 힘들다고."

"아주 지들이 귀족이지. 퉤!"

본인들 행실은 생각 못한 그들은 끓어오르는 화를 생각 못하고 술만 들이켰다.

그렇게 어느 정도 마셨을까. 초점이 흐려질 만큼 술이 들어가자 자연스럽게 음담패설로 넘어갔다.

"그래서 정말 한 번도 안 해 본 거야, 느엉?"

"나? 해 봤지."

"진짜? 어떻게?"

"우리를 상대해 주는 여자들도 있거든. 거기가 어디냐면……."

둘이 눈을 빛내던 그 순간이었다.

"으하하핫!"

"푸하하핫!"

"아, 진짜 시끄럽네. 여기가 자기들 건가."

"그러게."

'죽여 버릴까?'

눈살을 구기며 쳐다봤던 느엉은 그들 일행에 껴 있는 덩치 큰 남성과 눈이 마주치자 슬그머니 고개를 돌렸다.

그러며 이를 악물었다.

'얼굴 기억했다. 넌 내가 언젠가 꼭 죽인다.'

"그러면 그중에 누가 제일 좋았어?"

"누가 제일 좋았냐고?"

듣자마자 떠오르는 여자가 한 명 있다.

그녀와의 관계가 떠오른 느엉의 눈이 몽롱하게 풀렸다.

그는 잠시 재작년으로 돌아갔다.

그녀를 발견한 건 정말 우연이었다.

뽀얗고 하얀 살결에 긴 생머리를 흩날리며 잰걸음으로 걷던 교복 입은 소녀.

모든 한국인이 자신을 벌레 보듯 꺼려 하는데도 마주치면 언제나 먼저 웃으며 안녕하세요 인사를 건넸던 소녀.

저녁 11시, 스쳐 지나가며 인사를 나누는 그 짧은 순간이 느엉에겐 다음 날 고된 일과를 버틸 수 있게 만드는 축복이었다.

어쩌다 소녀가 친구에게 받았다며 귤 한 개, 초콜릿 한 조각을 쥐어 줄 땐 세상을 다 가진 것 같았다.

그래서 참다못해 고백했다.

맨날 웃어 주니까 소녀도 자신에게 관심이 있구나 확신했다.

하지만 소녀는 그 기대를 배신했다.

고백 실패 이후 벽을 친 소녀.

그래서 결국 저질렀다.

가질 수 없다면 누구도 가지지 못하게, 그러며 소녀가 자신을 영원히 기억할 수 있도록 해 버리기로 했다.

같은 방을 쓰는 병신에게 술을 잔뜩 먹여서 알리바이를 만들고, 고백을 거절할 수 없도록 칼을 가져갔다.

하지만 소녀는 칼을 들이미는데도 거절했다.

그리고…….

"네가 나빴던 거야. 네가 나빴다고!"

"이 미친 새끼야! 놔! 아빠-!"

"시, 시끄러워!"

푸욱!

"아, 아으. 너, 너!"

손에 닿은 물컹한 감촉과 뜨거운 물, 아니 피.

겁에 질린 소녀의 눈을 보자 눈이 돌아 버렸다.

기억이 끊겼다.

누가 좀 살려 주세요. 아빠 살려 줘. 꺼져. 비켜.

그런 소녀의 외침만 기억에 흐릿하게 남아 있을 뿐이다.

다시 기억이 돌아오니 모든 게 끝난 상황이었다.

그녀의 숨은 멎어 있었고, 주위는 온통 피바다였다.

"좋았던 여자가 누군데! 아, 말 좀 해 봐!"

'김가을.'

소녀의 이름은 김가을이었다.

"느엉?"

"아니야. 그만 마시고 일어나자. 한국 사람은 농땡이에는 관대해도 지각은 못 참거든."

친구들을 다독이며 일어선 느엉은 어느새 불룩해진 아랫도리에 목에 건 목걸이를 만지작거리며 걸음을 옮겼다.

'역시 팬티까지 챙길 걸 그랬나. 다음엔…….'

술에 취해 초점이 흐려진 눈이 위험하게 번들거리고 있었다.

* * *

"이제 이 세 명만 남았네요."

총 83명 중 80명은 모두 인터내셔널 잡의 품에 들어왔다.

하지만 아직까지도 세 명만큼은 수배가 안 되고 있었다.

느엉 반 티 느엉. 올해 나이 37세. 국적 베트남.

틴 랏 리 라차논. 올해 나이 25세. 국적 태국.

탄 자만 메스리아. 올해 나이 24세. 국적 방글라데시.

이 중 느엉은 가장 유력한 용의자다.

"성격이 개좆같다고?"

"허언, 허세에 피해 의식도 많은 것 같아요."

여러 증언들을 확보한 결과 강약약강의 성격을 가진 전형적인 소인배, 찌질이다.

"개좆같은 게 아니라 그냥 병신 새끼네. 이런 새끼들이 범죄를 가장 많이 저지르는데……."

오택수의 촉이 느엉을 가리킨다.

종혁은 동감이라는 듯 고개를 끄덕였다.

'나도 그렇긴 한데…….'

다른 둘과 다르게 느엉만 그날 다쳤다.

그날 숙소를 빠져나간 것도 느엉뿐이다.

모든 정황 증거가 느엉을 가리키고 있는 것이었다.

"하. 그래도 이제 끝이 보이구만?"

83명을 용의선상에 올린 후 수사를 시작해 결국 3명까지 좁혔다. 지난 4개월의 대장정도 이제 끝을 보이는 것 같다.

만약 이 3명 중에 없다면 수사는 원점으로 돌아갈 테지만, 지금은 그것까지 생각하고 싶지 않았다.

피로가 잔뜩 쌓인 그들의 어깨가 잠시 느슨하게 풀리며 잠시 침묵이 내려앉았다.

"문제는 이 새끼들을 어떻게 찾아야 하냐는 건데……."

최재수의 낯빛도 어두워진다.

대한민국에 있는 건 확실한데, 어떤 수단을 써도 수배가 안 되는 셋. 어디서부터 뒤져야 할지 막막해진다.

하지만.

"뭐가 걱정이에요?"

오택수와 최재수는 자신만만한 종혁의 모습에 어떤 기대를 시작했다.

그에 종혁은 내선 전화기를 들었다.

"이번에 경찰에서 협조 공문이 도착했습니다. 살인 용의자라는데, 파견 나간 전 고객들에게 이 사람들 신상 좀 발송하세요. 아, 회사에 필요한 놈들이니 경찰 말고 우리 쪽에 먼저 연락해 달라는 말도 덧붙이고요."

전국에 퍼져 있는 인터내셔널 잡의 파견 고객들.

"미친?!"

종혁은 벌떡 일어나는 둘을 보며 씩 미소를 지었다.

"자, 그럼 사냥을 시작해 봅시다."

겁이 많아 수풀에 숨어다니는 짐승들.

수풀을 건드린다면 어떤 반응이라도 보일 터.

당당하다면 자백할 것이고, 아니면 도망을 칠 것이다.

그 도망치는 놈이 범인이다.

그때부터가 사냥의 시작이었다.

* * *

수군수군.

숙소 앞, 이상한 공기를 감지한 느엉은 눈을 가늘게 떴다.

편의점 앞에 끼리끼리 모여 있던 외노자들의 시선이 느엉 본인을 따라붙는다. 한 걸음, 한 걸음 시선이 계속 따라붙는다.

공장의 외노자들도 보냈던 의심 가득한 시선들.

누군가는 핸드폰을 보거나 다른 사람에게 핸드폰 화면

을 보여 주며 뭔가를 확인한다. 그러다 어떤 누군가는 몸을 돌려 어딘가로 전화를 건다.

그 순간 칼날처럼 섬뜩한 불길함이 느엉의 뒷목을 때렸다.

'씨발! 이 병신!'

왜 편하게 돈 벌 줄도 모르는 공장의 병신들이 저것과 똑같은 시선을 보낼 때 눈치채지 못했을까.

느엉은 친구들을 봤다.

"오, 오늘은 마시지 말자. 몸이 안 좋네."

"그래? 알았어."

"그럼 먼저 들어가. 난 약국 좀 다녀올게."

"같이 가 줘?"

"돼, 됐어!"

느엉은 얼른 몸을 틀어 왔던 길을 되돌아갔다.

"느엉! 그쪽은 약국이 아니잖아! 야, 느엉!"

친구들의 부름을 무시한 느엉은 걸음을 재촉했고, 그런 그를 바라보던 이들 중 한 명이 얼른 핸드폰을 들었다.

"싸장님, 나 블랑카. 느엉 도망가. 도로 쪽. 얼른 가."

—고마워요, 블랑카. 수고했어요.

"싸장님. 은혜 갚는다?"

배시시 웃으며 전화를 끊은 블랑카는 핸드폰을 꼭 쥐며 부디 성공하길 빌었고, 전화를 끊은 종혁은 피식 웃었다.

'고맙네.'

은혜를 갚겠다며 뭐든 하려는 그 모습이 너무 고맙고 기특하다.

"뭐래?"

"나오고 있답니다. 아, 저기 나오네요."

종혁과 오택수 최재수가 느엉을 눈에 담는다.

"하, 제발 저놈이어야 할 텐데……."

다른 두 명의 사냥은 실패했다. 노리던 범인이 아니었다.

이제 남은 건 느엉뿐.

느엉도 아니라면 모든 건 도로 제자리다.

"그건 나중에 생각하고 움직이죠."

셋은 움직이는 느엉을 추격하기 시작했다.

한편 도로가로 나온 느엉은 손을 흔들었다.

"택시…… 제기랄!"

생각해 보니 지갑을 챙기지 않았다는 걸 깨달은 느엉은 다급히 왔던 길을 돌아봤지만 이내 포기했다.

그의 본능이 다시 돌아가는 건 위험하다고 외치고 있었다.

'아, 안 되는데. 다른 곳에 가려면 돈이…… 아! 그 여자!'

느엉은 공장에서 숙소로 오는 길에 위치한, 언젠가 목이 너무 말라서 들어갔던 편의점의 아리따운 알바를 떠올렸다.

언제나 미소로 자신을 맞이해 주는 그녀.

'그래서 곧 고백을 하려고 했는데!'

느엉 자신에게 마음이 있으니 웃어 줬을 거고, 짧게 던지는 유머에도 웃어 줬던 거다.

"이번엔 느낌이 좋았는데!"

그녀라면 도움을 줄 것이다.

서로 말은 안 했지만, 사랑하니까.

느엉은 빠르게 걸음을 옮겼다.

"꺅!"

"뭐야! 야, 어깨를 쳤으면……."

"됐어. 자기야, 그만 가자."

다른 것은 눈에 뵈지도 않던 느엉은 편의점의 간판이 눈에 들어오자 그제야 걷는 속도를 늦췄다.

그때였다.

"어? 느엉 씨?"

편의점에서 나오다 느엉을 발견하고 환하게 웃는 긴 생머리의 여대생.

그녀다.

김가을보다 더 아름다운 미소에 느엉은 자신도 모르게 따라 웃고 말았다.

"안녕, 환희……."

흠칫!

완벽한 타인처럼 무정하게 주위를 스쳐 지나가는 나무 인형 같은 사람들 사이를 거슬러 오는 사람이 두 명 있다.

'나, 날 보고 있어!'

아닌 척 시선을 이리저리 돌리지만, 느엉은 느낄 수 있었다.

경찰이다.

정말 들킨 거다.

"왜 그래요, 느엉 씨. 어디 아파요?"

순간 콧속으로 파고드는 풋풋한 살 냄새에 느엉의 눈빛이 아련해졌다.

'미안해. 이해해 줘. 아니, 너라면 날 이해하겠지!'

눈빛이 돌변한 느엉은 그녀의 목을 향해 손을 뻗었다.

"어?"

여대생 환희는 갑작스런 공격에 반응을 못한 채 멍한 반응만 보였다.

'미안해! 정말 미안해!'

느엉은 눈을 질끈 감으며 외쳤다.

"꼼짝 마! 다가오면 이 여자는 죽어!"

그 순간이었다.

덥썩!

느엉은 자신의 팔뚝을 잡은 커다란 손의 주인을 봤다.

"뭐하냐?"

어느새 옆에 다가와 자신의 팔을 잡고 있는 거인.

"넌 또 뭐야!"

느엉은 거인을 향해 다른 손을 휘둘렀다. 아니, 휘두르려고 했다.

으드드드드드득!

팔뼈가 부서질 듯한 아득한 고통만 아니라면 말이다.

"아악! 아아아악!"

"뭐하냐고 묻잖아, 새끼야."

'너니?'

느엉을 무심히 쳐다보던 종혁은 이 상황에서도 환희의 목을 잡고 있는 느엉의 손가락을 잡아 꺾어 버렸다.

"아, 일단 이 손은 놓자."

우둑! 우둑! 우둑!

"끄아아아아악! 으아아아아악!"

느엉은 땅바닥을 구르며 죽기 직전의 벌레처럼 발버둥을 쳤고, 종혁은 그런 그를 무심히 응시하며 입을 열었다.

"느엉 반 티 느엉 씨, 당신을 폭행 현행범으로 체포합니다. 당신은 묵비권을……."

일단 폭행 현행범.

하지만 곧 강간 후 살인 사건의 범인이 될 거다. 이렇게 도망치는 건 이놈이 유일했으니까.

앞으로 겨우 1시간.

딱 그것만 참자며 애써 살의를 달래던 종혁은 느엉의 옷 밖으로 삐져나온 목걸이를 보고 뚝 머릿속에서 뭔가가 끊기는 걸 느꼈다.

손가락 반 마디만 한 크기의 엠블럼.

김가을이 다니던 학교의 배지였다.

"하!"

'너구나. 너였어.'

종혁은 머리채를 덥썩 잡아 골목으로 질질 끌고 갔다.

"사, 살려……."

"이 손이지?"

피해자 김가을을 찌르고 만진 손이.

종혁은 느엉의 오른팔에 다리를 휘감으며 그대로 꺾었다.

뿌드득!

기괴한 소리를 내며 꺾일 수 없는 방향으로 꺾인 팔꿈치.

"……꺼억?!"

"이 다리지?"

도망치는 피해자 김가을을 쫓아가고 때리며 짓누르고 지탱한 다리가.

종혁은 망설임 없이 그 무릎도 꺾어 버렸다.

"끄아아악! 으아아아아악!"

"그냥 오늘 죽자, 이 개새끼야."

개새끼란 말조차 아까운 짐승, 아니 그 말조차 아까운 짐승 이하의 새끼다. 징계를 받는다고 해도 이놈이 사지 멀쩡히 걸어 다니는 꼴을 볼 순 없었다.

끔찍한 비명이 울려 퍼지는 골목.

오택수와 최재수가 그 입구를 틀어막았다.

* * *

"가으리…… 우리 가으리……."

피해자 김가을의 아버지 김복수 씨가 납골당을 내달린다.

오늘만큼은 절뚝이는 다리가 전혀 무겁게 느껴지지 않는다. 아니, 그런 것조차 생각할 겨를이 없다.

"아악! 아아악!"

멈칫!

딸이 안치된 납골당에서 터져 나오는 끔찍한 비명.

자신도 모르게 하얗게 질렸던 김복수 씨는 이를 악물며 봉안실로 걸음을 옮겼다.

그리고 볼 수 있었다.

가로세로 두뼘 그 작은 공간에 안치된 딸과 교복을 입은 채 환하게 웃고 있는 딸의 사진 앞에 엎드려 있는 동남아인을.

사지와 손가락 모두가 부러진 듯 깁스를 한 동남아인과 그 손가락을 이리저리 꺾는 오택수 형사와 다리를 치는 최재수 형사를.

그리고 머리채를 잡아 바닥을 찍고 있는 최종혁 형사를!

"아…… 아아……."

"이놈입니다, 김복수 씨."

"아아아……."

김복수 씨는 뭔가에 홀린 듯 느엉에게 다가가며 양손을 뻗었다.

느엉은 그에 죽음의 공포를 느끼곤 부러진 사지를 버둥거렸다.

"아으으. 사, 살려……."

"어딜 도망가. 더 빌어, 개새끼야."

결국 느엉의 목에 닿은 김복수 씨의 두 손.

"케엑!"

종혁은 그제야 느엉의 머리채를 잡은 손을 풀며 몸을 일으켰다.

그리고 김복수 씨에게 고개를 숙였다.

"그럼 한을 푸십시오."

봉안실을 빠져나온 셋은 담배를 물었다.

"주그어! 주그어-! 가으리 사려 내에!"

그동안 응어리진 채 가슴을 썩혀 가던 한.

터져 나왔음에도 뜨겁기는커녕 슬프기만 한 아비의 한에 셋은 담배만 질근질근 씹었다.

"하. 불 붙이고 싶네."

"참아요."

수많은 유골이 안치된 납골당이다.

수많은 사연으로 가 버린 망자들의 앞이니 예의를 지켜야 했다.

셋은 살려 내라 외치는 아비의 절규에 잠시 눈을 감았다. 안에서 어떤 일이 벌어져도 잠시 외면하기로 했다.

"그건 어떻게 할 거냐?"

오택수는 종혁이 주물럭거리고 있는 증거물 봉투를 가리켰다.

피해자 김가을의 학교 배지가 달린 목걸이.

"줘 봤자 다시 한만 남을 테죠."

딸이 남긴 유품이지만, 결코 받고 싶지 않을 유품.

피해자 김가을도 이게 다시 돌아오길 바라진 않을 거다.

종혁은 증거물 봉투를 다시 주머니 속에 넣었다.

"……이제 떼어 내자."

"예."

그들은 봉안실로 들어갔다.

종혁과 오택수, 최재수가 떠난 자리.

남겨진 김복수 씨는 이제야 진짜로 웃는 것 같은 딸을 매만졌다.

"가으라…… 내 따알 가으라……. 이지에 펴언이 자……. 아브아가 미아해……."

자장 자장, 우리 아가.

자장 자장, 우리 가을이.

사랑하는 내 딸아.

봉우리도 피우지 못한 채 져 버린 내 꽃아.

이제 편히 잠들렴.

아빠가 미안해.

아빠가 정말 미안해.

딸을 지키지 못한 못난 아비는 그렇게 목 놓아 울었다.

* * *

거의 초죽음이 된 느엉을 태운 차는 달리고 달려 서울 중앙지검에 섰다.

오는 동안 또 괴롭힘을 당했던 느엉은 이제 살 수 있다는 희망에 낯빛이 밝아졌다.

하지만.

"악!"

머리채가 잡혀 끌어 내려진 느엉은 강제적으로 고개가 들렸다.

"이제 끝일 것 같지? 아니야. 저기 저 사람 보여?"

담배를 문 채 로비 앞을 서성이던 강철선이 수사관들과 함께 다가온다.

"저 사람 나보다 더 지독한 인간이야. 기대해. 살아서 한국을 벗어나진 못할 테니까."

아마 오랜만에 서울중앙지검의 고문실이 열릴지도 모르겠다.

다가온 강철선은 느엉을 보고 눈살을 구겼다.

"와 이리 걸레짝으로 만들어 놨노? 툭 치면 뒤져 뻐는 거 아이가?"

"에이. 완급 조절은 했죠."

"글나?"

고개를 끄덕인 강철선은 수사관들을 봤다.

"뭐 합니꺼. 인마 지하로 데꼬가지 않고."

"예!"

"아, 안 돼……. 사, 살려 줘! 살려 줘, 뻘리스!"

"그 주댕이도 다물게 하고!"

찍! 찍! 찍!

느엉은 입을 주먹으로 맞으며 끌려갔고, 시선을 거둔 강철선은 얼굴을 일그러트렸다.

"수고했데이. 이런 날 술 한잔 마시믄 좋을 낀데 내가 좀 바빠질 것 같다. 배웅도 못해서 우짜노."

"괜찮아요. 온 김에 검사장님 뵈고 갈 거라서요. 저도 술은 못 마셨을 거예요."

"검사장님을? 아, 그 일 때문이가? 알았다. 조심히 드가고, 다음에 술 한잔 진하게 꺾자. 그리고 종혁…… 아니 최종혁 경위님, 오택수 경위님, 최재수 경장님."

강철선은 그들을 향해 정중히 허리를 굽혔다.

"정말 고맙십니더. 내 이 은혜 꼭 갚겠십니더. 그럼 조심히 드가이소."

그렇게 감사 인사를 한 강철선은 몸을 돌리며 핸드폰을 꺼냈다.

"예, 슨상님. 집니더, 강철서이. 그놈아 잡혔습니더. 퍼뜩 올라오이소."

지하로 향하는 강철선을 빤히 바라보던 종혁은 오택수와 최재수를 봤다.

"먼저 복귀하세요. 전 여기에 볼일이 좀 있어서."

"……알았다. 얼른 복귀해."

"충성."

그들마저 몸을 돌려 떠나자 종혁은 숨을 길게 내뱉으며 서울중앙지방검찰청의 검사장실로 향했다.

똑똑!

"예, 들어오세요."

전 중수부장이자, 현 서울중앙지검의 검사장은 문을 열고 들어오는 종혁을 보곤 눈을 빛냈다.

"오랜만입니다, 검사장님."

"최 경위가 약속도 없이 어쩐 일이에요? 아, 일단 앉아요."

그가 손짓을 했지만, 종혁은 그의 앞으로 다가가 책상 위에 USB 네 개를 내려놓았다.

"인터내셔널 잡에 등록된 외국인 노동자 총 28737명의 명단과 직원 386명의 명단과 죄목, 그리고 인터내셔널 잡의 회계 장부입니다."

"……."

검사장은 차를 시키기 위해 들었던 전화기를 내려놓으며 입술을 비틀었다.

"재밌군요. 최 경위의 독단적인 생각입니까?"

"곧 저희 청장님께서도 도착하실 겁니다."

날카로운 미소가 더 짙어진 검사장은 다시 전화기를 들었다.

"예, 총장님. 접니다. 지금 시간 되십니까? 예, 넘어가겠습니다. 그리고 국정원장 좀 호출해 주십시오. 그쪽에서 관심 있을 만한 일입니다."

전화를 끊은 검사장은 외투를 챙겨 들었다.

"밥 먹었습니까? 안 먹었으면 검찰총장실에서 설렁탕 한 그릇 땡기죠."

"세 그릇도 됩니까?"

"푸흐. 갑시다."

둘은 대검찰청으로 넘어갔다.

* * *

"……."

경찰청장, 검찰총장, 국정원장. 여기에 대법원장까지 있으면 대한민국의 법과 질서를 수호하는 모든 조직의 수장이 모인 거라고 봐야 했다.

그런 그들이 네 개의 USB를 뚫어져라 쳐다보고 있다.

후룩 후루룩!

"……넌 그게 목구멍으로 넘어가냐?"

"어우. 이 집 맛집인데요? 아니, 검찰총장실에서 먹는 거라서 더 각별한가?"

종혁과 최기룡의 만담에 검찰총장, 국정원장, 중앙지검 검사장의 경직된 어깨가 풀린다.

"나랑은 처음 보죠? 국정원장 김성구입니다. 덕분에 우리 요원들이 국내외 할 것 없이 날아다니고 있습니다."

"최종혁입니다. 국가 안보에 이바지가 됐다니 영광입니다."

"나랑은 아까 인사 나눴지?"

"예, 총장님."

"그럼 이야기를 좀 들어 볼 수 있을까?"

검찰총장의 말에 종혁은 어깨를 으쓱이며 최기룡을 봤다.

"허흠. 보시는 그대롭니다. 저희 경찰이 인터내셔널 잡을 검찰에 인계하는 것뿐입니다."

"왜죠? 돈이 많이 들지 않았나요?"

"계륵이니까요. 뭐, 필요 없으시면 도로 주시든가. 우리 애들이 몇 명인데 이거 하나 관리할 놈 없겠습니까."

최기룡은 싫으면 말라며 USB를 가져왔고, 그에 검찰총장과 국정원장은 반사적으로 USB를 잡았다.

"끙. 싫다는 건 아니고……."

싫지는 않은데, 그렇다고 삼키기도 꺼림칙하다.

폭탄이기 때문이다.

자칫 현 정권에 큰 독이 될 수도 있는 폭탄.

말이 좋아 일자리 알선이지, 이건 외국인 혹은 외국인 노동자를 잠재적 불법 체류자 및 범죄자로 분류해 통제하고 탄압하는 행위에 가깝다.

만약 이게 들킨다면 반대표가 많은 여론에도 불구하고 재외 동포의 입국 규제 조치를 완화하면서 외국인 개방에 시동을 거는 정부 정책에도 치명적인 타격이 될 터.

종혁은 떨떠름해하는 그들을 향해 말을 툭 던졌다.

"총 46건."

"……?"

"그동안 범인이 잡히지 않아 미제로 전환됐던 사건 중 외노자 명단과 DNA 확보로 인해 해결된 사건의 숫자입니다."

순간 최기룡과 검찰총장의 눈에 불이 켜진다.

종혁은 고민을 하는 국정원을 보며 입을 열었다.

"탈북자, 아니 새터민과 다문화 가정을 회원으로 만들

프로젝트를 준비 중에 있습니다."

불끈!

"아무래도 이건 저희 국정원이 관리하는 게 옳을 것 같군요."

"허어. 검찰도 잘할 자신 있습니다."

"우리 경찰 무시하지 마십시오."

국정원장은 코웃음을 쳤다.

"들키지 않을 자신 있습니까?"

"……."

그 말에 최기룡과 검찰총장은 입을 다물었다.

종혁은 그런 그들의 모습에 피식 웃으며 손을 들었다.

"전 자신 있습니다."

"아니, 최종혁 씨!"

"그렇지! 말 잘했다, 우리 종혁이!"

낯빛이 다시 밝아지는 둘의 모습에 종혁은 몸을 일으켰다.

"그럼 서로에게 이득이 될 이야기를 나누시길 바랍니다. 아, 참고로 인터내셔널 잡은 시스템이 모두 안정화되어 있으며 일 년 순이익은 약 3억가량입니다. 그럼 수고하십시오."

허리를 꾸벅 숙인 종혁은 검찰총장실을 빠져나와 담배를 물었다.

"어딜 값도 안 치르고 꿀꺽하려고."

어차피 인터내셔널 잡은 국정원이 가져갈 수밖에 없다.

검찰은 어려서부터 법 공부만 한 사람들이 모인 경직된

조직이라 그만한 회사를 관리할 역량이 안 되고, 경찰은 역시도 마찬가지다.

그러니 남은 건 국정원뿐이다.

국정원이라면 전문 경영인을 데려오거나 종혁처럼 직원들에게 공포로 군림해서라도 회사를 꾸려 나갈 수 있을 터.

짝짝짝.

“싸움 붙이는 솜씨가 제법이군요, 최 경위님. 내가 한 수 배워야 할 정도입니다.”

외국인은 외국인대로 관리하면서 돈까지 번다.

그 어떤 조직이 이걸 싫어할까.

종혁은 검찰총장실의 문에 등을 기댄 채 냉랭하게 웃고 있는 검사장을 보며 싱긋 웃었다.

“외국인의 지문을 합법적으로 딸 수 있는 법적인 규제를 만든다면 어떨까요?”

먼 훗날 대한민국을 찾는 모든 외국인들을 대상으로 만들어지는 규제.

“혹시 이런 부분에 대해 관심 있는 분이 계실까요?”

이를테면 정치인.

강철선에게 듣기로 야망이 대단하다는 검사장이다. 결코 검찰총장으로는 만족하진 않을 터.

그런 종혁의 눈이 빤히 살핀 검사장은 이를 드러냈다.

“아직 배 안 부르지? 마침 줄 것도 있는데, 한 젓가락 어때?”

종혁의 눈이 호선을 그렸다.

* * *

서울 모처의 한 BAR.

얼음에 잠긴 호박빛 술을 앞에 둔 종혁이 생각에 잠긴다. 그런 그의 손에서 USB가 굴러다닌다.

중앙지검 검사장이 준 USB다. 아니, 폭탄들이다.

작은 폭탄, 큰 폭탄.

지금은 터트릴 수 없는 폭탄도 있다.

그 출처는 대검찰청 중앙수사부, 검찰총장도 그 안에 어떤 사건이 있는지 들여다볼 수 없다는 중수부의 비밀 사건 기록 창고일 게 분명할 터.

대만민국 모든 권력자의 치부가 숨겨져 있다는, 말만 무성한 비밀 창고.

"……재밌는 양반이네."

예상보다 야망이 커서 더 그렇게 느껴졌다.

웃음을 흘린 종혁은 USB를 안주머니에 소중히 보관했다. 이제부터 이것은 종혁 본인의 보물이었다.

달그락.

입술에 닿는 차가운 얼음에 괜스레 웃음이 나왔다.

'이 은혜를 어떻게 갚아야 할까.'

종혁은 생각만 해도 웃긴 고민을 시작했다.

한편 가게 문을 열고 들어오다 종혁을 발견한 장년인이 다급히 옷매무새를 가다듬는다.

그리곤 얼른 걸어가 종혁을 향해 허리를 깊이 숙인다.

“먼저 와 계셨어라.”

고개를 돌린 종혁이 고개를 끄덕였다.

“왔어요, 박 전무.”

성철인력사무소 사장이었던 박성철 전무.

“아따 왜 청승맞게 자작을 하고 계시요잉. 아가씨, 그거 우리 사장님이 시킨 거 맞지라? 좀 줘 보쇼.”

종혁은 바텐더에게 술병을 빼앗는 박 전무를 아래위로 살폈다.

‘이 새끼도 때깔 많이 좋아졌네.’

몇 달 전, 요상한 골프웨어 따위를 입은 채 컵라면이나 먹던 범죄자가 이젠 제법 사업가 티가 난다.

종혁은 술병을 빼앗아 박 전무의 잔에 술을 따랐다.

“아따 영광이어라, 사장님.”

종혁은 그의 넉살에 피식 웃었다.

“곧 사장이 바뀔 겁니다.”

움찔!

“……결국 그렇게 됐구마이라.”

씁쓸히 웃은 박 전무는 술을 단숨에 들이켰다.

“사장님과 오 실장, 최 대리가 함께 거시기 할 때부터 눈치 깠지라. 그럼 이제 복직하는 거여라?”

“그렇게 되겠죠.”

"그럼 난 이제 어떻게 되는 거요? 다른 놈들처럼 교체 당하는 거여라?"

어느 순간부터 하나둘씩 본사에서 자취를 감추던 브로커들. 이제 본사에 남은 건 박 전무 본인과 비교적 착한 놈들 뿐이다.

"그라도 정이 있응께 좀만 때려 주쇼!"

종혁은 그러며 양손을 내미는 박 전무의 모습에 눈을 가늘게 떴다.

"순순히 포기하네요?"

"……무섭지 않으면 거짓말이겠지라. 깜빵에 가는디."

애써 웃던 박 전무의 얼굴이 다시 일그러진다.

'아니, 아깝게 된 거제.'

이 바닥에 뛰어든 후 외노자들을 사람 취급하지 않았다. 말도 제대로 못하는데다 원양어선에 팔아넘겨도, 그러다 죽어도 자신에게 그 어떤 피해도 주지 않는데 뭐가 걱정인가?

그들은 그저 돈을 벌어다 주는 가축이었다.

하지만 종혁에게 멱살 잡힌 채 끌려가 일하다 보니 참 많은 걸 깨닫게 됐다.

가장 큰 건 그들도 사람이란 걸 깨달았다는 점이다.

고마우면 고맙다 할 줄 알고, 눈물도 흘릴 줄 아는 사람. 한국어가 서툴 뿐 제대로 생각할 줄 알고, 박 전무 자신처럼 가족이 있는 사람이었다.

-고맙습니다. 정말 감사합니다.

언젠가 손을 꼭 잡고 눈물을 흘리던 어떤 태국인.

—첫 월급 탔다. 박 전무 선물 준다.

첫 월급을 탔음에도 가족에게 돈 부칠 생각은 안 하고 삐뚤빼뚤 쓴 편지와 함께 선물을 보냈던 어떤 말레이시아인.

이날, 가슴이 싱숭생숭해 참 술을 들이켜야 했다.

'그라제. 나도 이 짓을 접을 때가 된 거제.'

죗값을 받을 때가 된 거다. 사람이 아닌 가축, 짐승은 그들이 아니라 자신이었기에. 그런 짐승이 사람처럼 행동했으니 이제 그에 대한 벌을 받을 때가 온 거다.

"그라도 죗값을 털고 나오면 그 사람들 볼 면목이라도 있지 않겠소?"

종혁은 눈을 빛냈다.

"진심입니까?"

"새로 오는 사장님께 부디 그 불쌍한 사람들 잘 부탁한다고만 전해 주쇼. 뭐하요. 싸게싸게 안 채우고."

"……푸하핫!"

"사장님?"

종혁은 고개를 끄덕였다.

이 정도면 충분했다.

"아, 내가 말을 잘못 전달했군요. 제 자리를 대신할 사람은 외부에서 오는 게 아니라 내부에서 천거될 겁니다."

"……야?"

종혁은 그의 손을 끌어다가 손바닥에 국정원 세 글자를

썼다.

"흡?!"

손바닥과 종혁을 번갈아 보며 정말이냐 눈으로 묻는 그의 모습에 종혁은 미소를 지었다.

"그 사람들로선 대표 자리에 앉는 게 부담일 수밖에 없죠."

언제라도 들킨다면 발을 빼야 하기에 사장 자리엔 앉을 수 없다.

"그래서 난 박 전무를 추천할까 하는데……."

"사장님!"

"어라? 죗값을 받는다 하지 않았던가요?"

"아, 아따 왜 그러쇼잉. 내가 뭘 하면 될까라? 뭐든지 시켜만 주쇼! 아주 뼈가 으스러지도록 거시기 해 블랑께!"

'그래. 이 사람이라면 잘 해내겠지.'

원래 이 바닥에서 잔뼈가 굵은 사람이기도 하지만, 결정적으로 진심으로 후회하며 뉘우치고 있다.

교도소에 보내 죗값을 치르게 하는 것보다 이렇게 죗값을 갚아 나가게 하는게 훨씬 이로울 터.

'거기다 자산을 정리해 외국으로 보내고 있었지.'

조사해 보니 그를 스쳐간 불법 체류자들 중 죽거나 장애를 입고 고국으로 돌아간 사람들에게 부치고 있었다.

'다시 원래대로 돌아간다면 그때 잡아넣어도 돼.'

"아따 사장니임!"

매달릴 모습이 귀여워 푸흐흐 웃던 종혁은 돌연 낯빛을 굳혔다.

"그럼 내 귀가 되어 줄 수 있겠습니까?"
"……귀요?"
전국에 퍼져 있는 외국인 노동자들.
그들이 보고 들은 모든 걸 알려 줄 사람.
"그런 사람이 되어 줄 수 있겠습니까?"
종혁은 마른침을 삼키는 박 전무를 가만히 응시했다.

* * *

다음 날, 모든 게 잘되어 콧노래를 부르며 본청에 도착한 종혁은 발걸음도 가볍게 사무실 문을 박차며 들어갔다.
"저 복귀했습니다-!"
"……."
"음?"
왠지 싸늘하기가 북극보다 더 추운 사무실의 분위기.
차갑게 노려보는 동료 형사들의 모습에 당황한 종혁은 사무실 문 옆에 무릎을 꿇고 앉아 손을 들고 있는 오택수와 최재수를 발견하곤 고개를 모로 기울였다.
"거기서 뭐해요?"
"뭐하는 것 같냐?"
"쉿. 쉿. 최 경위님도 어서 오세요."
"그래. 너도 얼른 같이해. 아니, 넌 이거 들고 해."
어느새 다가온 김종두 과장이 내민 12kg 아령.
"아, 아니……."

"너도 해."

"에, 에이. 이건 아니죠! 저희가 사건을 몇 개나 해결했는데!"

무려 46건의 미제 사건이다.

종혁들이 없는 지난 4개월 동안 특수범죄수사과 형사들이 해결한 사건의 숫자에 버금가는 숫자의 사건들.

미제라 가산점이 더 높다.

종혁은 그 사건들 중 절반을 다른 형사들에게 나눠 줬다.

"그래서 이 정도로 끝내려는 거다. 안 할 거야?"

"아, 아니 내 나이가 몇인데……."

"해, 이 시키야-! 너만 물구나무서 볼래?! 아오 이걸 확 진짜! 아오오!"

"진짜 내 나이가 몇인데……."

'그리고 어제 내가 뭔 일을 했는데…….'

억울했다. 정말 눈물이 나도록 억울했다.

하지만 어쩔 수가 없음을 깨달은 종혁은 최재수 옆에 무릎을 꿇고 앉아 손을 들었다.

"어서 와요, 최 경위님."

"닥쳐."

"너희나 닥쳐-! 다들 잘 들어! 오늘 저 세 망나니 새끼들한테 물이라도 한 모금 주는 새끼는 나랑 옥상 가는 거다! 알았냐!"

"예!"

'저 배신자들! 내가 지금까지 얼마나 잘해 줬는데!'

안다. 아무리 사건을 넘겼어도 4개월이나 자리를 비운 건 분명 큰 잘못이었다.

하지만 사람 마음이라는 게 어떻게 그럴 수 있을까.

종혁은 다신 사건을 넘기나 보자 복수를 다짐했고, 그렇게 무더운 여름이 시작되었다.

기존에 있던 사람이 가고, 새로운 사람이 찾아오는 여름이…….

3장. 태스크 포스

태스크 포스

7월 15일, 여름.

전국 경찰 중 총경 이상의 간부들 전원이 정복을 입은 채 한자리에 모였다.

새 경찰청장의 취임식 때문이다.

대강당에 모인 그들은 새 경찰청장은 어떤 성향의 사람일까, 어떤 말을 할까 귀추를 주목했다.

그때였다.

뚜벅뚜벅!

걱정과 우려, 기대의 시선을 한 몸에 받으며 단상에 선 이택문 경찰청장은 박수를 치는 간부들을 쭉 둘러보며 날카로운 눈매를 빛냈다.

"이번에 새로이 경찰청장이 된 이택문입니다."

이태문이 입을 열자 모두 숨을 죽였다.

"힘들게 시간을 내어 먼 길 찾아오셨으니 긴말은 안 하겠습니다. 요새 가만 보고 있자니, 경찰의 인권이 점점 떨어지는 것 같습니다."

약간은 뜬금없는 말에 간부들이 웅성거린다.

그러나 이택문은 신경 쓰지 않았다.

"재임 기간 동안 경찰의 인권 향상과 공권력 강화, 이 두 가지에 온 힘을 기울일 테니 간부님들도 나를 적극 지지해 주기 바랍니다. 이상."

"……응?"

"어?"

간부들은 벌써 끝나 버린 연설에 당황했지만, 이택문 경찰청장은 모두 무시한 채 단상을 내려갔다.

아니, 그러다 못해 아예 강당을 떠나 버렸다.

–처, 청장님의 말씀이 끝나셨습니다. 오늘 찾아 주신…….

"뭐야. 지금 뭐가 어떻게 된 일이야? 이렇게 끝난다고?"

"캬. 저 형님 저럴 줄 알았지. 올해부터 회사 생활이 다이나믹해지겠구만?"

대강당이 혼란에 휩싸였고, TV를 통해 취임식을 지켜보던 경찰들은 입을 떡 벌렸다.

한편 그길로 본청의 경찰청장실에 올라온 이택문은 의자에 앉아 청장실 안을 둘러봤다.

"……."

지금 무슨 감정이 드는지, 무슨 생각을 하는지 알 수

없는 눈.

'박종명 부산청장.'

대강당 안에서 유일하게 질투 가득한 눈으로 노려보던 인물과 그 패거리들. 동기인 최기룡과 각을 세우던 인간들이다.

피식.

그는 핸드폰을 들었다.

"최 경위? 시작해."

-예.

딱 이 말만 하고 끊긴 대화.

등받이에 몸을 묻은 이택문 경찰청장은 며칠 전의 일을 떠올렸다.

* * *

강남 모처의 한식집.

이택문과 최기룡이 술잔을 기울인다.

물러나는 자와 차지하는 자.

하지만 둘의 분위기는 그리 나쁘지가 않다.

"크으. 우리도 성공하긴 성공했어? 이런 곳에서 술도 마시고?"

"형만 그랬지. 난 안 그랬어."

"얼씨구? 그래! 집 안에 금송아지 많아서 좋았겠다!"

"좋지. 돈 많아서 싫은 사람도 있니? 그건 형도 미친기

지잖아?"

경주 최씨 충렬공파에 이런저런 도움을 많이 받은 최기룡.

할 말이 없어진 최기룡은 입맛을 다셨다.

"아주 한 마디를 안 지지."

이택문은 툴툴거리는 그를 보며 피식 웃었다.

"걱정 마. 우리 약속은 잊지 않았으니까."

경찰이 경찰다울 수 있게 만들자.

선배들처럼 비리를 저지르지 않고, 시민들을 괴롭히지 않으면서도 존경받을 수 있는 경찰을 만들자.

수십 년 전 유난히도 추웠던 겨울, 처음 발령을 받은 경찰서에서 만난 사나이들끼리 나눈 뜨거운 약속이었다.

"……그래. 부탁한다."

이 순간 20살 혈기만 넘쳤던 그때로 돌아간 둘은 조용히 술잔을 부딪쳤다.

똑똑똑!

"음? 아, 들어와."

최기룡의 허락이 떨어지자 문이 열리며 종혁이 들어온다.

"충성…… 경위 최종혁. 부르셨다고 해서 왔습니다."

'이분이 왜?'

최기룡이 밥이나 한 끼 하자고 해서 왔던 종혁은 살짝 당황했고, 그런 그를 보며 최기룡은 낄낄 웃었다.

"그래, 어서 와. 이쪽은 알지?"

"예."

안다. 왜 모를까.

'임기제 도입 이후 처음으로 2년 임기를 모두 마친 최초의 경찰청장.'

지금은 비록 최기룡 청장이 임기를 모두 채우고 물러나면서 최초란 칭호를 뺏기게 됐지만, 그래도 대단한 인물이다.

"최종혁 경위입니다."

'이 어린 경위가…….'

동기이자 이제 곧 전임이 될 경찰청장인 최기룡이 말하길, 이택문 본인이 생각하는 경찰 조직을 만드는 데 도움이 될 거라며 극찬한 인물.

"이택문이다. 말 편히 해도 괜찮지?"

"예, 괜찮습니다."

최기룡의 옆자리에 앉은 종혁은 슬그머니 눈을 굴렸다.

'이택문.'

이 자리에 나오기 전 최기룡에게 좋은 사람이라고 듣긴 했지만, 좋은 사람이 꼭 좋은 상사, 좋은 리더는 아니다.

'성격도 범상치 않다던데…….'

하지만 딱 그 정도만 알 뿐이다.

회귀 전 이때의 종혁은 고작 경찰서 형사 나부랭이였으니 말이다. 경찰청장을 만날 일도 없고, 연관된 일도 없었다.

'게다가 회귀 전에는 이 양반이 경찰청장이 되는 건 내년 초였단 말이지.'

아니, 최기룡이 임기를 모두 채우고 물러난 것부터 이

미 회귀 전의 역사와 다르다.

즉, 최기룡과 이택문 사이에 경찰청장이 한 명 더 있었다는 소리다.

이런 여러 가지 이유 때문에 종혁은 긴장을 할 수밖에 없었다.

"훤칠하군."

"예? 잘못 들었습니다?"

"마스크도 좋고."

"가, 감사합니다."

"나이가 몇이지?"

"올해 스물다섯입니다."

"나이도 훌륭하군. 혹시 선볼 생각 있나?"

"……예?"

"야, 이택문이! 종혁이는 내가 소개시켜 줄 거거든!"

"없나? 아쉽군. 내 막내딸이 27살이니까 생각 있으면 언제든 말해."

종혁은 직감했다.

'이 양반 최기룡 청장님과 같은 과다!'

말투가 권위적이며 무뚝뚝하고 화법이 마이웨이라서 슬쩍 불안해졌던 종혁은 약간 안심했다.

하지만 아직 이택문의 말은 끝나지 않았다.

"내가 어떤 경찰을 만들어 가고 싶은지는 알고 있나?"

"……여기 청장님께 들었습니다."

경찰의 인권 향상과 공권력 강화.

종혁이 언제나 바라는 일이고, 또 노력하는 일이었다.

그래서 얼마나 좋아했는지 몰랐다.

"잘됐군. 그럼 최 경위는 어떤 방식으로 두 개의 일을 꾀할 거지?"

'그걸 왜 나한테?'

종혁은 살짝 당황했다가 이내 최기룡이 이 자리에 부른 이유를 떠올리곤 낯빛을 굳혔다. 비록 이유를 말하진 않았지만, 이렇게 노골적인데 알아차리지 못할 리가 없다.

종혁 본인이 쓰임이 있다는 걸 후임 경찰청장에게 알려 주기 위한 최기룡이 만든 자리.

'진짜 이 양반 오지랖 하나는…….'

입을 다문 채 의미심장한 눈빛만 보내는 최기룡의 모습에 종혁은 속으로 고개를 저어야 했다.

"생각해 본 게 없나?"

'그럴 리가.'

종혁은 이택문의 눈을 또렷이 응시했다.

"일선 파출소 및 일선 형사들의 예산 증대 및 처우 개선이 첫 번째고, 두 번째는 경찰 이미지 개선이겠죠."

범인을 쫓다가 접촉 사고가 나면 일정 부분의 수리비를 물어야 하고, 민원 때문에 함부로 범인을 제압할 수 없는 파출소.

언제나 부족한 예산 때문에 함부로 범인 아지트의 유리 창조차 부술 수 없고, 부족한 작전비 때문에 양질의 수사를 할 수 없는 일선 형사들.

이들의 처우를 개선하고, 경찰 조직이 외부에서 부는 태풍에서 이들을 보호해야 된다.

그러면 인권 향상과 공권력 강화는 자연스럽게 이뤄진다.

"그러며 친근하면서도 감히 들이댈 수 없는 경찰이란 이미지를 만들어야 합니다."

"……이를테면?"

경찰이라면 누구나 할 수 있는 말에 약간 실망을 하던 이택문이 눈을 번뜩인다.

'친근하면서도 감히 덤빌 수 없는 경찰!'

딱 그가 생각하는 경찰이 아니던가.

굳어 있던 그의 낯빛이 달아오르기 시작했고, 최기룡은 '잘한다, 내 새끼!'를 속으로 외쳤다.

"미디어를 적극 활용해야 합니다. 예능을 만들고, 드라마, 영화를 만들어야 합니다."

또한 경찰서 견학 프로그램을 증대해 초등학교 이하 자라나는 새싹들로 하여금 경찰에 존경심을, 중학생 이상 청소년들에겐 범죄를 저질렀을 때의 현실을 깨닫게 해야 된다.

'훌륭하군.'

최기룡이 왜 그렇게 칭찬을 거듭했는지 알 것 같다.

자신이 생각하는 것보다 훨씬 더 구체적인 청사진.

그러나 아직 종혁의 말은 끝나지 않았다.

"하지만 그러기 위해선 내부 정리부터 끝내야겠죠."

쿵!

'내부 정리!'

어쩜 이렇게 생각이 같을까!

이택문은 더 이상 참지 않고 빈 메모지를 내밀었다.

"써. 그리고 내가 만들 TF에 들어와."

'태스크 포스?'

종혁은 눈을 빛내며 빈 메모지를 봤다.

백지 수표. 원하는 모든 걸 들어주겠다는 의미다.

'내가 원하는 걸 모두 들어주겠다고? 언제나 예산에 허덕이는 경찰이?'

종혁의 미소가 사나워졌다.

"감당 안 되실 텐데요?"

"큭큭. 그래, 감당 안 될걸? 나도 이놈 겨우 감당했어."

이택문은 코웃음을 쳤다.

"일단 내년에 약속된 진급부터 바로 하지."

종혁의 미소가 더욱 짙어졌다.

죽이 맞았던 최기룡이 가니 최기룡보다 더한 인간이 왔다.

그런데 무척이나 마음에 든다.

'이거…… 재밌겠는데?'

경찰 생활이 더 재밌어질 것 같았다.

하지만.

"그 전에 저희 과장님부터 설득해 주십시오."

"음?"

태스크 포스도 좋고, 경찰 인권 향상과 공권력 강화 모두 좋다.

하지만 결국 앞으로 계속 있어야 할 곳이자, 제2의 집이나 다름없는 특수범죄수사과의 분위기를 흐리게 된다면 단호히 거부할 생각이었다.

"그렇게만 해 주신다면 포문을 시원하게 열어 드리겠습니다."

마침 때려죽이고 싶은 놈도 있는 와중이니 신호탄으로서 썩 나쁘지 않을 터.

이택문은 당당한 종혁의 모습에 눈을 가늘게 떴다.

"어디 한번 내 기대에 부응해 봐."

내부 정리.

어떻게 할지 기대가 되었다.

'그럼 나도 팍팍 밀어줄 테니까.'

한편 허락이 떨어지자 종혁은 오택수를 봤다.

"이제 그놈 잡으러 갑시다."

"……어이구, 이제 가는 거야?"

솔직히 이걸 허락받을 거라곤 생각 못했던 오택수는 어이가 없어 고개를 저었다.

"과장님! 저희 출장 다녀오겠습니다!"

"뭣?! 야, 이 개새끼들아! 또 나가냐아-!"

셋은 재빨리 특수범죄수사과 사무실을 빠져나갔다.

* * *

이젠 선풍기로도 감당하기 힘든 더위가 기승을 부리는

7월의 막바지.

덩치가 좋은 육십대 노인이 오일장을 어슬렁어슬렁 걷다가 한 과일 가판대 앞에 선다.

"어이구, 수박이 아주 실하네. 이거 얼맙니까?"

"아이고. 김 경위님 왔어?"

손바닥만 한 작은 TV를 뚫어지게 쳐다보던 칠십대 할머니가 화들짝 놀라며 김 경위를 반긴다.

그러나 그 표정은 묘하게 어둡다.

"뭘 돈을 줘. 됐어, 그냥 가져가."

"어허! 그래서 돈 벌겠어요? 내 누차 말하지만, 난 이제 경찰이 아니에요!"

경찰이었다면 가능했다는 이상한 말.

할머니는 눈치를 보며 슬그머니 입을 열었다.

"그, 그럼 5천 원만 줘."

"이걸 5천 원씩이나? 허어, 요즘 수박 비싸네."

'그럼 그렇지! 이 쌍놈의 새끼!'

하지만 할머니는 속내와 달리 웃을 수밖에 없었다.

"2천 원만 줘."

"허허. 여기 있습니다. 아, 그보다 요새 시장에 별일 없죠?"

"기, 김 경위님이 이렇게 만날 순찰을 도시는데 별일이 있을 리가 없지."

"그래요. 뭔 일 있으면 언제든 연락해요. 내가 비록 은퇴는 했지만, 아직 인맥들은 다 살아 있으니까!"

"그, 그럼! 내가 우리 김 경위 모를까! 그때 부탁해!"

"허허. 그럼 수고해요."

그렇게 수박을 든 김 경위가 멀어지자 웃고 있던 할머니의 얼굴이 구겨진다.

"퉤이! 귀신은 뭐하나 몰라! 저놈 안 잡아가고!"

도시로 경찰 한다고 떠났다가 40년 만에 완전히 돌아와 동네를 쑥대밭으로 만드는 망나니.

그나마 그동안은 명절에만 코빼기를 보였기에 참을 만했는데, 이젠 완전히 돌아왔다. 거기다 어떻게 구워삶았는지 동네 경찰들도 김 경위 앞에선 맥을 못 춘다.

"잘 참았어, 언니. 똥이 무서워서 피해? 더러워서 피하지."

"몰라, 이년아!"

할머니는 멀어지는 김 경위를 보며 제발 죽어 버리길 기원했다.

그런 그녀의 소원이 하늘에 닿은 것일까.

'흐흐. 내가 이 맛에 여길 못 끊지…… 응?'

시장 상인들을 괴롭히며 양손을 무겁게 만들던 그의 앞에 세 사람이 선다.

종혁과 오택수, 최재수다.

"김판철 씨? 혹시 김가을 씨를 기억하십니까? 퇴직 전 마지막 사건이셨을 텐데요."

종혁은 속에서 들끓는 화를 가라앉히며 애써 담담히 물었다.

"아, 식구였어? 무슨 일?"

"김가을 씨 사건 때문에 묻고 싶은 게 있어서 그럽니다."

"아아, 김가을이라…… 글쎄? 잘 기억나지 않는데?"

그렇게 말하는 김 경위가 음흉하게 웃으며 손가락을 비빈다.

그에 종혁은 한숨을 푹 내뱉었고, 오택수는 낄낄 웃었다.

"봤지? 이런 새끼들은 후회라는 걸 안 한다니까?"

"나도 그냥 혹시나 했어요."

그래도 후회하고 있기를.

뒤늦게라도 잘못을 깨닫고 살아가길.

고작 그 정도만 바랐을 뿐이다.

하지만 너무 큰 바람이었던 것 같다.

그런 둘의 모습에 김 경위는 뭔가 잘못되어 가는 걸 느꼈다.

"뭐, 뭐야. 너흰 뭐 하는 놈들이……."

퍽!

순간 김 경위의 턱이 돌아간다.

종혁은 정신을 잃으며 주저앉으려는 그의 머리채를 잡았다.

"아악!"

"경찰, 개새끼야. 너 같은 견찰과 다른 진짜 경찰."

종혁의 눈빛이 삽시간에 차가워졌다.

"김판철 씨, 당신을 뇌물수수, 뇌물공여, 직권남용, 협박, 폭행 등등 씨발 졸라게 많네. 암튼 이런 것들로 당신을 체포합니다. 당신은……."

"이 개새끼들이! 야! 너희 실수하는 거야! 같은 식구한테

칼질하면 다른 경찰들이 가만히…… 아악! 목! 모옥-!"

뿌득! 뿌득!

머리채를 쥔 채 크게 흔드는 종혁도 김 경위의 말이 뭔지 알고 있다. 여태껏 경찰이 재직 도중 어떤 죄를 저질렀어도 들키지 않고 퇴직을 한다면 그냥 묻는 게 암묵적인 관례.

아마 이번 일로 많은 경찰들이 들고 일어날 거다.

'하지만 그래서?'

견찰은 경찰이 아닌 존재.

선량하고 자기 일을 열심히 하는 경찰에게 민폐나 끼치는 놈들이다. 그런 놈들이 들고 일어난다고 해서 무서울 리가 없었다.

그렇기에 종혁은 흔들림 없이 말을 이어 갔다.

"당신은 묵비권을 행사할 권리가 있고, 체포구속적부심을 청구할 수 있으며, 변호사를 선임할 권리가 있습니다. 그리고 지금부터 하는 말은 모두 법적인 효력을 가집니다. 알았냐, 이 개새끼야?"

종혁은 그를 코앞까지 끌고 와 이를 드러냈다.

"기대해. 내가 너 좆되게 해 줄 테니까."

법적으로든.

사회적으로든.

자신의 책무를 저버린 견찰에겐 이게 맞는 처벌이었다.

그리고 이 모습을 종혁과 아주 친분이 깊은 박영일 기자가 찍고 있었고, 며칠 후 대한민국 경찰 조직 전체가 뒤집어졌다.

* * *

비리 경찰의 만행!

사건을 허투루 수사해 범인을 놓친 김 모 경위!

김 모 경위! 여죄 밝혀져!

제2의 김 모 경위! 뇌물을 받고 수사를 눈감아 주다!

제3, 제4의 김 모 경위! 경찰은 비리 공화국?

신임 경찰청장 이택문! 존경받는 경찰이 되기 위해 기꺼이 메스를 들겠다!

경찰이 뒤집혔다.

퇴직한 비리 경찰의 체포.

여태껏 경찰이 재직 도중 어떤 죄를 저질렀어도 들키지 않고 퇴직을 한다면 그냥 묻는 게 암묵적인 관례였는데 그게 깨진 거다.

은밀하게 체포만 했으면 몰라도 언론에 대서특필됐다.

찔리는 게 있는 경찰들은 반발할 수밖에 없었다.

'그걸 하고 싶어서 했어?'

'다 선배들이 시켜서 한 거잖아!'

'우리 때 그런 거 안 한 놈들이 어디 있어!'

대부분이 군사정권 시절과 문민정부 시절을 거친 현 경찰 조직의 중추들이있다.

하지만…….

–야! 박 경사!

"소장님?"

약이라도 한 듯 거칠게 난동을 부리던 취객을 제압하다가 의도치 않게 취객의 팔을 부러뜨린 박 경사.

그 탓에 대기 발령 징계를 받고 인권위의 조사를 받으며 매일 술로 하루를 보내던 그에게 갑작스런 전화가 걸려왔다.

–너 무죄란다! 내일부터 출근해!

"예?"

–경찰청장님이 범인을 제압하다 보면 그럴 수 있는 거 아니냐며 강력하게 항의하셨단다!

"아……."

–그리고 너뿐만이 아니라…….

이후 소장이 무슨 말을 하는지 박 경사에게는 들리지 않았다.

다시 경찰을 할 수 있음에.

다시 치안을 지킬 수 있음에.

여태껏 헌신했던 조직이 자신을 버리지 않았음에 감사하고 또 감사할 뿐이었다.

'감사합니다. 정말 감사합니다!'

박 경사는 구석에 던져 놨던 경찰공무원증을 잡으며 오열했다.

그리고 이건 비단 박 경사뿐만 아니라 전국에서 일어나

고 있었다.

* * *

전국에서 작은 실수로 대기 발령이나 직무 정지, 강제 휴가를 가야 했던 경찰들이 복귀하며 이택문 경찰청장에게 지지를 보내자, 찔리는 게 있어 들고 일어났던 경찰들도 슬그머니 눈치를 볼 수밖에 없었다.

그에 힘을 얻은 이택문 경찰청장은 경찰 전체에 메스를 들이밀었고, 큰 잘못을 저질러 놓고도 무사태평하게 퇴직했거나 아직 현직에서 일하고 있는 경찰들이 줄줄이 검거되고 옷을 벗기 시작했다.

최기룡이 쓸어 낸다고 쓸어 냈으나 아직 남아 있던 견찰들이 모조리 색출되자, 국민들 또한 경찰청장에게 지지를 보냈다.

특수범죄수사과만 제외하고 말이다.

"아니, 씨발! 종혁이가 왜 전출을 가야 하는데요!"

"과장님! 아니, 형님! 이게 말이 됩니까! 종혁이 너도 뭐라고 말 좀 해 봐, 새끼야! 네가 잘못한 거 아니잖아!"

"고개 들어, 새끼야! 너 잘못한 거 없어!"

김판철에 대한 정보를 언론에 흘렸다는 이유로 징계를 받아 다른 부서로 전출을 가게 된 종혁과 오택수, 최재수.

그것도 경찰 이미지 마케팅과라는 듣도 보도 못한 신설 부서로 간다는 소식에, 특수범죄수사과 형사들은 들고 일어날 수밖에 없었다.

특진 포인트가 다 쌓였다고 종혁이 진급을 하면 뭐하나.

누가 봐도 징계성 전출이었다.

"과장님!"

김종두 과장은 가만히 고개를 숙이고 있는 종혁을 응시하다 몸을 일으켰다.

"따라와."

둘은 옥상으로 향했다.

찰칵! 치이익!

허공으로 흩어지는 담배 연기.

김종두는 눈살을 찌푸렸다.

"정말 꼭 이래야겠냐?"

뭔가 이상한 김종두의 말에 종혁은 방금까지 숙이고 있던 고개를 펴며 히죽 웃는다.

"에이, 왜 이러세요. 허락도 하셔 놓고."

그랬다. 김종두 과장은 이미 이택문 경찰청장에게 내막을 다 듣다 못해 허락까지 한 상태였다.

"그야 그러지 않으면 네가 다치니까 그렇지, 인마!"

종혁이 검거한 김판철 때문에 경찰청장이 메스를 들었다.

급격히 기운 여론에 지금은 잠잠해진 일부 견찰들이 종혁을 노리고 있을 터.

신문이야 모자이크로 종혁들의 얼굴이 가려졌다지만, 이미 소문은 다 퍼진 상황이다. 그런 그들에게서 종혁을 보호하기 위해 정말 어쩔 수 없이 한 선택이었다.

"흐흐흐. 사랑합니다."

"……그래, 씨발. 대한민국 경찰은 네가 다 해라."

"사랑해요."

"몰라, 인마."

김종두는 혀를 찼지만, 한편으로는 고마웠다.

경찰청장의 명령이라고 통보를 해도 될 텐데 그러지 않아 줘서.

세상을 제 것처럼 여겨도 될 텐데 그러지 않아서.

'맞아. 이놈은 이런 놈이지.'

언제 폭주할지 몰라 불안하면서도, 이런 면에선 칼 같아 안심이 되는 놈.

어떨 땐 넘치는 혈기를 주체 못하는 것 같아 보이면서도 또 어떨 땐 베테랑 같은 면모를 보이는 놈.

결코 일반적인 잣대로 가늠을 할 수 없는 불가사의한 놈.

그렇기에 떠나보낼 수밖에 없음을 직감한다.

더 이상 품 안의 자식이 아님을 직감한다.

'이놈도 벌써 시야를 넓힐 때가 된 건가.'

순간 아련하고 대견해진다.

'언제 이렇게 컸을까.'

1997년, 일진에게 대가리가 터졌다며 한국을 뒤집어 놨던 게 엊그제 같은데 벌써 경감이다.

그때만 해도 그저 싹수가 범상치 않은 놈이라 생각했던 종혁이 경찰대를 졸업하더니 어느새 진짜 간부인 경감이 되었다.

그 모든 과정을 곁에서 지켜봐 온 김종두로선 감회가 남다를 수밖에 없었다.

만약 종혁이 뛰어난 형사가 되기만을 원했다면 이택문이 아무리 설득을 해도 거부했을 거다.

하지만 김종두는 종혁에게 그 이상을 바라고 있었다.

'이놈이 경찰청장이 된다면 어떻게 될까.'

단순히 수사에 돈을 아끼지 않는 수준을 벗어나, 언제나 최상의 결과를 이끌어 내는 종혁. 그러며 언제나 경찰 처우 개선에 목을 맨다.

이런 종혁이 경찰청장이 된다면 아마 그때가 경찰의 최고 부흥기가 되지 않을까, 김종두는 조심스럽게 예상해 봤다.

그리고 그러기 위해선 다양한 걸 겪어 봐야 할 터.

김종두 과장은 보내 줄 수밖에 없었다.

"알았어. 다녀와."

다녀와. 그 한 마디가 순간 종혁의 가슴을 울린다.

종혁 본인이 이곳을 제2의 집으로 생각하는 것처럼 김종두도 종혁을 가족으로 생각하고 있단 의미다.

'과장님!'

입술을 깨문 종혁은 속으로 사과를 했다.

'죄송합니다. 놈들을 쫓기 위해선 시간이 필요했어요.'

언제나 사건이 밀려 있는 특수범죄수사과. 사건을 겨우 해결하면 또 다른 사건이 기다린다.

놈들을 제대로 쫓을 시간이 없는 거다.

그래서 이택문 청장의 권유를 받아들인 것이었다.
이런 이유가 아니었다면 그가 뭘 준다고 해도 거부했을 터.
그래서 미안했다.
'나도 슬슬 말하긴 해야 되는데…….'
하지만 공식적으로 놈들을 검거한 적이 없기에 밝힐 수가 없다.
놈들의 규모가 얼마나 큰지, 어떤 놈들인지.
물론 김종두라면 믿어 줄 테지만, 그래도 확신을 주려면 어쩔 수가 없었다.
'최소한 놈들이 지금 뭘 하고 있는지만 밝힐 수 있어도…….'
그때였다.
"가서 한풀이 다 하고, 몸성히만 돌아와."
흠칫!
'눈치채셨구나!'
하긴 김종두 같은 베테랑이 철량리 사건을 벌써 잊었을 리가 없다. 종혁은 도와주지도, 함께하지도 못해서 미안하고, 또 믿는다는 표정에 이를 악물었다.
"충성. 경위, 아니 경감 최종혁. 다녀오겠습니다."
"그래. 몸조심하고."
푸근히 웃던 김종두는 이내 아차 하며 입을 열었다.
"그래서 가선 뭘 할 거냐? 아무리 가라로 만든 부서라도 뭘 하긴 해야 될 거 아니야."
'가라는 아닌데…….'
이택문 경찰청장은 진심으로 경찰 이미지 개선을 바라

고 있었다. 아직은 내부 정리가 끝나지 않았기에 참고 있을 뿐, 정리가 끝난다면 본격적으로 가동되기 시작할 거다.

경찰의 인권 향상과 공권력 강화를 위해.

'뭐, 이건 나중을 위한 재미로 남겨 둘까?'

짓궂은 생각이 떠오른 종혁은 잠시 입을 다물기로 했다.

"흠. 글쎄요. 경찰청 사람들부터 부활시켜 볼까요?"

"뭐?"

종혁은 어이없어하는 그를 보며 싱긋 웃었다.

* * *

다음 날, 평범한 일상복이 아니라 근무복을 빼입은 종혁은 거울 속 자신의 어깨에 달린 견장을 보며 묘한 표정을 지었다.

"옛날엔 이거 달려고 15년을 좆빠이 쳤는데……."

회귀 전처럼 대강당에서 수많은 경찰들의 시선을 받으며 단 견장은 아니지만, 그래도 경감이다.

조촐하게 특수범죄수사과 식구들의 축하 속에서 이택문 경찰청장이 약식으로 달아 줬어도 경감은 경감.

회귀 전 머리가 터져도, 칼에 찔려도 병원만 퇴원하면 다시 복귀하던 나날들. 수백 번 잠복을 하고, 수천 명의 범죄자를 잡고 나서야 겨우 달았던 게 바로 이 경감이라는 견장이다.

순경으로 시작해 경감까지 다는 데 15년.

누군가는 그것도 빠르다고 말했지만, 정말 죽도록 노력한 결과였다.

그런데 이번 생에는 경찰대에 입학해 겨우 6년 만에 달게 됐다.

"역시 이 길이 맞았어."

'앞으로는 얼마나 걸릴까?'

경정, 그리고 그 위.

아마 오래 걸리진 않을 거다.

씩 웃은 종혁은 경찰모를 챙겨 들며 방을 나섰다.

달그락!

"음?"

거실에 앉아 과일을 씹고 있던 순철과 순희가 종혁을 보며 입을 벌리고 있다. 왜인지 한숨을 내뱉은 고정숙은 일어서 다가와 종혁의 어깨를 쓸어내린다.

"잘 다녀와. 너무 힘들어하진 말고."

멍하니 고정숙을 봤던 종혁은 이내 곧 그녀의 말뜻을 알아듣곤 웃음을 터트렸다.

"푸핫핫! 아니에요. 그런 거였다면 정복을 입었겠죠."

보통 형사는 평생토록 거의 네 번의 상황에 정복을 입는다.

임용이 됐을 때.

표창 및 진급을 할 때.

퇴직을 할 때.

그리고 동료 형사가 순직을 했을 때…….

고정숙이 말한 건 네 번째 상황이었다.

아들의 웃음에 그게 아님을 깨달은 고정숙은 이내 한심한 표정을 지었다.

"결국 좌천됐니?"

"아들한테 좌천이 뭡니까, 좌천이."

"범인 하나 잡겠다고 4개월 동안 복귀 안 한 놈이라면 나라도 좌천시킬 것 같은데……."

"그래도 2주에 한 번은 집에…… 죄송합니다."

고정숙은 혀를 찼고, 종혁은 배시시 웃었다.

"좌천을 당할 거였으면 이렇게 진급은 안 시켜 줬겠죠. 아무튼 당분간은 집에 일찍 들어올 거니까 그렇게 아세요."

"……알았어. 조심히 다녀오고. 새 부서에서는 성격 좀 죽이고."

'그것도 아닌데…… 아니, 맞나?'

갸우뚱하던 종혁은 이내 다시 웃었다.

"그럼 다녀오겠습니다. 충성."

그렇게 종혁이 떠나자 소파에 앉아 사과를 물던 고정숙은 닫힌 현관문을 보며 눈을 가늘게 떴다.

"저거 아무리 봐도 좌천이 맞는데……."

"아줌마, 좌천이 뭡니까?"

"제가 한번 알아봅네까? 해킹을 하면 금방 압네다."

고정숙은 뜻을 알아듣고 딱딱하게 굳은 순철의 머리를 쓸어내렸다.

그러다…….

콱!

"악! 아아악!?!"

갑자기 구레나룻이 당겨진 순철은 당황했고, 고정숙은 그런 그를 향해 단호한 눈빛을 보냈다.

"난 내 집에서 범죄자 안 키운다."

"죄, 죄송합네다! 사, 살려 주시라요!"

"명심해."

고정숙은 고개를 연신 끄덕이는 순철을 놓으며 몸을 일으켰다.

'뭐 지가 알아서 하겠지.'

자기 앞가림은 충분히 하는 아들이니 그럴 수 있을 거다.

걱정을 지워 버린 고정숙은 아침 장사 준비를 위해 움직였다.

한편 출근을 마친 종혁은 배정받은 사무실을 보며 혀를 내둘렀다. 2층 구석에 위치한 20평이나 될까 한 작은 사무실.

책상은커녕 공장에서나 볼 법한 철골 선반만 몇 개 놓인 삭막한 풍경에 웃음부터 튀어나온다.

"이야, 노골적이구만?"

알아서 예쁘게 꾸며 보라는 이택문의 의도가 절로 읽혀진다.

웅성웅성.

"하. 진짜 내가 왜 아침 출근부터 이놈 얼굴을 봐야 하지?"

"에이, 너무 그러지 맙시다. 나는 뭐 기분…… 아?"

열린 문 안으로 들어오던 최재수가 사무실 풍경을 보곤 굳어 버린다.

"……우리 좌천 맞죠? 그렇죠?! 맞잖아요-!"

금방이라도 눈물을 터트릴 듯 일그러지는 얼굴.

종혁은 눈을 끔뻑이며 오택수를 봤다.

"우리가 설명을 안 했던가요?"

"했는데?"

"그럼 왜 저러는데요."

"몰라. 뭐부터 할까? 청소? 비품은 네가 가져오고."

마찬가지로 오열하는 최재수를 무시한 종혁은 사무실 풍경을 보며 피식 웃었다.

알아서 예쁘게 꾸며 보라는, 아니 예쁘게 꾸며 놓고 훗날 특수범죄수사과로 복귀할 때 그 상태 그대로 놓고 가라는 이택문의 괘씸한 의도가 가득 느껴지는 풍경.

그 의도를 따라 줄 생각이 눈곱만큼도 없는 종혁은 핸드폰을 들었다.

"예, 사장님. 안녕하세요. 예, 예. 본청 사무실 인테리어를 의뢰했던 최종혁 경위입니다. 또 의뢰를 싶은데 혹시 지금 시간되실까요?"

종혁은 경악하는 오택수를 일견하며 실실 웃었다.

'사무실 인테리어 예산은 얼마나 배정됐으려나?'

누군가 들으면 뒷목을 잡을 생각이었다.

"그럼 전 잠시 출장 좀 다녀오겠습니다."

"응? 어디 가게?"

'확인을 위한 탐문을 좀 하려고요.'

얼마 후 사건이 하나 벌어진다.

회귀 전에는 이놈들의 역사가 이렇게까지 깊은 줄 몰라서 간과했지만, 회귀 후 놈들과 본격적으로 얽히다 보니 다시 생각할 수밖에 없게 된 사건이다.

그러나 아직은 의심인 수준.

혹여 아니라도 상관은 없다. 분명 소득은 있을 테니까.

하지만 촉이 맞다면?

중국에 있는 놈들이 아닌, 또 다른 꼬리를 잡게 되는 것이다.

'어디까지 더듬어 올라갈 수 있을지 모르는 꼬리를!'

종혁은 그걸 확인하기 위해 탐문을 할 생각이었다.

'이번엔 절대 안 놓친다, 개새끼들아.'

치솟는 살심을 애써 누른 종혁은 몸을 돌렸다.

"다녀올게요. 오 경위님도 대충 있다가 퇴근하세요."

"어, 그래."

그렇게 본청 건물을 나선 종혁은 핸드폰을 들었다.

"네, 나탈리아. 저예요. 중국에 있는 놈들은 좀 어때요?"

과르릉!

종혁을 태운 차가 어딘가를 향해 빠르게 쏘아졌다.

* * *

과르릉.

한참을 달려 한 주택가 골목에 차를 세운 종혁은 차 안에서 한 주택을 응시했다.

"이곳이군."

멀지 않은 미래, 놈들에게 죽임을 당한 것으로 추정되는 사람이 사는 집이 말이다.

고개를 끄덕인 종혁은 시간을 확인하고 눈을 감았다.

현재 시각 오전 10시. 그의 얼굴을 확인하기 위한 잠복이 시작됐다.

"으아! 죽겠다! 진짜 피방 안 갈 거야?"

"응. 다음에 가자."

"끙. 알았…… 와, 씨발. 포르쉐다."

"뭐? 우와."

이제 17살이나 됐을 법한 어린 소년들의 수다에 핸드폰으로 게임을 하던 종혁이 고개를 돌린다.

짙게 선팅이 된 차창에 붙어 폴더폰 카메라로 사진을 찍으며 흥분하는 아이들. 어른이라면 미소가 절로 나올 천진난만한 모습이건만 종혁은 아니었다.

그는 말쑥하게 차려입은 옆 친구와 달리 목이 다 늘어진 티셔츠를 입은 채 땀을 뻘뻘 흘리며 안을 들여다보기 위해 애를 쓰는 소년을 빤히 바라보다 미소를 지었다.

'너구나?'

기다리던 사람이다.

앞으로 한 달이 채 지나기 전 경찰서로 달려와 살려 달라고 외친 소년. 그렇게 구해졌음에도 자살을 한 소년.

사인은 경부압박에 의한 질식사.

이렇게 해맑게 웃을 줄 아는 소년이 마치 뭔가에 쫓기듯 흘겨 쓴 유서만 남긴 채 목을 매달고 죽은 것이다.

'자살하는 사람이 유서를 흘겨 쓴다고?'

말이 안 된다.

자살이란 인생에서 마지막 선택이기에, 가족과 지인에게 남기는 마지막 말이기에 보통의 유서는 평소 그 사람의 필기체보다 훨씬 정갈하고 깔끔하다.

아니면 슬픔을 참지 못해 알아볼 수 없을 만큼 처참하든지.

그런데 이 소년의 유서는 그 둘에 해당하지 않았다.

그럼에도 이에 대해 조사한 형사는 없었고, 경찰에 살려 달라고 달려왔던 소년이 사법당국의 보호 아래 있다가 자살을 했는데도 신문에 기사 한 토막 실리지 않았다.

누군가 의도적으로 묻어 버린 게 아니고서야 불가능한 일이었다.

'그리고 놈들이라면 그럴 능력이 충분히 있지.'

"대체 넌 뭘 봤을까……."

앞으로 한 달 안에 벌어질 어떤 사건의 주범인 소년.

그때 대체 무얼 봤기에, 어떻게 얽히게 됐기에 자살을 당하게 된 걸까.

종혁은 안경을 껴서 더 앳된 소년의 얼굴을 머릿속에 각인시키며 차칭을 손가락으로 두드렸다.

터엉!

"으악!"

"죄, 죄송합니다!"

후다닥!

친구와 함께 엉덩이를 방실거리며 헐레벌떡 도망치는 소년.

'귀엽네.'

한바탕 웃음을 터트린 종혁은 아까 지켜봤던 집 안으로 들어가는 소년을 응시하다 핸들을 잡았다.

"자, 그럼 나는 프레젠테이션 준비를 해 보실까?"

이택문의 칼춤이 멈춘 순간부터 본격적으로 가동될 경찰 이미지 마케팅과가 앞으로 해야 될 일과 나아갈 방향에 대한 프레젠테이션.

이건 기회다.

그동안 생각만 했지, 제대로 풀어놓지 못했던 걸 풀어낼 기회.

눈을 빛낸 종혁은 차를 출발시켰다.

과르릉!

종혁의 차가 주인의 생각을 알아차리기라도 한 듯 사납게 울음을 토해 냈다.

* * *

이택문 신임 경찰청장의 칼춤은 본청이라고 비껴가지

않았다.

덕분에 본청은 어깨만 부딪쳐도 날 선 눈초리를 보낼 만큼 살벌한 분위기를 풍겼고, 그런 그곳에 한 청년 경찰이 도착하고 있었다.

부우웅! 빵빵!

한여름의 열기가 더 뜨겁게 느껴지는 거리.

경찰 근무복을 입은 한 이십대 후반의 사내가 대한민국 수십만 경찰들이 가길 원하는 높고 큰 본청 건물을 바라보며 감격을 한다.

드디어 왔기 때문이다. 꿈에 그리던 본청에.

"그것도 콜을 받아서!"

전입 신청을 한 게 아니다.

본청에서 직접 콜이 온 거다.

그렇게 감격하는 그의 눈앞에 국민학교 5학년 때부터의 기억이 파노라마처럼 스쳐 지나간다.

1988년, 어느 봄날이었다.

봄 소풍을 겸해 견학을 간 서울경찰청.

상냥하고 친절하게 이곳저곳을 안내해 줬던 경찰 누나들의 모습에 당시 소년이었던 사내는 한눈에 반해 버리고 말았다.

무서운 형사 아저씨들만 가득할 거라고 겁을 먹었던 소년의 마음을 사르르 녹여 버렸던 미소.

그때부터 꿈꾸게 됐다.

-엄마! 나 여경이 될래요!

지금도 떠올릴 때마다 이불을 걷어차게 되는, 머릿속에서 영원히 지우고 싶은 끔찍한 기억.

하지만 그 꿈이 있었기에 경찰이 될 수 있었다.

그리고 겨우 이십대의 나이에 이곳에 왔다.

동기들 가운데 자신만큼 성공한 사람은 없었다.

사내는 버디프랜드 단체 채팅방에서 부러워하던 동기들을 떠올리며 히죽 웃었다.

"아차, 늦겠다!"

사내는 빠르게 본청을 향해 걸음을 재촉했다.

그리고…….

'나는 누구? 여긴 어디?'

이쪽을 보면 반쯤 펴진 무궁화 네 송이가 보이고, 그 옆을 보면 그런 무궁화 다섯 개가 하나로 뭉친 계급장이 보인다.

여긴 총경이고, 저긴 경무관.

그리고 가장 상석엔 수십만 명 경찰의 정점인 경찰청장님이 뚱한 얼굴로 앉아 있다.

'엄마…….'

불이 켜진 작은 회의실에 선 사내는 갑자기 울고 싶어졌다.

그는 방금 전 2층 끝 사무실에서 인사를 나누자마자 잘됐다며 이곳에 끌고 온 최종혁 경감을 원망 어린 눈으로 노려봤다.

"큼. 최 경감, 아직 멀었나?"

"네. 다 되어 갑니다."

"젊은 사람이 손이 느리군. 지금 몇 분째 청장님을 기다리게 하는 줄 알아?"

"죄송합니다! 얼른 하겠습니다!"

활짝 웃은 종혁은 몸을 돌리며 혀를 찼다.

"그럼 와서 좀 도와주든지……. 하여튼 높은 사람은 이래서 문제야. 말만 하면 바로 다 되는 줄 안다니까? 안 그래요?"

"네, 네?!"

"못 들었으면 말고."

'미, 미친?!'

하얗게 질린 사내는 다급히 무서운 고위 간부들을 봤지만, 그들은 못 들은 듯 서로 담소를 나누고 있었다.

그러다 한 사람과 눈이 마주친 그는 그대로 얼어붙었다.

"그런데 자넨 누구지? 못 보던 얼굴인데."

"추, 충성! 겨, 경장 박동구!"

"……아, 경찰청 홍보 포스터 대회에서 1등 한? 동대문서 홍보팀의?"

"그, 그렇습니다!"

'이분이 날 어떻게?'

범죄자를 때려잡는 형사가 아니라 어렸을 적 한눈에 반한 여경들처럼 아이들에게 꿈과 희망을 새겨 줄 수 있는 홍보팀을 꿈꾸고 결국 이룬 사내, 박동구.

그는 이런 고위 간부들도 알 정도로 자신의 실력이 대

단했었나 얼떨떨할 수밖에 없었다.

종혁은 그런 그의 모습에 뚱한 표정을 지으며 홍보담당관을 응시했다.

"이제부터 손발 맞춰 가야 할 사람에게 헛바람 넣으시면 곤란합니다, 홍보담당관님."

"……어흠. 내가 뭐랬나?"

'에라이.'

혀를 찬 종혁은 문 옆에 서 있는 최재수를 향해 고개를 끄덕였다.

딱 회의실의 불이 꺼지며 정면의 스크린이 빛을 토해냈다.

종혁은 레이저 포인트를 잡으며 숨을 골랐다.

'아, 귀마개를 가져올 걸 그랬나?'

종혁은 몇 초 후 일어날 반응을 예상하며 실실 웃었다.

"그럼 경찰 이미지 개선 및 인권 향상을 위한 마케팅 프레젠테이션을 시작하겠습니다. 첫 번째."

화면이 전환되자 간부들의 얼굴이 와락 구겨진다.

[순직, 규정 범위 확대.]

경찰 고위 간부들에겐 예민할 수밖에 없는 단어, 순직.

고작 25살 경감 따위가 꺼낼 이야기가 아니고, 이런 자리에선 더더욱 아니다. 그런데 그걸 첫 주제부터 거론하고 있다.

'저 자식이?!'

'감히!'

종혁은 갑자기 들끓는 공기와 죽일 듯 노려보는 간부들의 눈빛에도 아랑곳하지 않고 입을 열었다.

"한 해 공무상 사망이 아니라는 이유로 국립묘지에 묻히지 못하는 경찰의 숫자가 몇 명일까요. ……혹시 아시는 분 계십니까?"

쾅!

"야, 최종혁!

"하! 예쁘다 예쁘다 하니까 머리끝에 서지, 지금?!"

"이 자식이 진짜! 야, 이 개새끼야!"

결국 터져 버린 고위 간부들의 분노.

그러나 종혁은 흔들리지 않고 이택문만 응시했다.

무슨 생각인지 뚱한 눈으로만 바라보고 있는 그.

종혁은 입술을 비틀었다.

"칼춤을 추셨으면 당근을 내미셔야죠."

흠칫!

"음……."

칼춤이란 단어에 고위 간부들의 입이 다물어진다.

그건 이택문 경찰청장도 마찬가지다.

대신 눈빛이 더 가라앉은 그. 소회의실을 채우던 불편한 침묵이 가신 건 이택문이 입을 열면서부터다.

"아버님 때문인가?"

'아버지? 아, 그랬지 참.'

아버지 최도철도 범인을 쫓다가 교통사고를 당해 사망했지만, 결국 순직 처리가 되지 못했다.

너무 오래전 일이기도 하거니와 아버지에 대한 기억이 없어 잊고 있었던 종혁으로서는 딱히 감흥 없는 질문이었다.

"흠. 100퍼센트 아니라곤 할 수 없을 겁니다. 믿지도 않으실 테고요. 하지만 이건 꼭 필요한 일입니다."

'아니, 당신들도 알고는 있지만 외면하던 일이지.'

예산 때문에, 애매해서 등등 온갖 이유로 외면하던 고질적인 문제다.

하지만 굳이 이런 말까지 해서 고위 간부들과 척을 질 필요는 없었다.

"조직이 끝까지 돌봐 준다면 조직원은 충성을 보낼 수밖에 없다는 청장님과 담당관님들께서도 다 아는 이야기는 굳이 하지 않겠습니다. 다만, 앞으로 세 달 후면 경찰의 날입니다."

순간 그들의 눈이 번뜩인다.

경찰의 날.

다른 걸 다 떠나서 민생치안 및 사회 안전보장 확보에 공이 많은 경찰 공무원 또는 관련 유공자들을 대상으로 훈장, 포장, 표창 등을 수여하는 날이자, 어떤 이유로든 순직을 인정받지 못했던 경찰들 중 일부를 새로이 선별해 순직임을 인정하는 날이다.

둘의 대화에 뭔가를 깨닫고 더 불편한 시선을 보내던

고위 간부들의 턱을 쓸며 눈을 가늘게 떴다.

발칙하지만 제법 구미가 당기는 이야기가 아닌가.

종혁은 변화하는 분위기에 싱긋 웃었고, 이택문은 고개를 주억거렸다.

“한 번 할 거 제대로 하라는 건가?”

“확실한 지지를 얻으실 기회입니다.”

“……좋군. 개요는?”

“마저 들으시면 아시게 될 겁니다. 계속할까요?”

“……계속해.”

그렇게 파란의 프레젠테이션이 시작됐다.

* * *

무려 2시간 동안 진행된 프레젠테이션도 어느덧 마지막 주제만 남기고 있었다.

그에 잠시 쉬는 시간을 가진 고위 간부들이 다음 주제 발표 준비를 하고 있는 종혁을 묘한 눈으로 쳐다본다.

‘흐음.’

‘저놈…….’

욕심이다. 그들의 눈에 담긴 건 분명 욕심이었다.

순직부터 시작해 모두 예민할 수밖에 없던 주제들이었다.

그러나 하나같이 우려하던 문제들의 개선점이 명시되어 있고, 납득할 수밖에 없는 명분을 내세우고 있었기에 그들은 결국 고개를 끄덕일 수밖에 없었다.

이 바닥에서 구르고 구른 그들이 고작 25살 애송이 경찰의 말에 동의를 하게 된 거다.

만약 혈기만 넘치는 애송이였다면, 무슨 말을 하든 무시를 했을 거다. 하지만 종혁은 능력도 가지고 있다. 그래서 더 설득력을 가졌는지도 몰랐다.

불편했던 심기는 가신 지 오래.

'저놈이 내 밑으로 온다면…….'

'이래서 밑에 놈들이 저놈을 데려오라고 난리를 쳤나?'

그들은 흥미 가득한 눈으로 다음 주제를 기다렸다.

그런데 그 주제는 오늘 발언된 내용 중 가장 뜬금없는 주제였다.

"콘텐츠 제작 및 관리?"

"1993년에 개봉한 영화 투 폴리스를 기억하십니까?"

왜 기억을 못하겠는가. 그 탓에 경찰 이미지가 똥통에 처박혔는데.

영화는 해피엔딩으로 끝났지만, 대한민국의 모든 경찰은 뒷돈을 받는 개새끼가 됐고, 이 자리에서 너도 뒷돈 받았냐는 전화를 받아 보지 못한 경찰은 없었다.

당시 전성기를 구가하던 두 배우의 열연 때문에 이후 영화건 드라마건 등장인물로 등장하는 경찰은 거의 무능하거나 뒷돈을 받는 비리 경찰이 되었다.

경찰은 무조건 악역.

"그나마 2003년에 개봉한 살인자의 추억과 제가 자문을 맡았던 영화를 통해 이미지가 좀 개선됐습니다. 하지만……."

자세히 뜯어보면 살인자의 추억에서 경찰은 거의 모든 장면에서 무능했다. 끝까지 범인을 잡지 못했고, 결국 경찰은 절대 범인을 포기하지 않는다는 미진한 이미지만 남겼을 뿐이다.

종혁이 자문을 맡았던 영화는 그나마 나았다.

결국 범인을 잡았으니까.

형사가 어떻게 범인을 잡는지 잘 보여 줬으니까.

이런 불편한 이야기에 간부들의 얼굴이 다시 구겨진다.

"그래서 하고 싶은 이야기가 뭐야?"

종혁은 결국 튀어나온 불만에 이를 드러냈다.

"언제까집니까. 대체 언제까지 민중의 지팡이인 저희가 저들 언론과 미디어의 만행을 지켜봐야 합니까?"

"……!"

갑자기 심기를 강타하는 묵직한 직구, 아니 도발에 고위 간부들의 몸이 들썩인다.

하지만 종혁의 말은 아직 끝나지 않았다.

"그들 역시 저희가 지켜야 하는 시민이라지만, 이렇게 턱주가리를 돌리는데도 참아야 하는 겁니까? 이게 경찰입니까? 호구지!"

……뿌득!

이택문과 고위 간부들의 이가 악물어진다.

종혁은 그런 그들을 보며 처량한 표정을 지었다.

"개그 소재? 될 수 있습니다. 풍자의 소재도 될 수 있습니다. 경찰이 시민들 곁에 있다고 말해 주는데 오히려

고맙다고 해야죠. 하지만-!"

광대는 되지 말아야 한다.

하찮은 웃음거리로 전락해선 안 된다.

"안 그렇습니까!"

"……하!"

순간 공기가 달아오른다.

체면 때문에 엉덩이만 들썩인 그들이 저마다 담배를 물며 종혁을 노려본다. 어서 답을 내놓아라 재촉한다.

"그래서 콘텐츠를 제작하자는 건가?"

"단순히 콘텐츠를 제작하는 것에서 그치면 안 됩니다."

"그럼?"

"관리를 해야 됩니다. 저들이 제작하는 영화, 드라마에서 경찰이 어떤 역할로 나오는지, 나온다면 그게 나쁜 경찰이라면 작가의 픽션이라고 명시하게 만들어야 합니다."

움찔!

"흐음."

"그건 나쁘지 않을 듯한데?"

"또 경찰의 선행을 널리 알려야 합니다."

"……선행을? 굳이? 낯뜨겁게?"

"굳이가 아닙니다. 왜 경찰의 이미지가 비리 경찰로 굳어졌습니까? 왜 많은 수의 국민들이 경찰을 꺼려 하는 겁니까."

선행에 대한 뉴스라곤 가뭄에 콩 나듯 나오기 때문이다.

"영웅이 되지 못해섭니다. 저 미국의 경찰처럼 영웅이."

"……!"

종혁은 이제야 깨닫는 그들을 향해 말을 이어 갔다.

"존중을 받진 못하더라도 손가락질은 받지 말아야죠. 안 그렇습니까?"

"……그래. 다 좋아. 하지만 그것도 한두 번이야. 국민들이 그런 기사를 찾아보겠어?"

홍보담당관의 말에 종혁은 고개를 끄덕였다.

훌륭한 지적이었다.

하지만…….

"찾아보지 않아도 계속 내보내야 합니다. 계속 경찰에 대해 언급을 하게 만들어야 합니다."

"아."

종혁은 뭔가를 깨달은 홍보담당관을 보며 미소를 지었다.

"경찰이 당신들 주변에 있다는 걸 알리자는 거군."

"정확히는 경찰은 믿을 수 있다는 걸 국민들에게 인식시켜야 하는 겁니다."

경찰이 국민을 위해 존재한다는 걸, 적대시해야 될 대상이 아니고 같은 대한민국 국민이라는 걸 인식시켜야 한다.

그리고 적극적인 협조를 하여 함께 범죄를 해결하고 예방해야 한다는 여론을 형성해야 한다.

"음."

"흐으음."

"하지만 예산이……."

나지막한 재정담당관의 중얼거림에 생각에 잠기던 사람들의 낯살이 구겨진다.

예산. 빌어먹을 예산.

종혁은 속으로 코웃음을 쳤다.

누군가 말했다. 예산이 부족한 게 아니라 중간에 삥땅치는 놈들이 많은 거라고.

하지만 이번에도 이걸 언급할 순 없었다.

"다들 은혜를 입혀 놓은 기자 한둘쯤은 있잖습니까? 경찰서 출입 기자들에게 다음에 큰 사건을 주겠다 거래를 해도 될 테고요."

"아!"

'그런 묘수가!'

"좋군. 제법 좋은 생각이야."

아니, 정말 마음에 든다.

"그래서 콘텐츠는? 어떤 걸 제작할 거지?"

홍보담당관의 질문에 종혁은 눈을 빛내며 화면을 전환시켰다.

[젊은 피.]

"……?"

"일단 저희에겐 콘텐츠를 제작할 시간이 부족합니다. 그러니 현 대한민국 대표 예능에 젊고 끼 있는 경찰들을 출연시켜서 시간부터 버시죠?"

종혁은 미간을 좁히는 그들을 보며 의미심장한 미소를 지으며 말을 이어 갔다.

한참 후, 종혁의 말이 끝나자 간부들은 다시 침묵을 했다. 불편해서가 아니라 종혁이 오늘 말한 것들의 타당성을 따지는 중이었다.

그렇게 한참을 고민한 결과는…….

'이거 가능성이 있겠는데?'

'예산이 많이 필요한 것 같지도 않고…….'

생각을 정리하던 고위 간부들을 보던 이택문은 흡족한 눈으로 종혁을 응시했다.

'생각보다 더 유능하군.'

그때 술자리에서 어느 정도 파악했다 싶었는데 아니었다. 종혁은 예상을 훨씬 뛰어넘는 인재였다.

"잘 들었어."

특히 콘텐츠 제작 및 관리가 가장 파격적이면서도 구미를 당겼다. 잘하면 방송국의 모가지를 틀어쥘 수 있는 명분.

물론 과하면 언론 탄압이다 뭐다 말이 나올 테지만, 그거야 잘 조절하면 그만이다.

"감사합니다."

싱긋 웃은 종혁의 모습에 고개를 주억인 이택문은 홍보담당관을 봤다.

"홍보담당관은 어떻지?"

"저도 유익한 시간이었습니다. 그런데 한 가지 질문이

있는데…….”

종혁은 시선이 닿자 얼른 마시던 물을 삼켰다.

“예. 말씀하십시오.”

“가령 X맨이라는 거 말이야. 몸 좋고 잘생긴 경찰들을 출연시켜 남성 연예인들을 압살하고, 여성 연예인들과 러브라인도 만들고. 좋아. 다 좋은데, 너무 가볍게 보여지지 않겠나?”

그래도 경찰인데라는 뒷말이 삭제된 물음.

“대신 백마 탄 왕자님이라는 이미지를 가지게 되겠죠.”

“……!”

위험한 상황에서 공주님을 구하는 왕자님.

그 이미지가 가지는 효과를 모르는 사람은 이곳에 없었다.

“여성에게는 믿음직한 보디가드가, 남성에겐 감히 덤비기 힘든 존재가 되는 겁니다. 대체 언제까지 양말을 돌려 신고, 팬티를 며칠씩 입는 더러운 이미지를 가져가야 합니까? 언제까지 험하고 무서운 이미지를 고수해야 됩니까?”

형사하면 가장 먼저 떠올리는 이미지가 뭐던가.

늙고 더러우면서 거칠고 무서운 사람이다.

영화나 드라마가 만들어 낸 이미지.

“시민들이 쉽게 경찰을 찾지 않는 이유가 뭡니까?”

어려운 일이 생겼을 때 가장 먼저 연락해야 됨에도 말이다.

친근하지 못해서다. 신고하러 갔다가 나도 나쁜 소리를

듣을 것 같은 막연한 두려움 때문에 꺼림칙하기 때문이다.

"그렇기에 젊고 유쾌하며 듬직해 친근하게 느껴지면서도 위험한 상황이 닥쳤을 때 가장 먼저 떠올릴 수 있는 이미지를 만들어야 하는 겁니다."

경찰도 이젠 변해야 하는 거다.

'가장 먼저 떠올릴 수 있는…….'

보통 그런 이를 보고 영웅이라고 한다.

"흐음…… 음?"

거기까지 생각하자 아까 종혁이 언급한 영웅이란 단어가 떠오른 고위 간부들은 헛웃음을 터트렸다.

"그럼 경찰이 연예인들과 경찰과 도둑 같은 추격전을 벌이는 프로그램을 만들자는 건?"

"도망치는 연예인들을 쫓을 땐 도주 경로를 예측하며 빠르게 쫓는 치밀함과 영리함을, 빠른 검거를 통해 신속함을, 그리고 첨단 수사 기기들을 거리낌 없이 사용하는 스마트함을 보여 줄 수 있습니다."

그리고 이런 걸 시청자의 무의식에 각인시키는 거다.

이런 종혁의 말에 고위 간부들은 혀를 내둘렀다.

'빈틈이 없군. 빈틈이 없어.'

'나이 따위가 문제가 아니야!'

종혁은 다 넘어온 것 같은 그들의 모습에 공손히 허리를 숙였다.

"이 예능 출연들은 그런 이미지 확립을 위한 첫 번째 걸음이라고 생각해 주시면 감사하겠습니다. 더 이상 질문이

없으시다면 이상으로 프레젠테이션을 마치겠습니다." 주

마무리까지 완벽하다.

그들은 더 이상 참지 못했다.

"이봐, 최 경감."

"예?"

"홍보팀은 어떻게 생각해? 현장도 어느 정도 겪었으니 이제 진짜 일을 해 봐야지?"

"……예?"

"거 무슨! 찬물도 위아래가 있지! 최 경감, 경무팀 어때? 아니, 경찰 이미지 마케팅과를 아예 저희 경무로 주십시오, 청장님!"

"다들 무슨 소리 하십니까! 최 경감은 재정이 딱 맞습니다! 저렇게 철두철미, 적재적소, 빈틈없는 걸 보십쇼!"

"아, 됐어! 내 기수 밑으로 다 닥쳐!"

"경찰에서 기수를 왜 따져!"

"뭐야?!"

종혁은 순식간에 난장판이 된 소회의실의 모습에 눈을 껌뻑이다 이택문을 봤다.

미간을 좁히던 이택문은 결국 참지 못하고 책상을 내리쳤다.

타앙!

"다들 어린 간부 앞에서 무슨 추태야!"

"……어흠."

"커허험."

여전히 뚱한 목소리인 이택문은 종혁을 봤다.

"일단 콘텐츠 쪽부터 진행해 봐."

"충성. 감사합니다. 최대한 빨리 방영될 수 있도록 노력하겠습니다."

이택문은 고개를 끄덕였다.

"그럼 이걸로 끝인가? 끝이라면 다들 일어서지."

"옙!"

'됐다.'

드디어 하고 싶은 말을 다 했다.

훗날 더 높은 자리에 올랐을 때 진행할 수 있는 일들을 제외하곤 모두 다.

'이제 경찰도 점점 바뀌어 가겠지. 회귀 전과 다르게…….'

어서 그때가 오길 바라던 종혁은 순간 눈을 부릅떴다.

'아차!'

까먹은 게 있었다.

"아, 죄송합니다. 아직 마지막이 남았습니다."

종혁은 애매하게 엉덩이를 들다 멈춘 그들을 보며 어색하게 웃었다.

'좆됐다. 어떻게 말하지?'

아까 분위기가 달아올랐을 때 했으면 쉽게 넘어갔을 일이지만 타이밍을 놓친 지금은 아닌 일. 짧은 시간 갈등하던 종혁은 이내 어쩔 수 없다며 약을 팔기로 했다.

종혁은 눈을 부릅떴다.

"청장님."

"왜 그러지?"

"취임사 때 경찰의 인권 향상과 공권력 향상을 위해 온 힘을 기울이겠다고 하신 발언은 아직 유효합니까?"

그 말에 이택문의 미간이 더욱 좁혀진다.

"그렇지 않았다면 내가 굳이 이런 자리를…… 음."

왜일까. 갑자기 종혁의 발언이 불길한 예감과 함께 뇌리를 강타하는 이유는.

종혁은 쉽사리 입을 열지 못하는 그를 보며 미소를 띠기 시작했다.

"다행이군요."

"뭐가……."

"토크쇼에 한번 출연해 주시죠."

"……뭐?"

"경찰의 인권 향상을 위한 경찰 이미지 개선과 공권력 향상을 위해서. 새롭게 변화할 경찰을 알리기 위해서!"

'그래 주실 거죠?'

어색하게 웃는 종혁의 모습에 이택문 경찰청장의 얼굴이 와락 구겨졌다.

* * *

"미친놈. 또라이 새끼. 와, 어떻게 청장님을……."

다시 생각해도 식은땀이 절절 흐르는 상황.

오택수는 수명을 몇 년 정도 줄인 종혁을 노려봤고, 종혁은 어깨를 으쓱였다.

"거 나도 실수였다니까요……."

"실수? 아주 두 번 실수하면 다 죽이겠다, 새끼야! 그리고 네가 퍽이나 그랬겠다!"

'진짠데…….'

꿍얼거리며 새로운 사무실 안으로 들어가던 종혁은 잠시 멈춰 섰다. 안에 사람들이 있었기 때문이다.

"엇?! 추, 충성!"

"충성!"

딱딱하게 굳은 얼굴로 절도 있게 거수경례를 하는 그들.

"왔어요?"

이들이 이택문이 준비한 태스크 포스였다.

"앞으로 잘해 봅시다."

종혁은 활짝 웃었다.

4장. 방송국에서

방송국에서

"죽인다."

"응. 죽여."

이게 정녕 경찰들이 쓰는 사무실이라 할 수 있는가.

따로 완비된 탕비실에, 냉장고에 가득한 부식거리. 빵빵하게 틀어지는 에어컨에 최신형 노트북. 심지어 책상은 원목으로 제작됐다.

가장 좋은 건 그 누구도 심부름을 시키지 않는다는 점이다.

정말 좋다. 이곳에서 뼈를 묻고 싶을 정도다.

그런데…….

"좋아. 다 좋은데, 그래서 우리 과를 관리하는 분은 누군 거야?"

"……글쎄?"

경찰 이미지 마케팅과.

팀도 아닌 과다.

그런데 지금까지 과장은 코빼기도 본 적이 없다.

가장 상급자는 고가의 중형 세단 옆에서 하품을 하고 있는 최종혁 경감뿐. 업무에 대한 지시도 종혁이 내리고 있었다.

“물어볼까?”

“그, 그래도 될까?”

다른 곳도 아닌 본청이다. 조상이 은덕을 내려 겨우 온 곳이니만큼 모든 게 조심스러울 수밖에 없었다.

그런 그들에게 최재수가 콧대를 세우며 다가선다.

“일단 저희는 임시적으로 홍보 소속이며, 저희 과는 저기 최종혁 경감님이 이끌어 가십니다.”

“예?!”

그들은 다급히 종혁을 봤다.

“아, 날씨 좋다. 이런 날엔 냉면에 불고기를 씹어 줘야 하는데!”

“넌 지금 그게 목구멍으로…… 아니다, 됐다. 내가…….”

“말을 말자. 찌찌뽕.”

“이 새끼가……!”

그들은 다시 최재수를 봤다.

‘저분이요?’

차마 입 밖으로 내뱉진 못하는 물음.

“뭐…… 일단은.”

이번만큼은 커버를 치기 힘들다 판단한 최재수는 먼 산을 아련히 쳐다봤다.

그때였다.

뚜벅뚜벅!

오늘도 뚱한 얼굴을 한 이택문 경찰청장이 로비를 빠져나와 그들을 향해 다가온다.

"추, 충성!"

"충성!"

고개를 끄덕인 이택문은 종혁을 봤다.

"가지."

"예. 차에 오르시죠."

최재수에게 문을 열어 주라고 눈짓을 한 종혁은 전국각지에서 모은 팀원들을 응시했다.

"그럼 저흰 다녀올 테니 박동구 경장과 나머지 분들도 수고해 주십시오. 여러분들의 손에 수십만 경찰의 이미지가 달려 있는 만큼 단 하나의 대본이라도 놓치면 안 될 겁니다."

"옙!"

종혁이 이들에게 내린 명령은 하나다.

충무로와 방송가를 돌아다니는 모든 대본과 시나리오를 긁어 와라.

종혁은 그 중에서 양질의, 후에 성공하는 것들을 추릴 생각이었다.

고개를 끄덕인 종혁은 차에 올랐다.

"그럼 방송국으로 출발하겠습니다."

"음……."

그랬다. 오늘은 이택문 경찰청장의 토크쇼 녹화가 있는 날이었다.

* * *

"하하. 어서 오십시오!"

방송국 로비, 오십대의 방송국 사장이 양팔을 벌려 이택문을 맞이한다.

경찰 고위 간부도 아닌 무려 경찰청장이다.

장차관뿐만 아니라 검찰총장, 대법원장과 더불어 그동안 예능에 출연한 역사가 없는 성역의 인물.

더욱이 얼마 전 방송국 하나를 날려 버리다시피 한 경찰의 새로운 수장이 아닌가.

솔직히 그는 경찰에서 먼저 토크쇼 출연 제의가 들어왔을 때 어떤 미친놈이 사기를 치는 줄 알았다.

경찰청장의 출연은 그 정도로 믿기지 않는 일이었다.

"이택문입니다."

"아이고, 정동영입니다! 오시느라 수고 많으셨습니다. 이럴 게 아니라 어서 안으로 들어가시죠!"

"음."

고개를 끄덕인 이택문은 걸음을 옮겼고, 그걸 보던 종혁은 오택수와 최재수를 응시했다.

"잘 모셔요."

"알았어. 걱정 마."

"저만 믿으세요, 경감님!"

"……질문이 이상하다 싶으면 바로 커트하셔야 합니다."

"알았다니까."

"저만 믿으시라니까요?"

"믿겠습니다, 오 경위님."

"최 경감님!"

끝까지 최재수를 무시한 종혁은 안내데스크로 향했다.

오늘 그는 따로 볼일이 있었기 때문이다.

"예능국 기태종 부장님과 약속을 잡은 최종혁 경감입니다. 예능국은 어디로 가야 하는지 알려 주시겠습니까?"

"아, 네! 예능국은요……."

친절히 알려 주는 데스크 직원의 설명에 감사의 뜻을 표한 종혁은 엘리베이터로 향했다.

제법 중후하게 꾸며진 사무실에서 만난 기태종 부장은 살집이 있는 실눈의 오십대 장년인이었다.

"기태종 부장이네."

"본청 경찰 이미지 마케팅과의 최종혁 경감입니다."

"오. 젊은 나이에 벌써 경감이야? 대단한데? 아, 반말을 해서 미안하군. 워낙 습관이 되어 놔서."

눈살을 꿈틀거린 종혁은 옅게 웃었다.

"아닙니다. 감사합니다."

"차? 아니면 커피?"

"녹차로 주시면 감사하겠습니다."

고개를 끄덕인 내선 전화로 차를 주문했고, 종혁은 그가 손짓으로 권하는 소파에 앉으며 눈을 가늘게 떴다.

'기태종…… 그래, 기억나네.'

대가성 뇌물을 받고 연예인을 출연시키던 악질적인 인간.

다만 수법이 어찌나 교묘한지 회귀 전 수사상에는 올랐지만, 증거를 확보하지 못해 끝내 검거를 하지 못했던 인물이다.

그런데 기태종뿐만이 아니다.

종혁은 오는 길에 마주쳤던 몇몇 피디들을 떠올렸다.

'어떤 놈은 여대생 스폰에, 어떤 놈은 성상납, 또 어떤 놈은…… 씨발, 여기가 뭔 비리공화국이야?'

혐의만 있을 뿐 증거를 확보 못한 놈도 있고, 증거가 밝혀져 수갑이 채워진 놈도 있다.

"그래. 경찰의 날을 맞아 특집 방송을 의뢰하고 싶으시다고?"

그 외에도 이곳 방송국의 다른 예능 프로그램 출연 문제도 있다. 요새 제법 인기를 끌고 있는 연예인 퀴즈 프로그램.

그리고 이 대화가 끝나면 다른 방송국으로 넘어가야 했다. 대한민국의 안방을 웃기는 예능은 이곳 방송국에서만 만드는 것이 아니기 때문이다.

“예. 일단 이걸 봐 주시겠습니까? 저희 나름대로 포맷을 짜 봤습니다.”

“이야. 이런 것까지 준비했어? 역시 공무원이라서 준비성이 좋네.”

거만한 손놀림으로 종혁이 내민 서류를 가져온 기태종 부장은 첫 장을 보자마자 피식 조소를 터트렸다.

그 순간 종혁은 깨달았다.

‘아, 이 새끼 구타유발자구나.’

동시에 의문도 들었다.

‘이 새끼가 대체 뭘 믿고 이 지랄을 하는 거지?’

무려 경찰청장이 토크쇼에 출연해 주는 대가로 의뢰하는 일이다. 원래라면 부장 따위가 아니라 국장과 이야기를 나눠야 할 일.

예능국 국장이 사장실에 함께 있는지라 부장과 이야기를 나누게 된 것뿐이다.

‘어리다고 무시하는 건가?’

아무래도 그럴 가능성이 컸다.

‘아, 그냥 확 엎어 버려?’

아니다, 됐다. 경찰의 이미지 개선을 위한 일이다.

지금은 참을 수밖에 없었다.

종혁은 들끓는 화를 애써 누르며 그런 모습을 보이지 않고자 찻잔을 입에 가져갔다.

그리고 기태종 부장은 그런 종혁을 힐끔 보고 이를 드러냈다

'되바라진 새끼.'

방금 전, 처음 본 것처럼 이야기를 나눴지만 기태종은 종혁을 알고 있었다.

'만두 파동 때 그 방송국을 뒤집은 새끼가 저놈이었지.'

당시 용무가 있어 잠시 그 방송국에 들렀던 기태종은 종혁이 거칠게 방송국 직원을 대하는 모습을 모두 목격할 수 있었다.

아무리 범죄자라지만 어른의 팔을 잡아 꺾다 못해 쌍욕을 퍼붓던 그 되바라진 모습이란.

심지어 그 보도국의 부장인 친구에게 협박까지 했다고 한다.

솔직한 심정으로는 지금 당장이라도 꺼지라고 외치고 싶다.

하지만 그랬다간 자신의 자리마저 위태롭기에 기태종은 애써 참아 내야 했다.

"허흠. 좋네. 취지도 좋고, 와꾸도 좋아."

말은 그렇게 했지만, 기태종은 회의적이었다.

인기 절정의 남녀 아이돌 그룹이 파출소 신입 순경이 되어 좌충우돌 파출소의 생활을 담는다? 그러다 경찰의 날 행사 때 축하 공연을 하는 것으로 마무리한다?

방송국에 부담 가지 않게 3부작이란 것만 제외하면 아주 형편이 없다.

'인기 절정의 아이돌이 미쳤다고 그런 고생을 하겠어? 또 그걸 사람들이 보겠어? 이래서 공무원들이란…… 쯧.'

"그래도 일단 제작해 줄 PD의 의견을 들어 보는 게 좋겠지?"

"아, 그래 주시겠습니까?"

'아주 변명할 거리를 찾는구나, 찾아.'

표정은 흡족해하지만, 온몸으로 싫다고 외치는 기태종.

꼭 이렇게까지 해야 되나 부아가 치밀던 종혁은 일리가 있는 말이라서 일단 고개를 끄덕였고, 기태종은 누군가를 호출했다.

'그래. 어떤 놈을 붙이려는지 일단 확인만 하자.'

만약 이상한 놈이라면 그때 가서 엎어 버리면 되는 일이다.

이젠 종혁도 한계에 치닫고 있었다.

그렇게 약간의 시간이 흐른 후.

똑똑!

"들어가겠습니다."

한 삼십대의 사내가 어수룩하게 웃으며 들어오자, 얼마나 형편없는 놈이 들어오나 돌아봤던 종혁은 눈을 부릅떴다.

'어라? 이 양반은?!'

"부, 부르셔서 왔습니다."

"지금 한가하지? 이거 한번 확인해 봐. 아, 일단 인사부터. 이쪽은…… 이름이 뭐였지?"

기태종이 다시 속을 긁었지만, 종혁은 신경을 쓰지 않았다.

아니, 신경 쓸 정신이 없었다. 속으로 쾌재를 부르짖고 있기 때문이었다.

“본청 경찰 이미지 마케팅과의 최종혁 경감입니다.”

“예, 예. 나, 나연석입니다. 잘 부탁드립니다.”

“어이구. 아니요. 제가 더 잘 부탁드려야죠.”

가까운 미래, 대한민국 국민 대다수가 얼굴을 알게 되는 스타 PD.

야생 버라이어티 예능이라는 신조어를 탄생시킨 장본인이자, 훗날 사단까지 만들게 되는 전설적인 인물이다.

‘그런 이 사람을 메인 PD로 붙여 준다고?’

갑자기 기태종이 사랑스러워 보이기 시작한 종혁이었다.

그런 종혁의 초롱초롱한 눈빛에 얼굴을 구긴 기태종은 신경질적으로 서류를 넘겼다.

“읽어 봐!”

“아, 예!”

부장과 살짝 떨어진 자리에 살포시 앉아 나연석은 잔뜩 긴장한 얼굴로 서류를 살피다 이내 고개를 처박듯 서류를 뜯어 보기 시작했다.

종혁은 그 모습에 주먹을 불끈 쥐었다.

‘그렇지!’

종혁은 얼른 나연석이 궁금한 점을 물어 오길 기다렸다.

하지만 나연석의 반응이 너무 격렬해서일까. 기태종은 얼른 입을 열었다.

“어때? 괜찮아?”

"좋은데요?"

"그래. 요새 트랜드에 맞진 않지만 그래도 재미…… 뭐?"

"좋습니다. 정말로."

"그, 그래?"

"예!"

정말 좋다.

뜻깊은 날을 기리기 위한 일이기도 하지만, 포맷 그 자체가 탐날 정도다. 반응이 있으면 정규 편성으로 돌리고 싶을 수준.

'아니, 내가 생각하던 방식의 예능이야! 관찰 예능!'

연예인들을 자유롭게 풀어 놓고 괴롭히며 자연스러운 웃음을 뽑아내는 방식의 예능.

현재는 스튜디오 예능이 대세라 먹히지 않을 테지만, 분명 언젠가 먹힐 코드다. 촉이 그렇게 외치고 있었다.

"제게 맡겨 주신다면 꼭 하고 싶습니다!"

"……알았어. 일단 나가 봐."

"정말 하고 싶습니다, 부장님!"

"알았다니까!"

나연석은 거듭 시켜 달라고 말하며 부장실을 빠져나갔고, 종혁은 그런 그를 보며 흐뭇이 웃었다.

'빌어먹을!'

"크흠. 알았으니까 두고 가세요. 제작 준비가 되면 연락드릴 테니까. 그 프로그램 출연 문제까지도 함께."

"예, 부탁드리겠습니다. 그럼."

고개를 꾸벅 숙인 종혁은 부장실을 빠져나와 핸드폰을 들었다.

"최 경장, 어디야? 청장님은?"

-아, 청장님께선 지금 화장을 하고 계십니다. 그리고 여기가 어디냐면…….

"알았어. 난 다른 방송국과 약속 있어서 넘어갈 테니까 청장님 잘 모시고. 그건 할 수 있잖아."

-다, 다른 것도 잘할 수 있는데요!

"끊는다."

전화를 끊은 종혁은 시간을 확인하곤 오묘한 표정을 지었다.

"애매하네."

다음 약속 시간까지 약 2시간 정도 남은 상황.

"어디서 시간을…… 음?"

순간 뭔가가 떠오른 종혁은 고개를 모로 기울였다.

"그 형이 여기 소속 개그맨이지 않나?"

몇 년 전 중부서로 현장 실습을 갔을 때부터 시작되어 지금까지 이어진 인연이 떠오른 종혁은 핸드폰을 들었다.

-이게 누구야. 대한민국에서 제일 바쁜 형사님 아니야?

"푸흐흐. 나 지금 일이 있어서 형네 방송국에 왔거든? 시간 돼?"

-우리 방송국에? 어…… 곧 회의 시작이라 밖에서 만나긴 힘들 것 같은데…….

"힘들면 다음에 보지, 뭐."

—아냐, 아냐. 오랜만에 보는 건데 그럴 수 있나. 네가 별관 옥상으로 올래? 내가 아주 죽이는 커피 사 줄게.

"오케이. 접수. 종발!"

—푸하핫!

통화를 종료한 종혁은 웃으며 별관으로 향했다.

* * *

휘이잉.

시작된 무더위를 잠시 식힐 시원한 바람이 부는 방송국 별관의 옥상 위.

중부서에서 맺은 인연인 박 수경, 아니 대한민국 인기 절정 개그맨 박정수를 잠시 골려 줄 생각으로 구석에 숨은 종혁은 돌연 얼굴을 구겼다.

방금 전 기태종의 반응이 떠올라서다.

"……에이, 아니겠지."

경찰청장의 토크쇼 출연을 대가로 의뢰하는 것들이다. 중간에 어깃장을 놓으면 다치는 건 기태종이라고 봐야 했다.

하지만 아무래도 기태종의 반응이 거슬린다.

왜인지 처음부터 종혁 본인을 거슬려 했던 기태종 부장.

'이거 미루고 미루다 엎는 거 아니야?'

"그럼 나가리긴 한데…… 흐으음."

거슬려서 엎자니 나연서이란 대한민국 대표 예능 PD의

존재를 놓칠 수가 없고, 그대로 믿고 가자니 기태종이 걸린다.

이런 갈등에 머리가 아파 오기 시작한 종혁은 이내 일단 지켜보자며 생각을 마무리했다.

아직 3개월이나 남은 일이다.

아직은 그렇게까지 신경 쓸 단계가 아니었다.

"그나저나 이 형은 왜 이렇게 안 오는 거야?"

띠링!

"얼씨구?"

오라는 사람은 안 오고, 애먼 문자만 온다.

문자 내용을 확인한 종혁은 한숨을 푹 내쉬었다.

종혁아 미안!

회의! 다음에 보자!

"에라이."

혀를 찬 종혁은 담배를 물며 일어섰다.

그때였다.

웅성웅성!

계단 쪽이 시끄러워지더니 제법 많은 숫자의 사람들이 옥상으로 뛰어 들어온다.

'뭐야? 왜 저래?'

의아해하던 종혁은 그 안에 섞여 있는 누군가를 발견하곤 눈을 가늘게 떴다.

'정수 형?'

회의라고 문자를 보낸 사람이 왜 옥상으로 달려온 걸까.

그런 종혁의 의문은 곧 풀리게 됐다.

"야, 야! 얼른 엎드려!"

"네!"

종혁도 낯이 익은 한 개그맨의 외침에 다급히 엎드리는 삼십여 명의 사람들.

소위 집합이라 말하는 행위였다.

'이야, 이런 걸 내 눈으로 목격할 줄은 몰랐는데…… 희극인실 군기가 세다더니 정말이구나. 1시간 안에는 끝나려나?'

그래야 엎드려 있는 박정수의 자존심을 지킬 수 있을 테니 말이다.

종혁은 오늘 운이 좀 나쁘다 생각하며 아예 엉덩이를 깔고 앉아 버렸다.

"푸후."

오늘따라 담배 맛이 거지같다고 느낀 종혁은 눈까지 감으며 외면했다. 악습이긴 하지만, 집합은 어디에나 있는 문화이기에, 지금 나서면 박정수에게 피해가 가기에 종혁은 꾹 참았다.

쫘아악!

뺨이 돌려 지는 소리가 들리기 전까지. 아니, 박정수의 목소리가 들리기 전까지 말이다.

"죄, 죄송합니다!"

“이 개새끼야! 너 좀 잘나간다고 희극인실에서 핸드폰 써도 돼? 어? 하, 이 새끼 아주 기본이 안 된 새끼네?”

“죄, 죄송합니다! 시정하겠습니다!”

‘핸드폰? 문자?’

낯빛이 딱딱하게 굳은 종혁은 고개를 살짝 내밀었다가 풀썩 웃어 버렸다. 볼이 벌겋게 달아올라 있는 박정수의 모습에 미치도록 미안한 것도 있지만 그것 때문만은 아니었다.

‘저게 왜 저 새끼 손모가지에 있을까?’

물살만 가득한 뚱땡이의 손목에 걸려 있는 영롱한 손목시계.

바쉐린 콘스탄틴 한정판. 시가 5860만 원.

종혁이 박정수의 개그맨 합격 선물로 사 준 거였다.

키가 난쟁이만 한 놈은 종혁이 박정수의 개그 코너가 성공을 하자 선물로 준 셔츠와 바지를 입고 있었다.

맞춤으로 맞춰 준거라 브랜드 상표가 없음에도.

“하, 씨발. 이 인간은 어떻게 저것들을 다 뺏기냐.”

푸흐흐 웃은 종혁은 눈빛을 싸늘하게 가라앉히며 핸드폰을 들었다.

“예, 기태종 부장님. 저 최종혁 경감입니다. 지금 별관 옥상으로 튀어 오세요. 당신 방송국 대표 개그맨들 다 뒤지는 꼴 보기 싫으면.”

-뭐, 뭣?! 너 지금…….

통화를 종료한 종혁은 몸을 일으켰다.

그러며 새 담배를 물며 어슬렁 발을 뗐다.
"어이, 개새끼들. 동작 그만."
종혁의 두 눈이 살의를 품기 시작했다.
순간 옥상이 얼어붙었다.
"어? 짭새다."
누군가 미친 소리를 지껄이기 전까지 말이다.
"짭새…… 푸흐흐. 야, 난쟁이. 이리 와."
박정수의 옷을 빼앗아 입은 키 작은 개그맨이 종혁의 손짓에 덧니를 드러내며 웃는다.
"이봐요, 경찰 아저씨. 나 누군지 몰라? 그냥 가라. 너나 건들면 골치 아파진다."
"……끅끅! 그래, 안 오면 내가 가면 되지."
종혁은 그에게 성큼성큼 걸어갔다.
"하, 진짜. 상황 파악……."
짝!
"어?"
"왜 울고 싶은데 뺨을 때리니. 응?"
종혁은 볼을 잡은 채 멍해지는 키 작은 개그맨의 다른 쪽 뺨을 후려쳤다.
짝! 짝!
"야. 다시 말해 봐."
"악! 윽?!"
"건들면 뭐? 골치?"
찌익!

몇 대 맞자 정신을 차린 건지 반항 어린 눈빛을 보내려던 키 작은 개그맨이 제대로 턱을 맞고 무너지듯 쓰러진다.

한여름 뜨거운 햇빛이 내려쬐는데도 옥상은 북극처럼 얼어붙는다.

"다, 당신 뭐야! 경찰이 이래도 돼?! 야, 선배들 불러!"

"그래, 뚱땡이. 네가 있었지."

종혁은 그의 발목을 후려치듯 걸어 버렸다.

뿌득!

발목이 나가는 소리와 함께 허공에 떠올랐다가 떨어지는 물살 개그맨.

쿠우웅!

"컥?! 악!"

쪼그려 앉아 머리를 틀어쥔 종혁은 그를 잡아먹을 듯 노려봤다.

"다, 당신……."

"얼마 전 고가의 시계가 도난을 당했어. 바쉐린 콘스탄틴 한정판이라고 국내에 딱 5개만 들어온 시계야. 그런데 요 있네? 뚱땡이 네가 다른 소유주분들하고 친할 것 같진 않고."

물살 개그맨의 얼굴이 파랗게 질린다.

"이, 이건 내 거 아니……."

박정수를 향해 고개가 돌아가려 하자 종혁은 주먹을 들었다.

"일단 맞자, 절도범 새끼야."

쩍! 쩍!

코에 종혁의 주먹이 내려꽂혔다.

"커허억! 아아악!"

힘 조절을 했기에 얼굴을 붙잡은 채 바닥을 구르는 물살 개그맨.

손을 털고 일어난 종혁은 엉거주춤 서 있는 애매하게 생긴 개그맨을 향해 손가락을 까딱였다.

"넌 어디 가니? 폭행 및 협박 현행범 새끼야?"

"나, 난……."

"그래, 거기 딱 서 있어라."

땅을 박찬 종혁은 그대로 턱을 돌려 버렸다.

바닥에 착지한 종혁은 다시 담배 연기를 깊게 빨았다.

"내가 여태까지 다른 사람을 때린 경험이 있다, 거수."

그 순간 옥상의 기온이 더 떨어졌다.

그때였다.

우르르 옥상으로 몰려 들어오는 개그맨들을 본 종혁은 혀를 내둘렀다.

"이야, 아는 얼굴 많네."

"당신 뭐야!"

"아이고, 수고하십니다. 보다시피 경찰입니다. 폭행 및 협박 현장을 딱 보게 돼서 검거 중이거든요? 그러니 신경 끄고 내려가세요."

그 말에 옥상을 둘러본 선배 개그맨들이 탄식을 터트린다.

'하, 씨발. 좆됐네.'

집합이 일상인 희극인실 문화. 내부에서만 쉬쉬하는 일이기에 외부로 새어 나갈 일이 없었는데, 하필 걸려도 경찰에게 걸리고 말았다.

요새 가장 인기가 있는 개그맨이 한숨을 푹 내쉬며 앞으로 나섰다.

"이봐, 경찰 동생. 이거 그냥 우리들끼리의 일상이거든? 종종 있는 일이고, 다들 불만 없으니까 그냥 가 줄 수 있을까? 내가 다음에 꼭 보답한다. 요새 일하느라 힘들지?"

지갑에서 돈을 빼 든 개그맨이 그 돈을 종혁의 상의 앞주머니에 밀어 넣는다. 종혁은 그 모습을 웃으며 지켜봤다.

"섭섭치 않게 넣었으니까…… 악!"

뿌드득!

종혁은 가슴을 두드리려는 그의 손을 잡아 힘을 주었다.

"그러니까 폭력을 방조하시다 못해 독려하셨네요? 거기다 입막음을 하려고 뇌물까지 주시네? ……개새끼가?"

빠아악!

"꺅!"

"헉!"

사람들의 비명 속 코를 얻어맞은 개그맨의 눈이 뒤집힌다.

"이, 이 새끼가! 너 이러고도 무사할 것 같아?! 내가 아는 높은 분이 몇 명인 줄 알아? 너 이제 좆됐어! 밤길 조심……."

콱!

멱살을 틀어쥔 종혁은 그를 코앞으로 끌고 왔다.

"밤길 조심하라고? 내 밤길 조심시킬 새끼가 누구니? 어떤 씹새끼야? 아니다. 그냥 전화 걸어 봐."

"너, 너……!"

"걸어 보라고. 정말 죽여 버리기 전에."

'기, 기다려!'라고 외친 그는 얼른 핸드폰을 꺼내 어딘가로 전화를 걸었다.

"예! 형님! 저……."

종혁은 그의 핸드폰을 뺏어 왔다.

"이름이 박창도? 그래, 창도야. 어느 조직인지 모를 새끼야."

-이런 개새끼가…….

"나 본청 특수의 최종혁 경감이거든? 이번에 특진해서 경감. 내 이름 들어 봤지?"

……뚝!

종혁은 통화가 끊긴 핸드폰을 그의 손에 들려 주고 그의 턱을 돌려 버렸다.

"당신을 폭행 사주 및 공모, 협박 사주 및 공모, 뇌물 수수, 경관 협박 혐의로 체포합니다."

철컥!

수갑까지 살뜰히 채운 종혁은 개그맨들을 둘러봤다.

"지금부터 한 놈이라도 튀면 내 손에 다 뒤진다."

"이, 이게 지금 뭐하는 짓이야-!"

헐레벌떡 옥상으로 난입한 기태종.

"아, 오셨어요? 늦었네요, 기 부장님. 기태종 부장님,

이 개씹새끼야."

"뭐, 뭣? 이 새끼가!"

"씨발, 이 새끼들이 개그맨인지 아님 조폭 새끼들인지. 내가요, 이 새끼들 싹 다 폭력조직 결성 혐의로 엮어 볼까 하거든? 아, 일단 그 전에……."

이번엔 종혁이 핸드폰을 들었다.

"최 경장? 난데, 청장님 바꿔 봐. ……바꾸라면 바꾸세요."

—예, 옙!

잠시 수화기 너머로 소란이 일더니 이택문의 뚱한 목소리가 들린다.

—무슨 일이야?

"최종혁입니다, 청장님. 이렇게 전화로 말씀드려서 정말 죄송하지만 그만 나오셔야 할 것 같습니다."

—음?

"제가 지금부터 이 새끼들 멱살을 잡을 것 같은데, 그런 불편한 관계로는 계속 함께 일할 수 없을 것 같아서 말입니다. 애써 힘든 결정을 해 주셨는데 정말 죄송합니다. 돌아가면 어떤 징계를 내리시든 겸허히 받아들이겠습니다."

—……있는 곳이 어디야? 내가 가지.

"별관 옥상입니다, 청장님."

뚝 전화가 끊긴 핸드폰을 수습한 종혁은 파랗게 질린 기태종을 보며 히죽 웃었다.

"기대해, 씨발놈들아. 내가 오늘부터 이 방송국을 씹어

먹어 버릴 테니까."

한편 전화를 끊은 이택문은 입술을 비틀었다.

'멱살을 잡는다고? 이 방송국의 멱살을?'

재밌다. 아주 재밌다.

"아, 아니 왜……. 저, 저희가 불편하게 해 드린 거라도……."

"별관이 어딥니까?"

"예, 예?"

"저번 쓰레기 만두 파동 때 특수본의 제1부본부장이었던 부하가 귀사 직원들과 트러블이 생긴 것 같군요. 미안하지만 우리 인연은 여기까지인 것 같습니다. 아, 오늘 고생했는데 미안합니다, MC 양반들."

"예에?!"

'미, 미친! 그, 그 사건의 주역과 얽혔다고?'

대형 사고다.

예능국장은 빠져나가려는 혼을 다급히 붙잡았다.

"아, 아니 거, 거기엔 분명 오해가……."

"가지, 오 경위."

"별관으로 안내하겠습니다. 충성."

예능국장은 기겁하며 이택문을 잡으려 했지만, 막아서는 최재수의 행동에 결국 미수로 그치고 말았다.

그렇게 셋이 떠나자 예능국장은 다급히 핸드폰을 빼 들었다.

"사장님-!"

* * *

종혁은 옥상으로 들어오는 이택문을 향해 거수경례를 했다.

"충성!"

고개를 끄덕이며 인사를 받은 이택문이 옥상을 주욱 훑었다.

쓰러져 있는 몇 명과 겁을 먹은 다수, 그리고 안절부절 못하는 기태종 부장. 개판 오 분 전의 광경이었다.

"죄목은?"

"폭행, 폭행 교사, 공모, 협박 그 외 이하 동일, 경찰 뇌물 수수, 경관 협박, 절도 등이 있습니다. 절도는 아직 혐의일 뿐입니다."

"깡패 새끼들이군."

"그래서 폭력조직 결성 혐의로 엮을까 합니다."

"되겠어?"

"집합이라는 부조리가 있는데 군대보다 더 가혹하다고 합니다. 깡패 새끼…… 죄송합니다. 조직폭력배 빰치는 놈들이고, 실제 조폭들과도 친분이 있는 것 같습니다."

"충분하겠군. 정리해서 광수대로 넘겨. 특수는 많이 했잖아. 김 과장에겐 내가 얘기해 놓지."

"옙! 충성!"

"아, 아이고! 이게 무슨 일입니까-!"

이택문은 돌아서며 방송국 사장을 봤다.
"방송국이란 곳이 참 재밌는 장소군요. 범죄자를 양성하는 곳과는 더 이상 이야기하기 싫으니 본청에서 봅시다. 최 경감은 광수대 부르고, 오 경위는 가지."
"충성."
순식간에 마무리되는 모습에 사장은 기함했다.
"하, 하하하! 무, 무슨 오해가 있으신지 모르겠지만 이, 일단 대화부터 해 보시는 게 어떻겠습니까. 저 모지리들은 제가 광수대란 곳으로 보낼 테니까…… 예, 청장님?"
이택문의 눈이 가늘어졌다.
"흠. 마치 이들과 연관이 없는 듯이 말을 하시는군요."
"그, 그럼요! 어, 어디 저런 새끼들이랑!"
저번에 다른 방송국에서 한 직원의 실수로 방송국 사장이 대국민 사과를 했다. 그렇게 되면 자신은 파멸이었다.
"이놈들은 제가 책임지고 출두시킬 테니 일단 노여움부터 가라앉히시죠. 아하하."
"흠…… 최 경감."
"으음. 알겠습니다. 제가 적당히 타이르고 마무리하겠습니다."
"그래. 나머지 스케줄 잘 마무리하고 본청에서 보지."
"충성."
'사, 살았다!'
"자. 가시죠! 뭐해, 어서 청장님 안 모시고!"
이택문을 먼저 보내 사장은 예능국장을 죽일 듯 노려봤다.

"예능국장은 여기 남아서 책임지고 정리해. ……죽여 버린다, 진짜."

"죄, 죄송합니다. 들어가십시오!"

"어휴. 내가, 씨발."

사장이 사라지자 허리를 편 예능국장은 기태종의 종아리뼈를 구둣발로 후려쳤다.

빠아악!

"아악!"

"태종아, 내가 저 염병할 새끼들 관리하랬지."

타이르듯 말하기에 더 무서운 음성.

"죄, 죄송합니다!"

"죽여 버릴까 진짜?"

한숨을 길게 내쉰 예능국장은 개그맨들 중 낯이 익은 개그맨을 향해 손을 까딱였다.

"예, 예! 국장님!"

"외부로 말 나오지 않게 확실히 정리해. 그리고 혹시라도 기자들에게 떠벌렸다간 내가 내 모든 걸 동원해서라도 너희들 이 바닥에서 퇴출시킨다. 처신 잘해. 농담 아니야. 씨발, 예쁘다 예쁘다 하니까 지들이 진짜 예쁜 줄 아네. 하, 참!"

이 상황을 기자들이 터트린다?

그럼 경찰청장이 가만있을까?

여론이 나빠져도 경찰 전체가 방송국을 물어뜯을 거다.

털어서 먼지가 안 나오는 사람 없다는 듯 털면 터는 대로 먼지가 나올 방송국.

그땐 방송국이 경찰에 멱살을 잡히게 되는 거다.

이미 반쯤은 잡힌 거나 다름없지만 말이다.

다시 한숨을 내쉰 예능국장은 종혁을 보며 활짝 웃었다.

"하하. 저희 직원들끼리의 장난 때문에 심려가 크셨지요? 앞으론 이런 일 없도록 제가 혼쭐을 냈으니 경감님께서도 이제 걱정 놓으시면 됩니다."

"흠. 그래도 저 네 명은 보내 주셔야 합니다."

"그럼요. 아무렴요! 자자, 일단 저와 차나 한잔하시죠. 제게 아주 좋은 차가 있습니다."

그렇게 예능국장에게 등을 떠밀리는 종혁은 실실 웃었다.

'역시 청장님 저 양반도 정상은 아니라니까.'

방송국 멱살을 잡을 것 같다는 말을 던지자마자 상황 파악을 끝내고 달려와 대본도 없는 한 편의 영화를 라이브로 찍은 이택문.

'폭력조직 결성은 무슨.'

폭력조직 결성은 겨우 이런 것들로 인정이 될 만큼 가벼운 죄가 아니었다.

'정말 재밌어.'

종혁은 박정수에게 윙크를 하곤 제대로 걷기 시작했다.

그리고 그날 방송국은 종혁이 기존의 것들에 덧붙이는 조건들을 모두 수용할 수밖에 없었다.

십 몇 분 난리친 것에 비하면 엄청난 소득이었다.

* * *

왜 우린 경찰청장이 출연하지 않냐며 투덜거리는 다른 방송국들을 적당히 구슬려서 서로 만족할 만한 결과를 낸 종혁은 콧노래를 부르며 그 소년이 사는 동네로 향했다.

한 방송국은 이미 목줄이 채워진 곳이고, 다른 방송국은 오늘 일을 들은 건지 납작 엎드렸다. 그래서 가능했던 결과였다.

"룰루."

어느새 사복으로 갈아입은 종혁은 차 보닛에 앉아 동네를 주욱 훑어봤다.

듬성듬성 세워진 가로등 불빛만 어둠을 쫓는 골목길이라서 그런지 종혁의 입에 물린 담배의 불빛이 선명하게 비춰졌다.

"뭘 어떻게 해야 그놈들이 의심하지 않을까."

'옆집을 사들이는 건 무리수고. 편의점? 경찰 장학생? 행복의 쉼터 재단의 도움…… 아, 이건 아니고.'

어디까지나 경찰로서 이 동네에 있을 명분이 필요한 상황. 뜬금없이 이곳 파출소로 전출을 오는 것도 이치에 맞지 않는다.

"하, 그냥 이 동네에 강력범죄자라도 숨어 있으면 좋을 텐데. 아. 그러고 보니 이런 범죄자 새끼들에게서 경찰 인권을 보호하려면 새로운 수사 장비로 들여야…… 와,

이 의식의 흐름 봐라."

상황이 골치 아프다 보니 의식의 흐름대로 중얼거렸던 종혁은 헛웃음을 터트리다 핸드폰을 꺼내 들었다.

이왕 흘러 버린 흐름인 데다 지금은 지켜보는 것 말고는 할 일이 없으니 볼일을 보려는 것이다.

"예, 권 이사. 나예요. 고프로 어떻게 됐습니까? 지분은 얼마나 확보했어요?"

몸에 부착할 수 있는 개인용 블랙박스, 바디캠.

현장을 실시간으로 촬영하여 증거물이 되어 주는 바디캠은 억울한 일들이 만들어지는 걸 막아 주는 게 가능하다.

경찰들을 향한 한 폭언, 폭행을 예방하고 현장 증거를 확보하거나, 반대로 경찰들의 부적절한 공권력 남용도 방지하는 것이다.

이런 좋은 건 한시라도 빨리 도입할 필요가 있었다.

'그리고 똑같은 문제도 벌어지지 않게 해야겠지.'

회귀 전에는 2015년 처음 경찰에게 바디캠이 지급되어 시범 운영이 시작됐으나, 몇 년간 시범 운영만 하다가 결국 사라지고 말았다.

외국과는 다르게 법률적인 규정이 만들어져 있지 않아, 충분한 예산도 확보되지 못했고 제대로 된 보급조차 이루어지지 않아 결국 시범 단계를 벗어나지 못한 탓이었다.

그에 종혁은 한국 경찰에게 예산 걱정 없이 바디캠을 보급하는 문제부터 해결해 볼 생각이었다.

그러나…….

"3퍼센트요? 겨우?"

-그쪽에서 완강히 버티고 있어요. 어차피 자신들은 서핑이나 익스트림을 좋아하는 사람들에게만 판매하면 된다면서요.

"……골치 아프네요."

미국의 액션캠 제조사, 고프로(GoPro).

종혁이 바디캠 제조사도 아닌, 액션캠 제조사인 고프로의 지분을 매입하려고 한 이유는 간단했다.

노하우.

아직 이 당시에는 바디캠이라는 것 자체가 제대로 개발이 활성화되지 않는 탓에, 그들만큼 이쪽 분야의 제작 노하우를 갖고 있는 이들이 없는 탓이었다.

그들의 제작 노하우를 이용하여 본격적으로 바디캠을 만든다면 좋을 거라는 생각이었는데, 시작부터 계획이 틀어지고 있었다.

-어떻게 할까요? M&A 들어갈까요?

"음…… 일단 놔둬 보세요. 대신 그쪽이 가진 특허에 대해 알아봐 주세요. 그들이 낸 특허인지 아니면 로열티를 내는 건지."

-……수찬 씨에게 맡기려는 거군요?

정수찬. 교통사고로 죽은 어린 아들을 기리기 위해 블랙박스를 창시하고, 종혁의 제의에 한국으로 넘어온 재일교포.

현재 대한민국에서 굴러다니는 자동차에 설치된 블랙박스들 가운데 70퍼센트 이상이 그의 회사 제품이고, 전국에 깔린 CCTV는 말할 것도 없다.

그는 이제 회장님이었다.

"특허에 문제가 없다면 외국산보단 국산이 낫지 않겠어요?"

거기다 이쪽의 렌즈나 화질 쪽 기술은 무려 독일에서 넘어온 이들이 담당하고 있다. 돈을 밀어 넣는다면 길어도 올해 안에 프로토 타입 제품을 받아 볼 수 있을 터였다.

–알았어요. 바로 알아볼게요. 아, 그런데 오늘 사고를 치셨다면서요?

"방송국 쪽 일이 왜 권 이사 귀에 흘러 들어가요?"

–찌라시로 돌아서요.

"역시 증권가 찌라시……."

–호호. 새로 이동한 부서는 좀 어때요? 할 만해요?

"뭐 그냥저냥 맡은 일을 잘하려는 거죠."

그렇게 이런저런 이야기를 나누던 종혁은 이내 통화를 끊고 정수찬에게 전화를 걸었다. 올 설날 때 일본으로 아들 성묘를 다녀오느라 만나지 못한 정수찬.

–고프로를 말씀이시군요.

"아세요?"

종혁은 살짝 당황했다. 격한 운동에도 흔들림이 없는 초고화질 캠이라는 말밖에 안 했을 뿐인데 바로 고프로를 말해서다.

—알 수밖에요. 저도 그걸 보며 반성을 많이 했으니까요.

“그럼 설마?”

—예. 거의 완성 단계에 와 있습니다.

‘……미쳤네.’

일이 생각보다 쉽게 풀리게 됐다.

“그럼 신체에 착용할 수 있도록 디자인을 변경하는 것도 가능하겠네요?”

—아직 이렇다 할 디자인이 나오지 않았으니 얼마든지 가능합니다.

“특허 쪽은요? 문제없을까요?”

이 부분이 가장 중요하다.

—예. 문제없습니다. 화질 및 보정 기술이야 완성 단계고, 그들이 최대 장점으로 내세우는 내구성 문제도 이미 해결된 상태니까요.

그쪽은 다양한 익스트림의 상황, 혹은 낙하의 충격에서도 버티는 데 중점을 두었지만, 이쪽은 모든 교통사고 상황에서 저장된 내용을 지키기 위해 내구성 기술을 발전시켰다.

수백 킬로그램에서 수 톤의 차량이 시속 수백 킬로미터 속도에서 부딪쳐도 영상만은 멀쩡할 수 있도록.

내화성, 내수성, 내구성 모두 세계와 겨룰 만하다는 게 정수찬의 생각이었다.

—그래서 지금은 영하 100도, 수심 200미터의 압력에서도 견딜 수 있도록 실험 중에 있습니다.

"……왜요?"

'굳이?'

-여객선을 타고 가다 자동차가 급발진해서 빠질 수도 있고, 갑자기 북극으로 텔레포트될 수도 있으니까요.

"예?"

-농담입니다. 순이익의 50퍼센트를 연구비로 꼬라박는데 이 정도는 해야죠.

"꼬라박아…… 한국 사람 다 되셨네요."

-원래부터 한국인이었습니다. 대한민국 만세! 2006년 월드컵에서도 4강 진출! 어게인 2002!

"……제가 가져가는 비율을 좀 줄일까요?"

-감사합니다.

"아무튼 특허는 문제없다는 말이죠?"

-전혀 문제없습니다. 있어도 사 버리면 그만이고요. 그때 보태 주십시…… 야마다! 그건 거기에…… 엎드려-!

펑!

종혁은 작은 폭음과 함께 전화가 끊기자 119에 신고를 해 준 후 헛웃음을 터트렸다.

"공돌이를 사장으로 앉히니 이렇게 되는구나……."

원래부터 제품을 만들 때 꼼꼼한 일본. 그래서 한때 세계를 제패했던 그들의 꼼꼼한 성격을 이어받은 공돌이에게 무제한의 예산을 허락하니 이런 미친 결과들이 만들어진다.

정수찬을 꼬드겼던 과거의 자신을 적극 칭찬한 종혁은

잠복에 대한 문제는 조금 더 생각해 보기로 하며 보닛에서 내려왔다.

그때였다.

"어? 종혁아?"

"엥? 정수 형?"

박정수다.

"형이 여긴 왜……."

"나야 집이 이 근처라서……. 저기 저 집이야."

박정수가 가리키는 집을 본 종혁은 헛웃음을 터트렸다.

우연도 이런 우연이 있을까.

"그래요?"

'찾았다! 방법!'

종혁의 입가에 미소가 피어나기 시작했다.

* * *

박정수의 집 근처 먹자골목에 위치한 룸소주방.

시끄러운 바깥과 달리 조용한 룸에 앉은 종혁과 박정수가 술잔을 기울인다.

"맛있는 안주 나오는 술집도 많은데 왜 하필 룸소주방이야?"

그렇게 말하면서도 안주를 작살내는 종혁을 향해 박정수가 배시시 웃는다.

"이해해 주라. 이런 곳 아니면 사람들에게 시달려서 술을 잘 못 마셔서 그래.”

“어이구, 그러세요. 연예인병에 걸리셨어요?”

“……좀?”

웃음을 터트린 둘은 짠 술잔을 부딪쳤다.

“크으!”

안주로 입가심을 한 박정수가 우물쭈물거리다 이내 말을 건넨다.

“아까 멋지더라.”

“……이 양반이 겨우 소주 반병에 취했나.”

“정말이야.”

한 기수만 차이가 나도 하늘로 섬겨야 하는 개그맨 문화.

오늘 종혁에게 얻어맞은 세 명은 박정수에게 하늘 같은 선배이자, 그림자조차 밟아선 안 될 귀신들이었다.

그런 그들을 종혁은 아무렇지도 않게 박살 냈다.

그러며 죄목을 읊는 그 모습이란.

심지어 감히 쳐다볼 수조차 없는 기태종 부장까지 박살 냈고, 경찰청장과는 너무도 자연스럽게 대화를 나눴다.

그 모든 모습들이 멋있었다.

‘넌 그때도 잘났지만, 지금은 더 잘나졌구나.’

돌아서면 배고픈 의전경들에게 수십만 원씩 턱턱 내던 종혁. 첫날부터 마사지 업소를 박살 내더니 결국 명동파를 아작 냈던 종혁. 그때도 다른 세상의 사람 같았지만, 지금은 아예 잡히지 않는 곳에 있는 환상처럼 느껴졌다.

‘넌 정말…….’

빠아악!

"아아악!"

"그따위로 구멍을 파니까 그딴 찐따 새끼들한테 삥이나 뜯기지. 에라이."

"야, 그래도 내가 형이야!"

"형이라서 이 정도만 때리는 거야. 동생이었어 봐."

"……."

'그래도 시계는 돌려받았네.'

코웃음을 친 종혁은 술을 들이켰고, 박정수는 어깨를 움츠렸다.

"미안하다, 모두 다. 형 정말 한심……."

빠아악!

"야!"

"미안하면 더 잘될 노력이나 하세요. 이왕 이름을 알렸으면 김재선 씨나 장호돈 씨 정도는 되어야 할 거 아냐."

"아, 그건 무리지."

"무리가 어디 있어. 황새를 쫓다 가랑이가 찢어져도 그만큼 가는 건데."

찢어지면 치료하면 된다. 그리고 다시 쫓으면 된다.

그렇게 쫓다 보면 그들과 나란히 걸을 순 없어도 그들이 지나친 길은 따라갈 수는 있을 거다.

정점으로 향하는 그들이 밟은 길을.

"넌 정말 마인드가 다르구나……."

"그렇다고 나한테 반하지는 마시고."

"푸흐흐. 안 해, 새끼야."

"어쭈? 박 수경님 많이 컸어. 욕도 할 줄 아시고?"

중지를 치켜든 박정수는 술을 들이켰다.

그런 그의 표정은 왜인지 후련해 보였다.

피식 웃으며 그의 빈 술잔에 술을 따라 주던 종혁은 순간 떠오르는 게 있어서 입을 열었다.

"아, 형 지금 대표 예능 프로그램에 다 출연하지?"

"이젠 좀 끝물이지. 캐릭터가 겹치는 분이 등장해서……."

심지어 더 열정적으로 달려들기에 점점 설 자리를 잃고 있다.

"그러게 아이디어 좀 열심히 짜내라니까. 평생 그 개그 코너만 우려먹을 거야?"

"……그래. 내가 죄인이다, 죄인이야. 그런데 그건 왜?"

"아, 곧 수십만 경찰 중에서 뽑고 뽑은 정예들이 예능에 출현할 거라서 말이야."

"……응?"

"형보다 잘생기고 키 크고 위트 있는 반칙 덩어리들이 출연한다고. 걔들에게 밀리지 않으려면, 아니 밀리는 게 뭐야. 최대한 버티라면 지금이라도 운동을 하는 게 좋을걸? 우리 애들 고삐 풀리면 무섭거든."

대가 약해선 결코 할 수 없는 게 경찰이다.

그런 사람들이 성격을 죽인 채 사건과 민원에 시달린다.

그렇게 스트레스가 쌓이고 쌓인 그들을 놀아 보라며 풀어놓는다?

그곳이 어디든 종혁은 가고 싶은 마음이 없었다.

"그러니 형도 이번 기회에 캐릭터 제대로 만들어 보자. 내가 걔들한테 말해서 살살 하라고 할게. 어때, 콜? 동생 좋다는 게 뭐야."

"종혁아……."

"연예인병에 걸려도 김재선 씨 정도는 되어야 봐 줄 수 있지."

"야, 이씨!"

"마시기나 하세요. 개그맨 박정수 씨."

"씨이."

둘은 술잔을 부딪쳤고, 종혁은 약간 씁쓸해지는 속내를 삼켰다.

'이래야 그림이 더 다채로워지지.'

제대로 힘을 쓰면 연예인들 중 누구도 막을 수 없을 정예들.

이런 캐릭터가 있어야 그림이 산다.

어쩔 수 없는 선택이었다.

그리고 다음 날 아침.

정예 모집을 위한 공문을 승인받기 위해 홍보담당관을 찾았다.

"아, 맞아. 최 경감, 너도 출연해."

"예?"

"우리 경찰에서 너만큼 반칙인 놈이 어디 있어?"

1998년 방콕아시안게임 금메달에 2000년 시드니 올림픽 금메달. 경찰대 수석 졸업. 외모는 훈훈하기 그지없으며 귀티는 재벌 3세 뺨친다. 실적은 위아래 기수 7년을 따져 봐도 압도적.

이 이상까지 열거하자면 입만 아프다.

종혁은 그런 단호한 홍보담당관의 말에 씩 웃었다.

"그냥 강원도 철원으로 발령 내 주세요."

'개들이랑 어울리라고? 차라리 혀 깨물고 죽고 말지!'

종혁은 절대 싫었다.

* * *

웅성웅성.

공문이 내려진 지 겨우 사흘 만에 백여 명의 경찰이 본청 대강당에 모였다.

계급은 거의 순경에서 경장. 현재 의전경 부소대장으로서 국가에 대한 의무를 다 하고 있는 예비 경위들도 있었다.

종혁과 오택수는 그런 그들을 보며 혀를 내둘렀다.

"이야, 우리 경찰에도 인물들 많네."

"그러니까요……."

신장 183cm 이상에 체중 85킬로그램 이하, 외모는 누가 봐도 미남에다가 운동특기생은 가점 추가.

이런 커트라인이었는데도 이렇게나 모인 거다.

솔직히 10명이라도 뽑으면 많이 뽑는 거라고 생각했던

종혁은 자신의 그 성급한 예측을 철회할 수밖에 없었다.

"나도 잘할 수 있는데……."

"응, 아니야."

키 183cm 이상에 체중 85킬로그램 이하.

최재수도 그 범주에 들어가지만, 결정적으로 외모에서 마이너스다. 그것도 눈물이 앞을 가릴 만큼 마이너스다.

–홍보담당관님께서 입장하십니다.

경찰들은 다급히 수다를 멈추며 차렷 자세를 취했다.

저벅저벅!

홍보담당관이 무대의 단상에 서자 종혁은 입을 열었다.

"전체–! 차렷!"

처처척!

"경례!"

"충–성!"

"충성."

"쉬어."

"쉬어!"

홍보담당관은 눈이 마주치자 슬그머니 고개를 돌리는 종혁의 모습에 혀를 차고 백여 명의 젊은 경찰들을 훑어봤다.

솔직히 외모만 놓고 보면 소중한 막내딸과 연애를 해도 찬성할 수준들.

'경찰에 인물이 많을 거라더니…….'

이러면 종혁에게 출현을 하라고 강요할 수가 없다.

'그래, 네놈은 아직 현장을 굴러야 하니까…….'

얼굴 노출은 가급적 피하는 게 좋았다.

아쉬움에 혀를 찬 홍보담당관은 마이크를 잡았다.

"무슨 이유로 소집이 됐는지는 다들 알 거야. 그러니 긴 말은 안 하겠어. 우리 경찰만 제대로 알려. 그러면 인사고과와 특진 포인트, 보너스는 내가 책임지고 줄 테니까."

인사고과, 특진 포인트, 보너스.

경찰이 목을 매는 세 가지. 그들의 심장이 후끈 달아올랐다.

"이상. 그럼 곧바로 테스트 진행하고, 최 경감은 잠시나 좀 보지."

"예? 예. 전체 차렷! 경례!"

"추웅-서엉-!"

종혁은 홍보담당관을 쫓기 위해 발을 떼며 오택수를 봤다.

"제 대신 이동시켜서 테스트 진행해 주세요. 안전에 유의해 주시고요."

"내가 애냐?"

싱긋 웃은 종혁은 얼른 홍보담당관에게 따라붙었다.

"다들 훤칠하더군."

"하하. 제가 뭐랬습니까."

"……쯧."

종혁의 미소를 보자니 더 아쉬워졌던 홍보담당관은 애써 화제를 돌렸다.

"그런데 전에 본 연예인들에 비하면 좀 미흡한 것 같던데……."

"그거 다 화장발입니다. 백옥 같은 피부? 그런 건 걱정 마십시오."

'돈이면 안 되는 거 없으니까.'

본판도 훌륭한데 거기에 돈이 끼얹어진다?

장담컨대 웬만한 남자 연예인 빰은 왕복으로 후려칠 수 있을 거다.

"……흠. 그래, 이번에도 믿어 보지. 잘해 봐. 청장님 기대가 큰 거 알지?"

"결과로 증명하겠습니다."

"수고해."

"충성."

고개를 끄덕이며 발을 내딛던 홍보담당관은 순간 아차 했다.

"그런데 끼는 어떻게 확인할 거야?"

"그것도 걱정 마십시오. 확실한 방법으로 추려 낼 테니까요."

'분명히 확실하긴 하지만…….'

들으면 분명 화를 낼 테니 종혁은 입을 다물기로 했다.

그에 순간 불안해져 눈을 가늘게 떴던 홍보담당관은 믿기로 하며 발을 뗐다.

"충성."

어물쩍 넘기는 게 성공해 가슴을 쓸어내린 종혁은 경찰 이미지 마케팅과로 향했다.

이택문이 소집한 태스크 포스에게도 맡겨 놓은 일이 있었기 때문이다.

"하, 진짜 더럽게 바쁘네."

특수범죄수사과에 있을 때보다 더 바쁜 것 같아서 한숨이 나오는 종혁이었다.

테스트는 신체 테스트와 두뇌 테스트로 나뉘어 진행되었는데, 커트라인을 통과하지 못한 사람들은 소정의 위로금을 받고 돌아가게 되었다.

하지만 그 소정의 위로금이 올 여름 시즌 콘도 숙박권과 와인 쿠폰이었기에 돌아간 사람들은 만족을 할 수 있었고, 생존한 경찰들은 더 큰 기대를 품을 수 있었다.

'1차 탈락 위로 상품으로 콘도 숙박권이라니!'

'진짜 미쳤네, 본청! 이래서 선배들이 본청, 본청 하는 건가?!'

오해가 많이 섞여 있었지만, 그들은 이동하는 버스에서 들썩이는 엉덩이를 주체하지 못했다.

"그런데 우리 어디 가는 겁니까?"

"글쎄요. 이 방향은 명동인데……."

의아해하던 그들은 곧 명동 안의 한 커다란 건물 앞에 멈춰 서게 됐다.

"자, 내립시다."

종혁의 말에 의아해하면서도 우르르 내린 그들은 눈을 껌뻑였다.

"오셨습니까, 형사님!"

"오셨습니까!"

웨이터 복장과 정장을 입은 사람들이 마치 깡패처럼 90도로 인사했기 때문이 아니었다.

"준비는 다 됐죠, 박 전무님?"

"누구 말씀이신데요. 이벤트 쫙 때려서 A급들로만 채워 놨습니다!"

고개를 끄덕인 종혁은 생존자 50명을 봤다.

"여기가 어딘지는 봐서 아시겠죠? 긴말은 안 하겠습니다. 여러분 중 가장 잘 노는 30명만 통과시키겠습니다."

"예?"

"2차 테스트를 통과하신 분들께는 소정의 상품이 있을 예정이니 어디 한번 제대로 놀아 보세요."

"……진짜 이 미친 또라이 새끼."

아직도 상황 파악을 못해 눈을 껌뻑이는 사람들 귀로 오택수는 푸념이 울려 퍼졌다.

종혁은 싱긋 웃었다.

'뭐니 뭐니 해도 본연의 끼는 나이트에서 나오는 거지.'

* * *

거대한 체육관 안.

한 남성이 허공을 날아 엎드린 한 사내의 허리를 부숴 버릴 듯 찍어 앉는다.

쿠웅!

"끅!"

곰이 후려치는 듯한 고통에 엎드린 사내의 무릎이 흔들거리며 땀이 후두둑 쏟아진다.

그 순간 벼락같은 종혁의 호통이 쏟아진다.

"신음 흘리지 마! 버텨! 웃어! 버티지만 말고 흔들어! 공격도 거기서 끝내지 마! 찍어! 팔로 균형 잡고 괴롭히란 말이야!"

"으아아아!"

"끄아아아아!"

배 속 깊은 곳에서부터 힘을 짜내는 그들이 하는 건 말뚝박기였다. 그렇게 한쪽에서 말뚝박기를 하고 있다면 다른 쪽에선 손바닥 밀치기나 닭싸움을 하고 있었다.

"집중해! 상대를 범인이라 생각해! 죽일 생각으로 달려들어!"

짝! 짜악! 부우웅!

"너 만날 차였지?"

"하! 그랬겠어? 당연하지! 넌 연기력 논란 있지?"

"어떻게 알았지? 당연하지!"

"인신공격은 교묘하게! 최대한 하찮게 쳐다보며! 적당히 당하는 척도 하고!"

시대를 관통한 게임도 연습하고, 다른 쪽에선 이 시끄러운 상황 속에서도 상식을 외우기에 여념이 없다.

십여 대의 에어컨조차 식히지 못한 뜨거운 열기가 체육

관을 가득 채우고 있었다.

그때였다.

쫘아아악!

체육관을 꿰뚫는 박수 소리에 모두 하던 연습을 멈추고 종혁을 본다.

어느새 유도복을 입고 샅바를 매고 있는 그.

"현재 시각 16시 30분."

"아."

무슨 일인지 갑자기 좌절하기 시작한 그들의 모습에 종혁은 이를 드러내며 손을 까딱였다.

"한 놈씩 들어와. 오늘도 가장 많이 넘겨지는 3명은 스판 반바지만 입은 채 본청 투어 돌고 여경들과 간담회 가진다. 알지? 우리 누님들, 이모님들."

험하고 거친 사내들 사이에 있기에 능글맞기가 보통 아줌마는 상대도 안 되는 그들.

"……이 씨발! 죽여!"

"우와아아아아!"

종혁은 달려드는 최종 멤버 8인을 보며 활짝 웃었다.

"넘겨질 것 같으면 날 패도 돼! 스튜디오에서도 그렇게 해! 날 죽일 생각으로 달려들어!"

"재껴어-!"

그리고 이 모든 모습을 커다란 카메라 다섯 대가 찍고 있었다.

"끄응. 으으응!"

마음을 차분히 가라앉히는 클래식과 아로마 향이 은은히 퍼지는 피부관리숍에 남성들의 교태 어린 신음이 울려 퍼진다.

'괴물 새끼 팀장님.'

'과장님 아냐?'

'본청 과장이 경감이냐? 25살이냐?'

'아, 그러네.'

'하, 씨발. 저러니 경찰대 기수를 씹었지.'

"응핫! 거, 거긴 안 되는데요!"

짝!

"여길 풀어야 혈액 순환이 잘 돼요! 남자가 돼서…… 참아요! 어휴 뭉친 것 좀 봐."

"남자니까 못 참는데요!"

그들은 사타구니 근처를 꾹꾹 누르는 관리사들의 손길에 몸만 비틀 수밖에 없었고, 종혁은 그 모습을 보며 피식 웃었다.

어느덧 피부에 물광이 번뜩거리기 시작한 그들.

다들 자기가 잘난 줄 아는지 그동안 나름대로 관리를 해 왔기에 고작 일주일 만에 모두의 피부에서 광이 번뜩인다.

기름때 가득한 옷을 입고 나가도 헌팅을 당할 미남들.

물론 돈의 위력이 가장 컸다.

"다들 받으면서 들어."

경찰들이 몸을 굳히며 귀를 세운다.

"이제 내일이야."

내일부터 예능 촬영이 시작된다.

"하기 싫은 사람은 지금이라도 말해. 원래 근무하던 곳으로 보내 줄 테니까."

8명은 입을 꾹 다물었다.

나흘간 치열한 경쟁을 통해 최종 멤버 8인에 속하게 됐고, 지난 일주일 동안 하루 13시간씩 땀을 비 오듯 흘리며 몸과 마음을 날카롭게 가다듬었다.

나중은 몰라도 지금은 원래 근무지로 가고 싶은 마음이 없었다.

"그럼 없다고 생각하고 한마디 할게. 야, 홍보단."

대한민국 경찰청 경찰 이미지 마케팅과 소속 경찰 홍보단 1기.

그들을 보는 종혁의 눈이 번뜩였다.

"우리 쪽팔리진 말자."

"……!"

주접? 떨어도 된다.

러브라인? 안 말린다.

연예인이 좆같이 군다? 들이받아 버려도 된다. 편집을 하면 되니까.

"하지만!"

숨을 고른 종혁은 이를 드러냈다.

"어떤 상황에서건 지는 건 절대 용납 못해."

만약 진다고 해도 그냥 허무하게, 그리고 진짜 지는 게 아님을 보여야 한다.

"명심해. 너흰 내일부터 수십만 경찰들의 얼굴이야. 알겠어? 최소한 떠나온 파출소, 경찰서 식구들 얼굴에 먹칠은 하지 말아야지!"

수십만 경찰들을 대표하는 얼굴.

그 말과 떠나 올 때 응원하던 회사 동료들의 웃는 얼굴이 8명의 심장을 후려친다.

정신을 차린 그들은 몸을 빳빳이 굳히며 입을 크게 벌렸다.

"안 그래?!"

"충성!"

우렁찬 그들의 외침이 피부관리숍을 꿰뚫자 종혁은 만족스럽게 웃으며 고개를 끄덕였다.

"참고로 좋은 모습 보이면 너희 전 근무지에도 보너스 내려간다."

"……!"

그들을 한 명의 경찰로 만들어 준 전 근무지.

순간 8명의 전신이 후끈 달아올랐다.

그리고 이 모습 역시 카메라로 담고 있었다.

카메라에 적응시키기 위해 선발전 때부터 활용한, 방송국에서 쓸법한 대형 카메라.

그렇게 경찰 홍보단 출격의 날이 밝았다.

* * *

뚜벅뚜벅!

오와 열을 맞춰 걷는 미남들의 모습에 방송국 로비를 지나던 사람들의 시선이 뺏긴다.

"와……."

"와, 재들 뭐야? 아이돌이야? 이번 앨범 컨셉이 경찰인가?"

수많은 미남 미녀 연예인들을 보며 단련된 그들의 시선이 뺏기는 거다.

긴 다리와 근육질 몸을 더 도드라지게 만드는 경찰 정복을 입은 그들은 하나의 작품이었고, 쉬이 범접할 수 없는 아우라를 풍기고 있었다.

대기실 앞에 도착한 종혁은 박동수를 봤다.

"배고프면 아무거나 시켜서 먹어. 다만 적당히. 카메라에 부하게 찍히면 안 되니까. 계산은 이걸로 하고."

"옙! 아, 그런데 정말 이런 것까지 영수증 처리될까요?"

"되겠냐. 최재수는 그거 들고 나 따라와."

"충성!"

종혁은 다른 대기실로 향했다.

똑똑똑!

"네, 들어오세요!"

안에서 들려오는 허락에 문을 열고 들어가니 모두가 눈을 동그랗게 뜨며 바라본다.

"충성. 경찰 홍보단 단장 최종혁 경감입니다."

"아이고, 안녕하세요! 김재선입니다!"

종혁은 인사부터 정겹고 밝은 그의 모습에 웃음이 나오는 걸 느꼈다.

반면 김재선은 종혁을 보며 감탄을 하고 있었다.

'와. 이렇게 잘생기고 어린 친구가 벌써 경감이고 단장이야?'

엄청난 엘리트란 소리였다. 김재선은 긴장을 할 수밖에 없었다.

"원래 방송국에 오면 인사 같은 걸 해야 된다고 해서 약소하게나마 좀 준비해 봤습니다. 최 경장."

"아이고, 뭘 이런 걸 다…… 힉?!"

아는 사람만 아는 중화레스토랑 목련의 식사 초대권.

"짜장면을 좋아하신다는 말을 들어서 준비해 봤습니다."

"아이고! 이거, 이거 선물이 너무 큰데요? 그런데 이런 걸 주신다고 해도 저희가 봐 드릴 수는……."

"아니요. 괜찮습니다. 전력으로 임해 주시면 됩니다."

종혁의 단호한 말에 너스레를 떨려던 김재선이 멈칫한다.

"음. 저희가 좀 센데……. 호돈이 형이랑 국종이가 특히……."

힘으로는 둘이고, 말빨로는 다른 사람들도 만만치가 않다.

이런 설명에 종혁은 싱긋 웃었다.

"정말 괜찮습니다."

'그래야 그림이 풍성해질 테니까. 그리고 거칠고 센 걸로 따지자면 우리 애들이 더하지.'

현장에서 온갖 민원과 범죄자를 잡으며 땅바닥을 뒹굴던 경찰들이다. 더욱이 전직이 화려한 그들.

그럼에도 진다?

그땐 다 죽는 거다.

이걸 알기에 그들도 죽자 살자 달려들 터.

종혁은 자신만만했고, 그런 종혁을 보며 '예능이 쉬운 게 아닌데' 걱정을 하던 김재선은 고개를 모로 기울였다.

"그런데 저희 어디서 보지 않았나요?"

흠칫!

속으로 놀란 종혁은 단호히 고개를 저었다.

"초면입니다."

들켜선 안 된다. 들키면 골치 아파진다.

딱 잡아떼는 종혁의 모습에 김재선은 눈을 가늘게 떴다.

그렇게 촬영이 시작됐다.

* * *

"와, 이씨!"

"우와아!"

"딱 말해! 당신들 경찰 아니지? 그치?!

2000년대 초중반 예능의 트레이드마크인 댄스 신고식에서 토마스와 에어트랙을 작렬시키며 연예인들 기를 죽이는 걸로 시작한 경찰들.

복고댄스에 테크노댄스, 심지어 막춤까지 화려하고 절

도있는 그들의 모습에 촬영장은 뒤집어졌고, 여자 연예인들 두 눈에 하트가 뿅뿅 들어찼다.

촬영장 한구석에 선 종혁은 그 모습을 흐뭇이 지켜봤다.

'그렇지! 그거지!'

뭘 하나를 해도 제대로, 확실히.

그동안 들인 공이 아깝지 않음에 종혁의 입가에선 미소가 떠나지 않는다.

'잘한다, 내 새끼들!'

언젠가 물러날 단장 자리지만, 그래도 그동안은 자신이 케어해야 되는 부하 직원들이다.

그런 그들의 활약에 종혁은 진심으로 웃을 수밖에 없었다.

이건 종혁의 옆에 서 있는 PD도 마찬가지였다.

"이야, 정말 대단하네요. 경찰은 외모랑 끼도 보면서 뽑습니까?"

"고르고 고르긴 했죠. 그래도 다른 경찰들도 저 반절쯤은 합니다."

그런 종혁의 허세에 PD는 피식 웃으며 당황하는 연예인들을 봤다.

'새끼들. 꼴좋네.'

정규 편성이 된 지 벌써 1년이 훌쩍 넘은 프로그램이라서 그런지 어느덧 초반만 못하던 모습들을 보이던 연예인들.

메인 MC야 여전히 성실하지만 다른 고정들은 아니었다.

그런데 갑자기 일반인들이 나아서, 그것도 웬만한 남자

배우 뺨치는 미남 경찰들이 나와서 엄청난 기량을 뽐내고 있다.

'아주 정신이 번쩍 들 거다, 이놈들아.'

다들 예능 바닥을 구른 짬밥이 있으니 지금부턴 이를 악물고 달려들 터. PD는 연예인들의 정신무장을 다시 해 준 종혁이 예뻐 보일 수밖에 없었다.

그래서 더 욕심이 났다.

'최종혁 경감, 아니 유도 금메달리스트 최종혁 선수.'

유도선수 최초로 팬클럽을 가진 미남 선수. 2000년 시드니 올림픽을 마지막으로 홀연히 자취를 감추면서 수많은 여성들의 애간장을 닳게 만든 선수.

솔직히 PD도 당시 종혁을 예능에 출현시키기 위해 얼마나 노력했는지 몰랐다.

그랬던 그가 이렇게 경찰 간부가 되어 나타났다. 그것도 경찰 홍보단 단장으로.

"혹시 최 경감님은 출연하실 생각 없으십니까?"

"저요?"

눈을 동그랗게 떴던 종혁은 비실 웃었다.

"글쎄요. 저 출연시키면 재미가 없을걸요?"

"예?"

"오늘 X맨 있죠? 연예인 출연자 쪽에."

PD는 눈을 부릅떴다.

'그, 그걸 어떻게?!'

특집 방송이라 출연 연예인 전부 X맨이 없는 줄 안다.

심지어 MC인 김재선까지도 말이다.

종혁은 그런 그를 보며 싱긋 웃었다.

"다 보입니다."

"끄응."

"그리고 제 자랑은 아니지만, 제가 저기 끼어들면 반칙이라서요."

장호돈과 김국종이 동시에 달려들어도 넘어갈까.

종혁은 둘을 한 손에 한 명씩 들고 뜀박질도 할 수 있었다.

"……사람이세요? 아, 죄송합니다."

"아니요. 많이 들은 소리라서 괜찮습니다."

그 말에 PD는 결국 포기하기로 마음먹었다.

"후우우. 그래도 아까운데…… 아, 그런데 걔는 왜 출연시키지 못하게 하신 겁니까?"

종혁은 딱 한 명의 연예인을 출연시켜 주지 말아 달라고 부탁했다. 내부에서 말이 많았지만, 경찰에 의해 방송국 하나가 더 날아갈 뻔했다는 소식을 입수한 그들은 울며 겨자 먹기로 들어줄 수밖에 없었다.

"그 사람, 곧 수사에 들어갈 거라서요."

"……예?"

"그 새끼가 미성년자를 추행하고 다니더라고요. 연예인 시켜 준다고 꼬드겨서."

순간 PD의 얼굴이 하얗게 질린다.

"어린 여자 연예인들에게도 추파를 던지는 길로 일고

있는데…….”

종혁의 눈이 가늘어지자 PD는 단호하게 선을 그었다.

“몰랐습니다.”

알았지만 모른 거다. 연예인도 아니고 일반인을 건들인 순간 그놈은 절대 모르는 놈이 되는 거다.

종혁은 놈의 그런 행위를 알고 있었으면서도 묵인한 PD도 마음에 들지 않았지만 그냥 참기로 했다.

“제 부탁을 들어주신 거라서 말씀드린 거니 비밀은 지켜 주세요.”

“아이고, 아니요. 최 경감님이 저희를 구한 거죠!”

만약 X맨이 지금보다 훨씬 더 많은 인기를 끌고 있을 때 그게 터졌다면?

생각만 해도 아찔한 상황에 PD는 이를 악물었고, 종혁은 그런 그를 보며 입술을 비틀었다.

‘어디서 재를 뿌리려고.’

경찰 이미지 개선을 위한 프로젝트이다.

그런 범죄자와 한자리에 있는 것조차 피해야 했다.

그때, 무언가를 발견한 종혁은 눈을 부릅떴다.

“그만-!”

종혁의 입에서 터져 나온 호통이 촬영장을 꿰뚫었다.

* * *

댄스 타임이 끝나자 어느새 본격적인 게임에 들어갔다.

제작진이 준비한 제비뽑기를 통해 게임을 정하는 방식이었는데, 첫 번째는 말뚝박기였다.

하지만 말뚝박기조차 전투적으로 연습한 그들을 제대로 운동조차 안 한 연예인이 이길 리는 없었다.

여성 연예인들이 애교를 부리며 가위바위보를 이기려고 해도 '저 여자친구 있습니다. 아내가 있습니다.' 철벽을 쳐 버렸고, 겨우 싱글인 경찰과 대결을 해도 가위바위보 운이 좋지 않았다.

결국 완패.

경찰들의 무자비한 내려찍기와 흔들기에 환자만 양성했다.

외모에서도 져, 끼에서도 비등해, 이런 상황에서 게임까지 져 버리니 독이 올랐던 연예인들은 두 번째 게임이 정해지자 환호성을 터트렸다.

"그렇지!"

"씨이! 이제 너희 다 죽었어!"

두 번째 게임은 씨름.

장호돈이 특유의 약 올리는 표정을 지으며 목을 방정맞게 꺾었다.

"아이고, 이거 괜찮겠어요? 쪼매 다칠 수도 있을 긴데?"

"우리 형 얼마나 센지 모르지?! 백두장사야, 백두장사!"

"천하장사. 무제한."

"들었지?!"

"우우우우!"

멘탈을 흔들려는 건지, 아니면 분량을 위해선지 방정맞게 구는 그들.

그러나 경찰들은 그저 미소만 지을 뿐이었다.

'귀엽네.'

'그러게. 난 연예인이라서 접근하기 힘들 거라 생각했는데.'

마치 귀여운 꼬마들의 재롱을 보는 듯한 삼촌처럼 푸근하기만 한 그들의 자신만만한 모습에 김재선이 눈을 빛냈다.

"이야, 역시 대한민국 치안을 지키는 분들이라서 그런지 자신만만하네요. 그럼 게임을 시작하겠습니다. 하영훈 나와!"

"나요?! 나, 난…… 패스!"

"패스가 어디 있어! 얼른 들어와!"

"에이씨."

'누가 나갈래요?'

'짬밥 밀리는 순서대로 나가자.'

"이야, 하영훈 씨가 강적처럼 느껴지시나 보죠?"

"아, 그건 아닙니다. 자칫 하영훈 씨가 다치실 수 있어서 저희 중에서 그나마 근력이 약한 사람을 고르던 중이었습니다."

"예? 푸하하하하! 하영훈, 너 오늘 많이 망가진다?"

"이야아아아! 지금 너희 나 무시해?! 다 나와!"

하영훈이 일명 하 망나니 모드로 돌입하자 결국 경찰

중 가장 계급이 낮은 이가 나섰다.

"하. 순경 김세경입니다. 잘 부탁드리겠습니다."

"저, 저도요. 아프지 않게 살살 부탁드릴게요."

등빨 좋은 순경이 나서자 방금 전 호기는 어디 간 건지 갑자기 쪼그라드는 하영훈.

그 급격한 변화에 순경은 얼떨떨해했지만, 연예인들은 그럴 줄 알았다며 손을 저었다.

하영훈의 얼굴이 시뻘겋게 달아올랐다.

"……최대한 아프지 않게 빨리 끝내 드리겠습니다."

"씨이! 날 동정하지 마! 덤벼-!"

'그냥 미친 사람이구나. TV로 봤을 땐 참 웃겼는데…….'

실제로 보니 환상이 와장창 깨진다.

순경은 최대한 빨리 끝내야겠다고 생각하며 무릎을 꿇었다.

"자, 자세 잡고…… 시작! 삐이익!"

"죽어-! 어?"

부웅! 터엉!

허공을 반 바퀴 돌아 매트 위에 메쳐진 하영훈은 자신이 왜 이러고 있는지 멍한 눈으로 순경을 봤고, 순경은 그에 상큼한 미소를 지었다.

"약속대로 최대한 빨리 끝내 드렸습니다. 수고하십시오."

"……아, 아니 잠깐! 에이, 이건 아니지! 다시 해! 다시 하자고!"

순경은 무시하며 자리로 돌아가 동료들에게 거수경례

를 하곤 원래 자리에 섰다.

"야! 야! 경찰 아저씨-!"

"졌으면 좀 빠져!"

결국 김재선에게 걷어차인 하영훈은 억울해하며 자리로 돌아갔고, 이내 두 번째 대결이 시작됐다.

경찰들은 이번에도 상대 연예인들을 파죽지세로 넘어트렸고, 그건 여자라고 결코 봐주지 않았다.

'여자라고 봐주는 순간 진상 민원이 늘어난다'라는 종혁의 말 때문이었다.

"진짜 너무하네! 아니, 어떻게 여자를 그렇게 넘길 수 있어요?"

"옳소! 옳소-!"

그들의 야유에도 경찰들은 흔들리지 않았다.

자칫 여자라고 봐줬다가는 종혁에게 죽을 수도 있기 때문이다.

'젠틀맨 되려다 맨틀에 무덤 파는 거지.'

그런 그들의 모습에 연예인들을 치를 떨었고, 결국 그들만의 사대천왕을 소환시키기로 했다.

"이 무자비한 경찰들! 야, 불꽃 아이! 복수해 줘!"

언제나 두 눈이 용광로처럼 이글거려서 붙은 별명 불꽃 아이.

사람들의 시선이 몰리자 남자 배우가 머리를 긁으며 나선다.

"아, 이분들은 나도 힘들 것 같은데……."

그렇게 말하지만 그의 눈과 몸은 이미 불타오르고 있었다.

그에 연예인들도 전의가 불타오른다.

불꽃 아이 이종도, 완력으로는 X맨에서 3번째인 인물이다.

그러나 경찰들은 이번에도 여유만만이었다. 그들에게 경계의 대상은 김국종과 장호돈이지, 단련도 제대로 안 된 듯한 이종도가 아니다.

하지만.

'아까 저놈이었지?'

'어. 내 배 발로 찬 놈.'

미간을 살짝 구기고 있는 그들은 방금 전 말뚝박기 때를 떠올렸다.

실수인 듯 아닌 듯 배가 걷어차이거나 뒷목이 잡혔던 그들. 애매해서 아무 말도 안 했는데, 아무래도 복수할 시간이 온 것 같다.

"내가 나갈게. 너희 둘은 김국종 씨랑 장호돈 씨 맡아."

"쳇. 복수 잘해 주십쇼."

"걱정 마."

씩 웃으며 나선 경찰은 일단 예를 갖춰 고개를 숙였다.

"김태영 경장입니다. 잘 부탁합니다."

"흐흐. 살살 합시다."

'합시다?'

"그러다 다치면 안 되니까."

"오오! 도발 좋다-!"

“우우우!”

연예인들의 야유에 김태영 경장은 푸근히 웃었다.

‘이 새끼 아까 일부러 그랬구나?’

이러면 양심의 가책도 없다.

김태영 경장은 전력을 다하기로 마음먹으며 무릎을 꿇었고, 둘은 곧 서로의 샅바를 잡았다.

‘흐흐. 사람들에게 날 각인시킬 기회야. 저놈을 완전히 밀어낼 기회라고.’

이종도는 연예인들 사이에서 표정이 묘한 박정수를 보며 입술을 비틀었다.

비슷하기에 계속 겹치는 캐릭터. 하지만 대중적인 인지도는 박정수가 더 높다.

현재 X맨 내에서의 인지도도 서로 엎치락뒤치락하는 수준.

‘내가 여기서 이기면 너도 끝이다!’

“쉽지 않을 거야, 경찰 아저씨.”

‘예, 예. 그러세요.’

“일어나시고. 준비…… 시자악!”

“흡!”

김태영 경장은 단숨에 샅바를 잡아당겼다. 아니, 잡아당기려 했다.

콱!

강하게 밟히는 발만 아니면 말이다.

‘어?’

“걸렸어!”

순간 오금이 걸려 몸이 기울어지자 김태영 경장의 머릿속에 수많은 생각이 스쳐 지나간다.

‘반칙? 아니 이렇게 지면 최 경감이…… 이 개새끼가…….’

억울하고 식겁하는 머릿속. 그런데 그보다 먼저 몸이 움직였다.

지난 일주일 동안 지옥을 겪으며 각인된 신체적 반응이 김태영 경장도 본인도 모르게 튀어나오고 있었다.

그때였다.

“그만-!”

촬영장을 꿰뚫는 고함 소리.

순간 얼음이 되었던 연예인들은 이쪽을 향해 다가오는 종혁을 발견하고 의아했다.

하지만 그것도 잠시였다.

“……억?!”

“꺄악!”

사람들은 이종도의 관자놀이 앞에 있는 김태영의 팔꿈치를 발견하고 경악하고 말았다. 이종도는 이미 하얗게 질린 상태였다.

다가온 종혁은 김태영의 팔꿈치를 수습하며 이를 드러냈다.

“그 사람 일반인이다. 범인 아니야. 긴장 풀어.”

“……경장 김태영. 죄송합니다.”

“조신해.”

어깨를 다독인 종혁은 김태영을 향해 고개를 숙였다.

"죄송합니다. 다들 흉악한 범죄자들을 맨몸으로 검거하는 게 일상이다 보니 반사적으로 반격하고 말았던 것 같습니다. 이렇게 깊이 사과드립니다."

"아니, 지금 이게……."

"와-! 정말 대단하시네요! 어떻게 그런 반격을! 역시 여러분 같은 경찰분들이 계셔서 제가 오늘도 편히 잘 수 있나 봅니다!"

종혁은 이종도의 얼굴이 구겨지자마자 다급히 나서는 김재선의 모습에 눈을 빛냈다.

'이래서 국민 MC라고 불리는 건가?'

눈치가 비상할 정도로 빠르다.

이런 김재선의 의도를 읽은 건지 연예인들도 한발 늦게 반응한다.

"우와아!"

"와, 나 깜놀! 경찰 아저씨! 무에타이 배우셨어요? 옹박처럼?!"

"트, 특수부대 출신이긴 합니다."

"특수부대!"

"우와아아아! 아저씨, 아저씨. 그럼 아저씨가 여기 짱이에요?!"

"짜, 짱이요?"

"가장 강한 거 맞죠? 그렇죠?"

"아, 아니 전 그렇게 강한 게 아닌데요……."

"네에?!"

"저희 중 제일 강한 건……."

최종혁 경감이다. 그런 생각에 자신도 모르게 고개를 돌렸던 김태영 경장은 아차 했다.

하지만 이미 늦어 버렸다. 사람들 모두 종혁을 보기 시작했기 때문이다.

'이런 씨?'

'죄, 죄송합니다!'

'……어후. 넌 나중에 보자.'

혀를 찬 종혁은 싱긋 웃으며 퇴장을 하려고 했다.

그 순간이었다.

"아! 아아아! 그래, 맞아! 최종혁 선수죠? 유도 금메달리스트 최종혁 선수! 그래, 어쩐지! 어디서 봤다 싶더라니-!"

종혁은 박수를 치는 김재선의 모습에 탄식을 내뱉었다.

'텄다.'

이런저런 이유로 TV에 얼굴을 비추지 않으려 했는데, 결국 비춰 버리게 될 것 같았다.

종혁은 한숨을 푹 내쉬었다.

"아하하. 안녕하세요."

"이야, 어쩜 어떻게 감쪽같이 속일 수가 있어요?"

"속인 건 아니고 어쩌다 보니 그렇게 됐습니다. 반갑습니다. 전 유도 국가대표, 현 대한민국 경찰청 소속 경감 최종혁입니다. 충성."

"와아!"

"나, 나 저분 알아! 올림픽 때 봤어!"

어느새 이종도의 일을 잊어버린 연예인들은 호기심을 잔뜩 드러냈다.

한때 국민영웅으로 추앙을 받았던 어린 천재, 초살의 최종혁. 당시 TV에서 방영되는 경기를 보며 열광하지 않은 사람이 있긴 했을까.

거의 모든 경기를 30초 안에 끝내 버리는 그 압도적인 퍼포먼스에 수많은 국민들이 열광을 했었다.

종혁은 1997년 IMF로 고통받던 국민들에게 희망의 등불이 되어 주었던 스포츠 스타 중 한 명이었다.

"미쳤다. 그런데 왜 최 선수, 아니 최 경감님은 출연을 안 하셨어요?"

출연을 했다면 더 큰 이슈를 끌 수 있을 거라는 말이 함축된 김재선의 질문에 종혁은 턱을 긁었다.

"음. 제가 출연하면 너무 반칙이라서요?"

"……예?"

"제가 나서면 어떤 게임이든 성립이 되지 않으니까요."

이건 진심이다.

종혁 본인이 조금만 힘을 써도 이 중에서 버틸 수 있는 사람은 없다. 장호돈 정도나 겨우 20초 정도를 버틸까.

"절대 안 됩니다. 분량 안 나와요. 그래서 출연을 고사한 거고요."

"……야! 우리 형 백두장사거든?!"

"천하장사. 무제한."

"들었지? 우리 형 이런 사람이야!"

"하하. 그렇게 따지면 저도 무제한 체급 세계랭킹 1위였는데요."

"……네? 세계 1위요?"

호기롭게 외쳤던 하영훈이 슬그머니 쭈그리자 연예인들은 혀를 내두를 수밖에 없었다.

하지만 장호돈은 아니었다.

눈살이 꿈틀거린 그는 입술을 핥았다.

"이야, 우리 최 갱감님께서 허풍이 쪼매 세시네. 무섭다면 그냥 무섭다 하지 뭔. 됐어요. 나도 관심 없어요."

특유의 얄미운 표정으로 손을 젓는 그.

종혁은 그런 장호돈의 모습에 미간을 좁혔다.

도발이다.

평소라면 신경도 안 썼겠지만 지금 상황에선 아니다.

'어쩔 수 없나?'

이미 방송을 탈 것 같은 상황이지 않던가.

아니, 경찰이 호락호락하지 않다는 걸 보이기 위해선 방금 전 이종도와 김태영의 상황이 전파를 타야 한다.

생각을 정리한 종혁은 이를 드러냈다.

"그럼 붙어 보실래요? 룰은 씨름으로 해도 괜찮습니다."

"뭐라꼬요?"

"……오오오오오오오!"

"누구 말이 맞나 붙어 보시죠."

"……하. 후회할 낀데요."

'당신이 후회하겠죠.'

천하장사 출신 연예인으로서 지금까지 힘으로 하는 게임에선 단 한 번도 패배한 적이 없는 장호돈. 다른 방식의 게임은 졌어도 힘으로는 결코 진 적이 없다.

그렇기에 힘=장호돈이라는 공식마저 생겨났다.

여태껏 불패였기에 그 공식은 더 신뢰를 얻고 있었는데, 그 불패신화가 깨진다?

캐릭터에 흠집이 날 수 있었다.

'뭐, 난 경고했으니까.'

자업자득. 앞으로 벌어질 일은 모두 자업자득이었다.

그리고 곧바로 무대가 마련됐다.

공기가 팽팽하게 당겨진 스튜디오.

샅바를 잡고 앉은 장호돈이 히죽 웃는다.

"지금이라도 포기하시믄 내가 졌다고 할게요, 젊은 경감님."

또다시 시작된 그의 도발.

그에 종혁도 지지 않고 맞받아쳤다.

"나중에 캐릭터 흠집 나셨다고 하소연하시면 안 됩니다."

"하! 끝까지 권주를 마다하시네."

"이야. 치열하다, 치열해! 자, 양 선수 모두 일어서시고!"

둘은 동시에 몸을 일으켰고, 장호돈은 순간 비틀어지는 샅바에 표정을 굳혔다.

마치 두꺼운 쇳덩이가 허벅지를 조이는 듯한 아픔.

그는 종혁이 결코 쉽지 않은 상대란 걸 알아차렸다.

'참말이가? 이야, 호기롭게 말할 만하네. 이라믄 나도 위험한데…….'

그동안 이 캐릭터를 만들기 위해 얼마나 고생했던가.

얍삽하고 깐죽거리고, 모두 압도적인 힘으로 해결하려 들지 않기에 시청자들도 웃을 수 있었다. 언제든 힘으로 해결할 수 있는데도 다른 방식으로 풀어 나가려는 그의 모습은 국민들의 호감을 샀었다.

그런데 그 압도적인 힘에 흠집이 생긴다?

시청자들이 생각하는 압도적인 힘에 의혹이 생길 수 있다.

여태까지도 힘을 안 쓴 게 아니라 못 썼던 거 아니냐는 끔찍한 의혹이.

순간 장호돈의 머릿속이 복잡해졌다.

그 순간 매정하게도 경기가 시작되었다.

"시작!"

짜악!

등을 맞자마자 반사적으로 샅바를 잡아당기는 장호돈.

'제길! 몰라! 선수필승!'

"챳!"

이를 악문 장호돈은 곧바로 달라붙으며 발을 휘둘러 오금을 휘감았고, 그걸 느낀 종혁은 입맛을 다셨다.

'미안합니다. 나도 어쩔 수 없어요.'

느려진 시간 속 종혁은 그대로 양손을 잡아당겼다. 아

니, 그러다 못해 팔꿈치를 하늘로 들어 올렸다.
화악!
"……어?!"
"헉!"
"흐어억!"
경악한 사람들이 종혁과 장호돈을 번갈아 보며 눈을 비빈다.
마치 아빠에게 매달린 아이처럼 번쩍 들려 버린 장호돈.
종혁은 이 상황을 받아들이지 못해 얼떨떨한 눈으로 쳐다보는 장호돈을 향해 싱긋 웃었다.
"역시 몸이 많이 가볍네요. 근육을 많이 빼셨나 봐요."
"……한 번에 몇 킬로까지 듭니까?"
"3대 1600이요."
"사, 사람 맞아요?"
"그래서 다들 괴물이라고 부릅니다. 수고하셨습니다."
'이 정도면 이 양반도 수습할 수 있겠지.'
후에 불미스런 일을 겪긴 하지만 그래도 그때까지 대한민국 양대 MC라는 평을 받는 사람이다. 척을 지기보단 좋은 관계를 맺는 게 좋기에 종혁은 그를 조심스럽게 내려놓았다.
삐이익!
"장호돈 패애! 그래, 내가 이 형 언젠가 이렇게 당할 줄 알았다니까! 최 경감님, 나이스! 정말 듬직하다-!"
"하하. 그럼 수고하십시오."

싱긋 웃은 종혁은 다시 원래 있던 곳으로 향했고, 이 장면은 후에 최고 시청률을 기록하게 되었다.

* * *

"통편집."

"아니거든! 당하지 않을 거거든!"

저녁의 도로를 달리는 차 안, 종혁이 던진 말에 박정수가 격렬하게 반발한다.

하지만 종혁은 놀리는 걸 멈출 수가 없었다.

"그런 것치곤 존재감 느껴지지 않던데. 허수아빈 줄."

"그건 너희 애들이 괴물이라서 그런 거고!"

몸을 쓰는 게임은 무조건 완패고, 머리를 쓰는 게임도 마찬가지였다. 뭘 그렇게 아는 게 많은지 파죽지세였다.

그나마 멘탈 게임인 당연하지에서 기대를 해 봤는데, 상대는 돌부처였다. 그것도 도발까지 하는 돌부처.

결국 먼저 멘탈이 터져 버린 박정수는 침몰했고, 결국 존재감은 사라져 버렸다. 그나마 다행이라면 경찰들이 이종도보단 더 오래 싸워 줬다는 점이다.

"다 변명입니다."

"야, 너 내려. 우리 집 오지 마."

"에이, 왜 그러실까. 우리 애들이 어떻게 그렇게 강한지 알고 싶지 않아?"

"……."

"큭큭, 갑시다."

종혁이 너무 얄미웠지만 그래도 듣고 싶은 박정수는 툴툴거리면서도 차를 계속 몰았고, 키득키득 웃던 종혁은 정면을 보며 낯빛을 굳혔다.

'이제 일주일 남은 건가?'

소년이 경찰서로 뛰어오는 그 날이 말이다.

혹시라도 놈들이 맞다 한들 박정수에게 피해는 안 끼친다.

종혁은 그렇게 다짐하며 주먹을 꽉 쥐었다.

하루하루가 너무 느리게 지나가고 있었다.

5장. 달콤하지만 위험한

달콤하지만 위험한

해가 졌음에도 후덥지근한 공기가 가득한 여름.

목이 다 늘어진 셔츠를 입은 소년이 어기적 무거운 다리를 끌며 집으로 향한다.

"헤헤. 그래도 며칠 안 남았다."

며칠 후면 살 수가 있다. 작년부터 만들기 위해 애쓰던 걸 말이다.

당분간은 라면일 테지만, 그걸 생각하니 아르바이트로 인해 고된 몸도 날 듯 가벼웠다.

빵!

다급히 옆으로 비켜서던 소년은 스르르 다가와 멈춘 낯익은 차에 눈을 동그랗게 떴다.

"야, 꼬맹이! 이제 하교하냐? 아, 지금 방학인가?"

"정수 형!"

활짝 웃었던 소년은 보조석에 앉은 사람을 발견하곤 어깨를 움츠렸다. 며칠 전부터 몇 번 얼굴을 본 사람이었다.

"아, 종혁아. 인사해. 우리 옆집 꼬맹이."

"그래요? 친해요?"

"쟤 똥기저귀도 내가 갈아 줬어."

눈을 빛낸 종혁이 소년을 보았고, 똥귀저기란 말에 얼굴을 붉히던 소년은 종혁의 우람한 덩치에 몸을 움츠렸다. 분명 되게 잘생겼는데 묘하게 다가가기가 꺼려졌기 때문이다.

"나 몇 번 본 적 있지?"

"네……."

며칠 전부터 정수의 집 앞에서 담배를 피우는 모습을 본 적 있다.

"짜식이, 정수 형 아는 동생이면 말을 하지. 이리 와 봐."

"네? 왜, 왜요?"

"씁."

소년은 주춤거리며 다가갔고, 종혁은 지갑에서 집히는 대로 꺼내서 내밀었다. 소년의 눈이 동그래졌다.

"헉?!"

"정수 형 아는 동생이라면 나한테도 동생이네. 다음부터 형 보면 인사해라."

"아, 아뇨. 이건 받을 수……."

"씁. 형이 주는 거면 감사합니다 하고 받아. 그보다 이름이 뭐냐?"

"여, 영광이요. 고영광."

"그래. 형은 최종혁이다. 뭐해요. 주차나 해요. 배고파."

"넌 진짜 배 속에 거지가 앉았냐? 꼬맹아, 다음에 보자!"

"공부 열심히 해라."

"네, 형. 안녕히 들어가세요."

손을 흔든 박정수는 차를 몰아 집 앞에 주차를 했고, 차에서 내린 종혁은 담배를 물었다.

'잘됐군.'

그동안 몇 번 마주쳤어도 묘하게 꺼려 하기에 말을 붙이지 못했던 상황. 그래서 어떻게 물꼬를 틀까 고민을 했는데, 정수 덕분에 일이 쉽게 풀렸다.

이제부턴 좀 더 적극적으로 교차점을 만들 수 있었다.

"그나저나 학생이 늦은 시간까지 돌아다니네요."

"영광이?"

방금 전 영광이 들어간 옆집을 본 박정수는 씁쓸히 웃으며 담배를 물었다.

"그럴 수밖에 없지. 후우. 재가 저래야 될 애가 아닌데……."

"음?"

"아니야. 들어가자."

종혁은 박정수의 반응에 눈을 빛냈다.

"뭔데. 말해 봐. 내가 도움이 될지 혹시 알아요? 나 아는 사람 많아요."

"도움? 맞아, 너 경찰이지."

그것도 본청의 경찰이다. 분명 아는 사람이 많을 터. 그중에 영광을 도와줄 공무원이 있을 수도 있었다.

박정수는 한숨을 내뱉으며 입을 뗐다.

"영광이 쟤가 원래 컴퓨터 쪽으로 엄청……."

그렇게 시작된 이야기는 종혁이 알지 못하는 과거사를 담고 있었다.

"흐음, 그래요……."

종혁은 고영광이 들어간 집을 보며 눈을 가늘게 떴다.

한편 집 안으로 들어온 소년은 손에 들린 지폐 뭉치를 만지작거리며 묘한 표정을 지었다.

"역시 무서운 형이었구나."

다가가기가 왜 꺼림칙했나 했더니 조폭이었던 것 같다.

"그런 사람과 어울리는 거 아니랬는데……."

혹시라도 친한 동네 형인 정수가 잘못되는 건 아닌지 심장이 벌렁벌렁 뛰었지만, 그렇다고 해서 그만 만나라고 말할 수는 없었다.

박정수가 친한 형이라지만, 나이 차이가 많이 나서 어려운 형이니까.

아마 어린 자신의 말은 들어 주지도 않을 거다.

"거기다 지금은……."

낯빛이 어두워진 소년은 자신의 집을 주욱 살폈다.

저녁임에도 불이 모두 꺼진, 후덥지근한 곰팡이 냄새가 풍기는 반지하. 인기척 하나 없는 집의 적막이 소년의 심장을 후벼 판다.

왈칵 눈시울이 붉어졌지만, 소년은 오히려 환하게 웃으

며 스위치에 손을 올렸다.

"다녀왔습니다!"

크게 외친 소년은 답이 돌아오길 기다리지 않고 화장실로 향했다.

쏴아아!

씻고 나온 소년은 냉큼 허름한 컴퓨터 앞에 앉으며 선풍기를 켰다.

달달달 선풍기가 위태로운 소리를 내며 미지근한 바람을 뿜어내지만, 소년은 시원하다는 듯 미소를 지었다. 방금 전 시리도록 차가운 물로 샤워해 얼어붙은 몸이 더 시원해지고 있기 때문이다.

그사이 컴퓨터의 부팅이 완료되자 소년은 냉큼 인터넷을 켜서 어떤 사이트의 채팅방에 접속했다.

[Dark Dragon Arm 님이 접속했습니다.]

[세이렌]님의 채팅- 다암이, 할룽할룽.

[Crow Wing]님의 채팅- 하이루.

"하이루. 형들."

빠르게 올라오는 인사말들에 소년의 입가에 환한 미소가 맺힌다.

안 지가 벌써 3년이나 된 지인들이다. 비록 컴퓨터 밖에선 만날 수 없지만, 얼마나 좋은 사람들인지 모른다.

[rabbit Foot]님의 채팅- 왔냐? 그거 준비는 잘되어 가?

"그럼요. 잘되어 가죠."

소년은 방 한구석에 고이 모셔진 본체 케이스를 봤다.

이제 하나의 부품이 장착되기만을 기다리는 본체.

지난 1년 동안 매일 알바를, 방학에는 두 개씩 알바를 했던 기억들이 머릿속을 스쳐 지나간다.

"원래 그 일 때문에 준비하던 건 아니지만……."

이게 완전히 조립이 되면 준비는 더 완벽해질 거다.

이젠 정말 며칠밖에 안 남았다.

[세이렌]님의 채팅- 그거? 그게 뭔데?

[Crow Wing]님의 채팅- 아, 그거? 나 그거 느낌 별로 던데.

[North captain]님의 채팅- 다시 생각해 보라. 알아보니 그런 일이 없다고 했다.

얼마 전부터 사이트에 나타난 탈북자 컨셉의 아저씨, 노스 캡틴.

영광은 얼른 키보드에 손을 얹었다.

[Dark Dragon Arm]님의 채팅- 아는 사람들끼리만 모여서 하는 일이라서 그래요, 북에서 온 선장님.

[North captain]님의 채팅- 그러네? 그래도 조심하

라. 그런 거는 함부로 하는 거이 아니다.

[Dark Dragon Arm]님의 채팅- 네! 감사합니다!

[세이렌]님의 채팅-그래서 그게 뭐냐고, 이 찐따들아!

"킥킥."

영광은 이 순간 잠시 외로움을 잊었다.

* * *

주요 예능에 모두 출연하면서 경찰 홍보단의 일은 거의 마무리됐고, 덕분에 종혁도 경찰 이미지 마케팅과 본연의 업무에 집중을 할 수 있게 됐다.

"오늘 치 미니홈피 업데이트는 끝났어?"

"예, 끝났습니다!"

경찰청 홈페이지 외 홍보 수단으로 미니홈피를 택한 종혁. 그는 미니홈피 관리 직원의 어깨를 잡으며 모니터를 응시했다.

"반응은 좀 어때?"

"아직은 긴가민가하는 수준입니다. 그래도 홍보단의 홍보 덕분에 방문자 수가 꽤 늘어난 상태입니다."

아직은 정식으로 홍보가 된 게 아니라서 하루 방문자 수가 천 단위에 불과한 미니홈피.

모두가 미남인 경찰 홍보단 덕분에 알음알음 소문이 퍼지면서 여성들의 유입이 하루가 다르게 늘어나는 상태다.

"선행 게시물 쌓이면 대대적으로 홍보를 할 테니까 홍보단이 함부로 글 싸지르게 하지 말고, 선행 게시물도 잘 쓰도록 해. 괜히 나는 눈물을 흘린다 뭐 그런 요즘 감성으로 쓰지 말고. 그리고 성폭행범들도 잘 나온 사진으로 올리고."

"하하, 옙!"

고개를 끄덕인 종혁은 미디어 관리팀으로 향했다.

제작 가능성이 높은 드라마와 영화에서 경찰의 이미지를 관리할 미디어 관리팀. 그들의 보고까지 모두 받은 종혁은 시간을 확인하곤 박수를 쳤다.

"점심까지 앞으로 30분! 대충 마무리하고 밥 먹자!"

"이야아아아아!"

고작 30분 일찍 밥을 먹는 거지만, 이걸 싫어할 사람은 없었다.

오늘도 좋아하는 그들의 모습에 피식 웃으며 몸을 돌린 종혁은 오택수를 봤다.

"그럼 전 잠시 나갔다 올게요."

"또?"

요 2주일 사이 계속 점심때마다 사라져서 2시가 넘어서 들어오는 종혁.

점심 시간뿐만 아니다. 저녁에도 정시가 되면 칼같이 퇴근을 해 버린다.

오택수는 눈을 가늘게 떴다.

"야, 너 나 몰래 사건 맡았지?"

흠칫.
속으로 놀란 종혁은 고개를 저었다.
'쓸데없이 예리한 양반 같으니.'
"사건은 무슨. 제발 사건 좀 맡으면 좋겠네요. 그럼 다녀오겠습니다."
손을 흔든 종혁은 사무실을 나섰고, 오택수는 그런 그를 보며 미간을 좁혔다.
"저거 아무리 봐도 수상한데……."
눈을 더 가늘게 뜨는 오택수의 촉이 비상하게 꿈틀거리기 시작했다.

* * *

"다녀오겠습니다!"
더 이상 누군가의 대답을 들을 수 없는 집을 뒤로한 영광은 근처의 주유소로 향했다.
"안녕하세요!"
"왔니? 밥은?"
안에서 돈 계산을 하던 오십대의 남자가 영광을 반긴다.
"먹었어요!"
컵라면도 밥은 밥. 영광은 당당했다.
눈을 가늘게 뜨던 사장은 이내 혀를 차며 손을 저었고, 히죽 웃은 영광은 얼른 안쪽의 탈의실로 달려갔다.
그런 영광을 빤히 응시하던 사장은 천장을 보며 한탄했다.

"어찌 저 어린 것을 두고 눈을 감았을까. 정말 하늘도 무심하시지…… 쯧쯧쯧."

재작년, 무엇이 그리 급한지 다른 세상으로 떠나 버린 친구를 떠올린 사장은 한숨을 푹 내쉬었다.

한편 옷을 갈아입고 나온 영광은 마침 안으로 들어오는 차를 발견하고 얼른 허리를 굽혔다.

"어서 오세요, 태성 주유소입니다! 얼마나 넣어 드릴까요?"

그렇게 소년의 하루 일과가 시작되었다.

"안녕히 가세요!"

떠나는 자동차를 향해 허리를 꾸벅 숙인 소년은 사무실 앞에 놓인 의자에 털썩 주저앉으며 손부채질을 했다.

"후아, 덮다."

이제 한여름이라서 그런지 그늘 아래에서 일을 하는데도 땀에 흠뻑 젖는다.

'이럴 때 하드 하나 딱 빨았으면…… 아냐, 아냐.'

그 돈도 아껴야 한다.

영광은 슬그머니 몸을 일으켜 사무실 안으로 들어갔다가 누군가를 발견하고 몸을 움츠렸다.

"넌 얼굴 보고도 인사 안 하니?"

"아, 안녕하세요!"

'언제 오셨지?'

오늘도 눈썹이 하늘로 솟은 사모님을 본 영광은 괜히 들어왔다며 자책했다.

"그래서 왜 들어왔는데?"
"물 좀 마시려고요……."
"쯧. 일은 제대로 하지도 못하는 게 물은 왜 그리 많이 처먹는지……. 얼른 마시고 나가!"
"네……."
눈치를 보며 정수기로 걸어간 영광은 순간 튀는 찬 물에 울컥해 버렸다.
'아빠…… 엄마…….'
재작년 교통사고로 돌아가신 부모님.
두 분이 살아 계셨어도 이런 말을 들었을까 하는 생각에 눈물이 앞을 가린다.
"뭐해! 물 넘치잖아!"
"네!"
찬물을 황급히 들이켜며 허겁지겁 사무실을 빠져나온 영광은 습기 가득한 숨을 골랐다.
'이럴 때 일수록 울면 안 돼. 절대 안 돼.'
이젠 더 이상 운다고 해서 봐주는 어른은 없다.
영광은 터져 나오려는 울음을 억지로 삼켜 눌렀다.
"후우. 됐다!"
애써 마음을 가라앉힌 영광은 미소를 지었다. 이럴 때일수록 웃어야 덜 아프다는 걸 알기 때문이다.
그는 더 환하게 웃으며 주유소 안으로 진입하는 차를 향해 몸을 돌렸다.
그러곤 그대로 굳어 버렸다.

부우웅!

거친 배기음을 내며 들어오는 투스카니 한 대.

영광은 자신도 모르게 몸을 돌렸다.

하지만…….

빠앙!

"야, 고영광! 어디 가, 이 새끼야!"

눈을 질끈 감았던 영광은 이내 애써 웃으며 돌아섰다.

"오, 오셨어요?"

머리를 노랗게 물들인 이십대 청년.

"그래, 오셨다. 넌 손님이 왔는데 인사도 안 하냐?"

"아, 안녕하세요. 태성 주유소입니다. 얼마나 넣어 드릴까요?"

"만땅, 이 새끼야. 만땅."

"네, 가득 주유하겠습니다!"

영광은 얼른 차 뒤로 다가가 주유기를 조작했다.

그런 그의 귀로 커다란 대화 소리가 들린다.

"오빠, 누구야? 아는 사람이야?"

"전에 말했잖아. 내 사촌."

"아, 그 고아? 학생이라고 하지 않았어?"

"킥킥. 고아니까 더 일을 해야지."

'개새끼!'

조심할 생각이 없는 듯한 큰 목소리에 영광은 이를 악물었다.

그러나 그는 참았다. 누구 한 명 도와줄 사람이 없으니까 참았다.

하지만…….

"6만 원 주유했습니다. 카드로 계산하실래요, 현금으로 계산하실래요?"

"씨발. 누가 요새 가오 빠지게 카드로 계산해? 옛다."

가슴에 부딪치며 허공을 흩날리는 만 원들.

"나머진 너 팁 해."

영광은 바닥에 떨어지는 돈을 멍하니 응시했다.

"뭐하냐? 안 줍고?"

영광은 자신도 모르게 몸을 숙여 돈을 주었다.

'왜지? 난 왜 이런 꼴을 당해야지? 왜?'

부모님 유산을 모두 가져갔음에도 저들은 왜 이러는 걸까.

왜 누구 한 명 도와주지 않아서 이렇게 살아야 하는 걸까.

후두둑 눈물이 쏟아진다.

울지 말아야 하는데, 울게 되어 버린다.

"그럼 열심히 좆빼이 쳐라! 이 형은 이만 간다!"

그때였다.

과아앙! 쾅!

고개를 든 번쩍 든 영광은 자신의 눈앞에서 일어난 상황에 눈을 끔뻑였다.

'교통사고?'

"끄악?! 씨발! 어떤 새끼야!"

터엉!

"악!"

"씨발, 넌 또 왜 거기 있고! 아니, 이게 먼저가 아니지. 이런 씨발! 운전을 대체……."

얼굴을 구기며 몸을 돌리던 영광의 사촌은 말을 다하지 못한 채 입을 다물었다. 자신의 투스카니의 뒤꽁무니를 박은 게 람보르기니였기 때문이다.

거기다…….

"이야, 요새도 투스카니를 타고 다니는 거지새끼가 있네. 이런 거 타고 다니면 쪽팔리지도 않나?"

차문을 열고 내리는 사람의 덩치가 너무 크다.

영광의 사촌은 몸을 움츠릴 수밖에 없었다.

"아, 그쪽이 이 되다 만 개똥차 차주? 미안해. 내가 아직 운전이 서툴러서."

덩치, 아니 종혁은 지갑에서 되는 대로 수표를 집어 흩뿌렸다.

"이거면 됐지? 남은 건 가지셔."

"사, 사과를 먼저……."

"뭐? 돈을 더 달라고? 하여튼 거지새끼들은 이게 문제라니까."

혀를 찬 종혁은 수표 몇 장을 더 꺼내어 흩뿌렸다.

파악!

"자, 됐지?"

"……까득!"

영광의 사촌은 이를 악물었지만, 몸을 숙여 돈을 주웠다.

사과를 바라기엔 너무도 많은 돈.

"그래. 옳지, 잘 줍는다."

'씨발! 씨발!'

"비켜, 이 새끼야!"

돈을 다 주운 영광의 사촌은 아직 얼어 있는 영광을 걷어차며 차에 올랐고, 종혁은 애매한 배기음을 토해 내며 도망치는 투스카니를 보며 코웃음을 쳤다.

"정말 저것도 스포츠카라고 타고 다니면 쪽팔리지 않나?"

"풉!"

재빨리 입을 막는 영광을 본 종혁은 고개를 모로 기울였다.

"인사 안 하냐?"

"……아, 안녕하세요!"

"오냐. 고급유 가득."

"네!"

쏴아아아아!

영광은 고급유가 슈퍼카 안으로 쏟아져 들어가는 소리를 가만히 들으며 차 안에 앉아 있는 종혁을 힐끔거렸다.

'무서운데 멋진 형…….'

방금 전, 얼마나 속이 시원했는지 몰랐다. 그래선지 어제까지처럼 꺼림칙하게 느껴지지 않았다.

탁탁!

주유기의 손잡이를 몇 번 튕기고 흔든 영광은 종혁에게 다가갔다.

"10만 원이요! 아는 분이라서 5천 원 더 넣었어요!"

밝게 웃으며 너스레를 떠는 영광의 모습에 종혁은 피식 웃었다.

"야."

"네?"

"부모님께 손 벌리기 싫어서 알바하는 거냐?"

"네, 뭐……."

손 벌리기가 싫어서가 아니라 어쩔 수가 없어서지만 영광은 입을 다물었고, 이미 영광의 사정을 다 알고 있는 종혁은 모른 척 푸근히 웃었다.

"대견하네."

"아하하. 감사합니다."

"그래. 열심히 하고, 힘든 일 있으면 형한테 연락해. 나머진 팁 하고."

"네?"

"간다."

과르릉! 과아아앙!

순식간에 빠져나가는 차를 멍하니 응시하던 영광은 자신의 손을 봤다가 다급히 종혁을 찾았다.

십만 원 수표가 두 장인 것 때문이 아니다. 살면서 단 한 번도 본적이 없는 황금 명함 때문이다.

이름과 전화번호만 적힌 황금 명함.

"저 형 진짜 조폭이구나……."

'그런데 대체 얼마나 잘나가는 사람이기에 저 나이에

람보르기니를 끌고 다니는 걸까.'

아마 영광 자신으로선 상상도 할 수 없을 만큼 벌 거다.

"그만큼 위험할 테지만…… 힘들면……."

순간 몽롱해지던 영광은 이내 고개를 붕붕 저었다.

"아니야, 괜찮아. 버틸 수 있어!"

성인이 될 때까지만 버티면 된다.

그땐 자신도 저렇게 다닐 수 있을 거다.

아니 종혁처럼 불법이 아니라 합법적으로 돈을 벌면서도 저보다 더 잘살게 될 거다.

"그래. 원래 이쪽 일이 돈을 많이 번다고 했잖아?"

어린 영광은 그날이 부디 빨리 오기를 잠시 기도하며 종혁이 준 명함을 주머니에 넣었다.

한편 길가에 차를 세운 종혁은 담배를 물었다.

"진짜 아무리 생각해도 이해가 안 되네. 저런 애가 어쩌다 그런 범죄를 저지르게 된 거지?"

지난 이십여 일 동안 계속 지켜봤지만, 결코 범죄를 저지를 만한 사람으로 보이지 않는 소년 고영광.

범죄를 당했으면 당했지, 저지를 만한 유형이 아니다.

그래서 이해가 안 된다.

왜 그런 범죄를 저지르게 됐는지가…….

"뭐 그건 때가 되면 알게 되겠지."

자신의 눈이 잘못된 건지 아니면 고영광이 억울한 피해자인지, 그것도 아니면 우연히 놈들의 일에 휘말리게 된

것인지는 곧 다 밝혀지게 될 거다.

그렇기에 시험을 하고자 그런 명함을 주지 않았던가.

"부디 내가 잘못 본 게 아니기를……."

종혁의 눈빛이 차갑게 가라앉았다.

* * *

웅성웅성. 시끌시끌.

"이 팀장!"

사람들로 북적이는 한 사무실을 날카로운 외침이 꿰뚫는다.

그에 컴퓨터를 보며 무언가를 하고 있던 삼십대의 남성이 벌떡 일어난다.

"예, 부장님!"

이 팀장이라 불린 사내는 사십대 중년이 손가락을 까딱거리자 재빨리 달려갔다.

"세진은행 건 어떻게 되어 가고 있어?"

"병사들은 모두 준비됐고, 실행 날짜만 기다리는 중입니다."

"실력들은 확실해?"

"걱정 마십시오. 실력은 있는데 어수룩한 놈들로 골라놨습니다."

"위험 요소는?"

"없습니다. 신중하게 선별했습니다."

"장담하지 마. 철량리 때 어떻게 됐는지 알지?"

겨우 경찰 두 명 때문에 연수원이 날아가 버린 끔찍한 사건.

"……거듭 확인해 보겠습니다."

"가 봐."

이 팀장이 원래 자리로 돌아가자 부장은 몸을 일으켜 창밖을 보았다.

무슨 생각을 하는지 그의 눈빛이 흉흉해지기 시작했다.

* * *

아직 해도 뜨지 않은 새벽.

눈을 번쩍 뜬 고영광은 컴퓨터 책상 아래부터 살폈다.

"헤헤."

어젯밤 드디어 조립을 끝낸 보물.

학생의 신분으로는 결코 살 수 없는 초고가의 컴퓨터.

지난 1년여 동안 알바를 하며 당한 모진 수모와 고통도 지금 이 순간만큼은 그저 스쳐 지나가던 추억으로 느껴졌다.

부모님의 유산을 친척들이 모두 가로채면서 생긴 인간에 대한 불신 탓에 더 집착하게 된 컴퓨터.

이젠 저 컴퓨터가 고영광 본인의 새로운 친구고, 가족이었다. 온갖 고생을 다하며 겨우 조립해서 그런지 더 그렇게 느껴진다.

본체 케이스를 조심스레 쓸어내리던 고영광은 문득 창 밖으로 시작된 아침을 보며 눈을 빛냈다.

"오늘인가?"

오늘이다.

고가의 아르바이트를 하는 날이.

짹짹짹!

좋은 일이 있으려고 하는 건지 아침부터 참새가 울자 결국 크게 웃어 버린 영광은 화장실로 향했다.

까악까악!

뒤늦게 운 까마귀 울음이 화장실 문을 부딪쳤지만, 이미 샤워기를 틀어 버린 영광은 듣지 못했다.

그는 그렇게 아침 아르바이트 준비를 시작했다.

* * *

어스름한 햇빛이 비추는 태릉 피트니스 센터 안.

뿌드득! 뿌드득!

우람한 근육이 약동을 한다.

엎드린 상태에서 양다리를 허공에 띄운 채 팔을 굽혔다 펴는 종혁.

"후우욱! 후우욱!"

거친 숨과 땀이 쏟아진다.

'878, 879…….'

"팔백팔시입!"

쿠웅!

무반동으로 물구나무를 서는 것을 마지막으로 예열을 마친 종혁은 땀에 흠뻑 젖은 머리칼을 쓸어 올렸다.

그런 그에게 제법 몸이 좋은 삼십대 사내가 다가서며 수건을 내밀었다.

"살벌하다, 살벌해. 적당히 해. 애들 기 다 죽일 셈이야?"

"아, 형."

태릉 피트니스 1호점의 매니저인 사내의 말에 주위를 둘러본 종혁은 씁쓸히 웃었다.

전직 상비군 출신들이 질린다는 눈빛을 보내오고 있었다.

"요새 무슨 일 있어?"

요사이 부쩍 훈련의 강도가 높아진 종혁.

눈빛은 누구라도 하나 걸리면 찢어발길 듯 살벌해서 마치 사냥감을 코앞에 둔 맹수처럼 느껴진다.

"아니, 요새 몸에 녹이 슨 것 같아서 말이야."

"……그게? 너 지금 우리 기만하냐?"

지금 당장 태릉에 들어간다 해도 1군 선수 전원을 씹어버릴 것 같은 피지컬과 운동량.

"하하. 그럼 난 다른 운동 하러 갑니다!"

딱히 변명할 거리가 없는 종혁은 마무리 운동을 하는 장소에 걸린 샌드백 앞에 서며 숨을 골랐다.

"결국 연락이 오지 않았네."

오늘이다.

일이 벌어지는 날이 오늘임에도 고영광에게선 연락이

오지 않았다. 범죄 쪽에 관심이 있었다면 안부 문자라도 보냈을 터.

이로써 종혁이 고영광을 잘못 본 게 아니냐는 가능성은 현저히 줄어들었고, 억울한 피해자이거나 우연히 놈들의 일에 휘말렸을 가능성이 커졌다.

종혁은 우연히 놈들의 일에 휘말렸을 가능성에 초점을 맞추기로 했다.

그러자 그의 눈앞에 옛날 대전 어린이 사건 때 만난 놈들 조직의 킬러가 떠올랐다.

반사 신경이 예사롭지 않았던 놈. 아마 당시 종혁 본인의 몸이 회귀 전과 같았다면 큰 상처를 입었을 정도로 위험한 놈이었다.

"아니, 어쩌면 죽었을지도……."

이런 놈이 수두룩하다는 그 조직이다.

'한 놈이 올까, 여러 놈이 올까.'

일단 최악의 상황을 상정한다.

사로잡힐 순간이 되자 결국 음독으로 자살을 택했던 놈의 모습이 샌드백에 투영되자 종혁은 발을 내디뎠다.

쿵! 뻐엉!

기역자로 꺾이며 솟구치는 샌드백.

'시작.'

눈빛이 차갑게 가라앉은 종혁의 팔과 다리가 샌드백 위로 쏟아지기 시작했다.

* * *

운동 후 먹는 밥은 왜 이리 꿀맛일까.

특수범죄수사과에서 형사 생활을 시작하면서 줄었던 운동 시간 때문에 약간 늘어졌던 몸뚱이가 전처럼 다시 기민하게 반응해서 그런지 더 꿀맛처럼 느껴진다.

운동 전에도 먹었던 밥을 후에도 먹던 종혁은 맞은편에서 졸린 눈으로 밥을 먹는 순철을 향해 말을 툭 던졌다.

"뭔데?"

흠칫!

"그렇게 놀라 놓고 무슨 소리냐고 하지 마라."

오늘 벌어질 일 때문인지 약간은 서늘한 목소리.

그에 잠이 달아나 버린 순철이 목을 긁는다.

"저 그거이…… 아입니다. 신경 쓰지 마시라요."

"왜? 지령이라도 내려왔어?"

화들짝 놀란 순철은 재빨리 손을 저었다.

"절대 아입니다! 다른 것 때문입니다! 절대! 절대!"

"알았으니까 말해 봐. 말을 해야 돕든지 말든지 하지."

"……그 혹시 세진은행이라고 아십네까?"

"세진은행?"

순간 종혁의 몸이 흔들렸다.

'그게 왜 네 입에서 나와?'

"알지. 거기가 왜?"

"제가 자주 가는, 그러니까 해커들만의 커뮤니티 사이트가 있습네다. 딥 웹에 있긴 한데, 한참 봐도 사람이 되지 못할 놈들이 모이는 곳이 아입네다!"

"……일단 계속해 봐."

"아무튼 거기서 들은 말인데……."

종혁은 이어지는 말에 눈을 빛내며 경청했다.

'그래, 영광이 네가 그런 걸로 얽혔구나.'

이제야 코가 간질거리며 고약한 냄새를 제대로 맡기 시작한다.

종혁은 입술을 비틀었다.

"수고했어. 네 입장에선 어려운 말이었을 텐데 말해 줘서 고맙고."

해커들만의 커뮤니티 사이트.

경찰인 종혁으로선 오해를 할 수밖에 없는 부분이다.

"……미안합네다. 그동안 좀 외로웠나 봅네다."

종혁은 풀이 죽은 순철의 머리를 쓰다듬었다.

"됐어. 계속해도 돼. 네 사생활인데, 왜 내게 죄책감을 가져? 너 거기서 범죄라도 공모했어?"

"아, 아닙네다!"

"그럼 뭐가 문제야?"

순철은 입술을 깨물었다.

"……그럼 제가 만약 지령을 받았다면 어떻게 하실 겁네까?"

"일단 널 체포하겠지? 그리고 순영 씨와 너희 가족을

빼내겠지.”

자신이 가진 모든 걸 이용해서라도 말이다.

“형님…….”

순철은 이 순간 종혁과 만나게 해 준 신께 다시 감사의 인사를 올렸다.

종혁은 그런 그의 머리를 헤집었다.

“알았으니까 넌 아무것도 하지 말고 가만있어.”

“네?! 하, 하지만……!”

“철아, 네 의혹이 사실로 밝혀진다면 그건 경찰과 검찰의 일이야. 너처럼 민간인의 일이 아니라.”

“……알겠습네다.”

‘전혀 아는 것 같지가 않은데…….’

하지만 지금 말한다고 해서 들을까.

“좋아. 그럼 형 부탁 하나만 들어줄래?”

“뭐, 뭡네까?”

종혁은 부탁할 것을 말했고, 순철의 얼굴은 확 밝아졌다.

“그건 쉽습네다! 지금 바로 해 드립네까?”

“대신 이것 하나만 약속하자. 이것 말곤 절대 아무것도 하지 마. 알았지?”

만약 이 이상 개입을 한다면 그땐 정말 혼을 낼 생각이었다.

“알갔습네다! 걱정 마시라요!”

“그래, 믿는다.”

웃어 준 종혁은 나머지 밥을 입에 우겨넣고는 일어서

방으로 향했다.

순철 덕분에 큰 정보를 알게 됐다.

단순히 사건 파일로만 접했던 그날의 숨겨진 내용과 결시일.

'마냥 아침부터 죽치고 있으려고 했는데…….'

뿌드득 목을 좌우로 꺾은 종혁은 이를 드러냈다.

"운동 다시 해야겠네."

종혁은 핸드폰을 들었다.

"예, 팀장님. 저 종혁입니다. 예전에 하신 약속 지금도 유효한가요?"

예전, 러시아에 피지컬 트레이닝 전수를 위해 다녀온 날 공항에서 한 약속.

전화를 끊은 종혁의 눈이 살기등등하게 빛나기 시작했다.

"아, 오 경위님. 저 오늘 결근이요."

–뭐 인마?!

'종수 형에게도 오늘 간다고 연락해야겠네.'

* * *

"후우. 후우."

헤드셋을 낀 채 컴퓨터 앞에 앉은 고영광은 모니터를 보며 숨을 골랐다. 실전다운 실전은 오늘이 처음이라서 그런지 가슴이 답답해질 만큼 심장이 뛴다.

[rabbit Foot]님의 채팅-시작까지 10분 남았네. 모두 배는 든든하게 채우셨어?

[Blow hook]님의 채팅- 난 일할 때 공복으로 해서 물만 마시는 중임.

[winTer castle]님의 채팅- 난 든든하게 국밥 먹음.

[Blow hook]님의 채팅- 아오, 저 국밥성애자. 차라리 국밥 킹이라고 짓지 그러냐!

[winTer castle]님의 채팅- 오, 그럴까? 나이스 자위머신.

[Blow hook]님의 채팅- 아니라고, 씨발라마 ㅡㅡ^ 여자한테 그런 말 쓰지 말라고, 개새끼야.

"킥킥."

긴장을 사르르 녹이는 커뮤니티 형, 누나들의 만담에 고영광도 얼른 채팅을 쳤다.

[Dark Dragon Arm]님의 채팅- 저도 먹었어요!

[rabbit Foot]님의 채팅- ㅎㅎㅎ 다들 스탠바이인 것 같네. 그런데 이 양반은 왜 안 와?

[Blow hook]님의 채팅- 그러게. 똥 싸나?

고영광도 고개를 끄덕였다.

시작 10분 전인데 자신들에게 일을 맡긴 사람이 오질 않는다.

"무슨 일이 있는 건가? 설마 갑자기 없던 일로 한다는 건……."

'그럼 내 알바비는?'

저녁 아르바이트를 쉬면서까지 애써 만든 시간이다. 고영광은 초조해질 수밖에 없었다.

그때였다.

[chief kim 님이 접속했습니다.]

"왔다!"

[rabbit Foot]님의 채팅- 뭡니까, 왜 이렇게 늦었어요.

[chief kim]님의 채팅- 일이 있었습니다. 늦어서 죄송합니다. 그럼 바로 오더를 정하겠습니다. 오더는 다암 님이 해 주시길 바랍니다.

[Dark Dragon Arm]님의 채팅- 네?

반사적으로 채팅을 친 고영광은 눈을 껌뻑였다.

"내, 내가 오더를? 마, 말도 안 돼!"

모니터 안에서도 격렬한 반응이 일어나고 있었다.

[chief kim]님의 채팅- 다암 님을 무시하는 건 아니지만, 클라이언트 쪽에서 말하길 대단한 실력자가 오더를 잡는 건 피해 달라고 하더군요. 너무 쪽팔리는 건 안 된다고.

[rabbit Foot]님의 채팅- 아, 그럼 어쩔 수 없네.

[Blow hook]님의 채팅- 쳇. 이런 건 제대로 까야 지들이 뭘 잘못하는지 아는 건데.

[winTer castle]님의 채팅- 난 찬성. 다암이가 나이가 적을 뿐이지 실력이 떨어지는 것도 아니니까. 그런데 다암이는 괜찮겠어?

'괜찮냐고?'

괜찮지 않다.

업계 선배인 형과 누나들을 오더한다?

이건 중학생이 대학생들을 가르치는 것과 같은 거다.

하지만…….

[rabbit Foot]님의 채팅- 힘들어도 해 봐. 이런 거 다 경험이다.

[Blow hook]님의 채팅- 그래. 한번 해 봐. 다암이가 오더 잡으면 재밌겠네. 힘들면 우리가 받쳐 줄 테니까 부담 갖지 마.

'형들. 누나들…….'

입술을 꾹 깨문 주먹을 꽉 쥐었다.

'그래! 형, 누나들이 있는데 뭔 걱정이야! 해 보자!'

자신의 지휘에 사람들이 일사불란하게 움직이는 꿈을 매일 꾸지 않았던가.

그는 용기를 내어 키보드에 손을 얹었다.

[Dark Dragon Arm]님의 채팅- 네, 그럼 해 볼게요!

[rabbit Foot]님의 채팅- 오케이! 그래야 남자지!

[Long Dick]님의 채팅- 응? 나 불렀어?

[Blow hook]님의 채팅- 넌 좀 닥쳐! 이 성추행범아!

[chief kim]님의 채팅- ㅎㅎ. 그럼 5분 후 세진은행 불시 보안 테스트를 시작하겠습니다. 모두 건투를 빕니다.

[Dark Dragon Arm]님의 채팅- 네. 끝나고 봬요, 김 주임님.

'해 버렸다!'

결국 승낙해 버리고 말았다.

이젠 빼도 박도 못함에 고영광은 떨리는 손을 꽉 잡았다.

'더티 래빗 선생님! 제게 힘을 주세요!'

자신들에겐 전설 중 한 명인 더티 래빗.

우연히 그가 쓴 자서전을 발견하고 이쪽에 대한 꿈을 꾸게 된 고영광은 초조하게 시간이 되길 기다리다가 마이크 전원을 켰다.

"후우. 오더를 맡은 다암입니다. 그럼 지금부터 20초 후 세진은행 불시 보안 테스트를 진행하겠습니다."

–준비 완료.

–라져 뎃.

시간이 가까워지자 방금 전까지 한없이 가볍던 형과 누

나들의 목소리에 진지함만 남는다.

그래선지 더 부담이 솟는다.

하지만 언젠가 자신이 겪고, 거쳐야 할 길.

고영광은 마음을 다잡았다.

그리고…….

삐비비!

알람이 울렸다.

"다이브 시작."

이제부터가 시작이다.

보안 전문가 고영광의 커리어는.

고영광은 빠르게 키보드를 두드리면서 입을 열었다.

타라라라라라라락!

–오, 씨발. 반격이 거센데?

–작은 은행이라고 무시할 게 아니잖아!

–어떻게 할까, 오더?

형, 누나들의 말처럼 방어가 너무 탄탄하고 반격이 거세다.

고영광은 하는 수 없이 정면 승부를 버리기로 했다.

"토끼발 형, 우회! 겨울왕국 형과 블로 훅 누나가 디코이해서 시간 벌어 주시고! 롱딕 누나는 깔짝이 하며 대기!"

–우회 중!

–야, 국밥 킹. 거기 들어오잖아!

"막아…… 겨울, 역추적! 끌어들여요!"

—뭐? 역추적인데? 알았어, 씨발!

빠르게 전투의 판세를 읽고 있던 고영광은 순간 뭔가를 보고 눈을 빛냈다.

"지금! 롱딕 누나, 잘라요!"

—……커엇 완료!

—그렇지!

"겨울 형 빠지고, 토끼발 형!"

—우회 성공! 침투 중 디코이 요망!

"블로 누나!"

—간다!

"저도 지원 들어갑니다!"

타라라라라라라라락!

'제발…… 제발…….'

영광은 부디 저쪽에서 이쪽의 의도를 읽지 못하기를 바라며 거세고 거세게 공격을 해 갔다.

역추적의 뱀이 몸을 휘감아 와도 공격일변도로 달려들고 달려들었다.

'토끼발 형! 뭐하는 거야?! 왜 이렇게 늦어!'

앞으로 겨우 몇 초. 그때부턴 역추적의 뱀이 목을 물어뜯을 거다.

그럼 실패였다.

'안돼. 이렇게 허망하게 끝낼 순…….'

그 순간이었다.

"어?"

갑자기 사력을 다해 방어하고 반격해 오던 적들의 움직임이 멈추며 성문이 열린다. 아니, 성벽 자체가 햇빛에 녹는 눈처럼 사라지고 있었다.

그러며 화면에 점점이 찍히는 파충류 발자국.

—다들 나 찾았어?

"혀어어엉—!"

—이야야야야야!

—으아자봉—!

—왜 이렇게 늦은 거야, 이 사랑스런 오빠 새끼야!

—오더가 다암이라 시그니처 바꾸느라 시간이 좀 걸렸지.

'내 시그니처 그거 아닌데…….'

그래도 웃음이 나온 고영광은 얼른 채팅을 켜서 일이 끝났다는 걸 알렸다.

[chief kim]님의 채팅— 수고하셨습니다. 약속한 돈은 내일까지 입금해 드리겠습니다.

[Dark Dragon Arm]님의 채팅—네, 감사합니다. 저흰 흔적 지우면서 나갈게요.

흔적 지우며 철수.

이건 김 주임이 요구한 것이었다.

"흐히히히히. 돈이다, 돈."

감히 학생으로선 꿈도 못 꿀 액수.

두 개의 알바를 한 달 동안 해야 벌 수 있는 거액도 거

액이지만, 은행이라는 거대한 성을 뚫은 성취감이 온몸을 저릿저릿하게 울렸다.

"그럼 다들 철수 준비하죠."

-ㅇㅇ

-원래 진정한 신사는…….

-닥쳐.

다시 가벼워지는 형, 누나들의 모습에 킥킥 웃던 고영광도 흔적을 지우기 위해 키보드에 손을 얹었다.

그런데 너무 흥분해서일까.

갑작스럽게 난 오타를 지우려 했던 그는 모니터 속에서 벌어지는 광경에 눈을 껌뻑였다.

그러곤 의아해하며 키보드를 두드렸다가 딱딱하게 굳어 버렸다.

"아? 어?"

-왜 그래? 뭔데?

"이, 이거 뭔가 이상해요! 우리 말고 다른 사람들이 은행 정보를 확인하고 있어요!"

정보뿐만이 아니다. 갑작스럽게 돈이 어딘가로 빠져나가고 있었다.

-……뭐?

고영광의 헤드셋에서 키보드를 두들기는 소리들이 들렸다가 갑자기 멈췄다.

그리고…….

-씨발! 야, 다들 손 떼!

"왜, 왜요! 뭔데요!"

—일단 빠져나와! 절대 흔적 남기지 마!

그 말을 남긴 후 토끼발은 보이스채팅에서 나가 버렸고, 그건 다른 이들도 마찬가지였다.

당분간 연락하지 말자는 말을 남기고 나가 버린 그들.

"뭐, 뭐야. 뭔데!"

순간 두려움에 휩싸인 고영광은 일단 흔적을 지우며 빠져나온 후 손톱을 깨물었다.

'대체 뭐가 어떻게 돌아가는 거야!'

그때였다.

쿵쿵!

흠칫!

고영광은 다급히 거실 쪽에 난 작은 창문을 봤다.

"다크 드래곤 암? 안에 있지? 문 좀 열어 볼래?"

'흡?!'

"……없나?"

"그럴 리가 없잖아. 나온 걸 본 적이 없는데."

하얗게 질린 영광은 숨을 죽이며 본능적으로 컴퓨터 책상 밑에 숨었다. 그리고 핸드폰을 들었다.

"거, 거기 112죠? 저, 저는 고등학생이고, 오늘 사람들이랑 은행 보안 테스트를 했는데, 그게 해킹이 돼서 지금 저희 집에 누가 잡으러 왔거든요?"

숨을 죽인 그는 횡설수설 말을 뱉어 냈다.

—……장난 전화는 하지 마세요.

"여, 여보세요! 여보세요!"

순간 눈앞이 아득해진다.

다급하지만, 목소리를 높일 수 없어 발을 동동 구르던 영광은 순간 누군가의 얼굴이 떠오르자 재빨리 전화를 걸었다.

—여보세요?

"혀, 형. 저 좀 살려 주세요! 누가…….

—알아. 지금 네 집 앞이니까 문 잠그고 있어.

"네?"

"어이—! 좀도둑 둘! 나 좀 보자?"

밖에서 들려오는 종혁의 외침에 영광은 눈을 부릅떴다.

* * *

한여름이라는 걸 자랑이라도 하듯 밤에도 무더운 날씨.

대충 시간이라서 박정수 집의 옥상에서 담배를 피우는 척 옆집의 동태를 살피다 담벼락을 넘는 둘을 발견한, 그들의 손에 끼워진 반지를 발견한 종혁은 이를 드러냈다.

'그래. 너희 맞구나, 새끼들아.'

그럼 앞으로 해야 될 일은 하나다.

종혁은 그대로 담벼락을 박차며 옆집에 난입했다.

쿠우웅!

흠칫 놀라며 쳐다보는 두 명의 모습에 종혁의 미소는 더욱 짙어졌다.

그 순간이었다.

–지치고 힘들 땐…….

종혁은 갑자기 울리기 시작한 핸드폰을 들었다.

"알아. 지금 네 집 앞이니까 문 잠그고 있어."

전화를 끊으며 그들을 부른 종혁은 손가락을 까딱였다.

"뭐해? 목격자잖아. 안 와?"

그 말에 서로를 본 두 명은 한숨을 내쉬며 종혁에게 다가왔다.

"이거 뭔가 오해가 있는 것 같은데, 저흰 경찰입니다. 지금 해킹에 대한 신고가…… 컥?!"

콱 목을 틀어쥔 종혁은 고개를 모로 기울였다.

"어느 서? 난 본청 소속인데."

종혁이 꺼낸 경찰공무원증에 순간 눈을 부릅뜨는 둘.

"말 못 하지? 그럼 죽어."

종혁은 바깥다리를 걸듯 그의 다리를 걸며 그대로 땅에 처박았다.

쿠웅!

"컥!"

유도에서 금지된 기술, 목 잡고 바깥다리 걸기.

그 효과는 대단했다. 단숨에 땅에 처박힌 놈의 눈동자에서 초점이 사라지기 시작했다.

'자, 이제 그럼?'

종혁은 다른 놈을 요리하기 위해 고개를 틀었다.

그 순간 쉬익 날카로운 소리를 내는 칼날이 위에서부터

목을 향해 찔러 들어온다.

느려진 시간 속에서도 꽤 빠르면서도 치명적인 공격.

종혁은 몸을 비틀며 주먹을 뒤로 잡아당겼다.

"너도 뒈…… 어?"

갑자기 시야 안에 들어오는 발이 칼을 휘두르던 놈을 노린다.

그에 칼을 휘두르던 놈은 다급히 가드를 했고, 발은 그 위에 작렬했다.

빠어억!

"큽?!"

"사건을 안 맡기는 씨발. 내가 이럴 줄 알았어, 새끼야."

종혁을 등지며 선 작은 키의 사내.

종혁은 이 사람이 누군지 알고 있었다.

"오 경위님?"

'당신이 여기 왜 있어?'

종혁은 눈을 껌뻑였다.

휘이잉.

갑자기 불어온 서늘한 바람이 무더위를 날리고, 종혁은 섬뜩해지는 옆구리에 다급히 손을 놓으며 물러난다.

슈악!

종혁의 옆구리가 있던 자리를 꿰뚫은 군용대검 한 자루.

그걸 쥔 사내는 몸을 일으키며 코피를 닦았고, 종혁은 의외의 상황 때문에 놓쳐 버린 기회에 혀를 찼다.

'최소한 수갑을 채웠어야 했는데…….'

종혁은 작은 원망을 담아 오택수를 봤다.
"나 미행했어요?"
"지금 그게 중요하냐, 새끼야?"
맞다. 중요하지 않다.
놈들이 자세를 잡자마자 일어난 섬뜩한 살기가 온몸을 엄습하고 있었기 때문이다.
베테랑의 심장을 저릿저릿하게 만드는 살기.
오택수의 표정이 딱딱하게 굳었다.
지금껏 수많은 범죄자를 만나 보았지만, 이토록 진득한 살의를 내뿜는 놈들은 처음이었다.
"야, 최 또라이. 이 새끼들 뭐냐?"
"나도 모릅니다. 아는 형 집 놀러 왔다가 저 새끼들이 담 넘는 거 보고 잡으러 온 거예요."
"넌 씨발……."
정말 김종두 과장의 말처럼 사건이 따라다니는 것 같다.
자신도 모르게 헛웃음이 나왔던 오택수는 이내 낯빛을 굳혔다.
"야, 긴장해. 여태껏 우리가 상대했던 놈들과는 다른 새끼들인 것 같으니까."
"됐고, 오 경위님은 저기 반지하 입구나 지켜요."
"뭐?"
팔을 늘어트린 종혁은 그들을 향해 거침없이 걸어갔다.
"야! 저 미친 새끼!"
혼자서 덤벼드는 종혁의 모습에 당황한 건 출장을 나온

조직의 사원 둘도 마찬가지였다.

둘은 서로를 바라보며 고개를 끄덕였고, 그중 종혁에게 목을 잡혀 땅바닥에 처박혔던 놈이 앞으로 나섰다.

그리고 전조도 없이 칼을 찔렀다.

하지만…….

쩍!

"……?"

주춤 물러난 군용대검을 든 사원은 눈을 껌뻑였다.

뭐에 맞은 건지 모르겠지만, 해머로 맞은 듯 막대한 충격이 골을 울린다.

그 순간 다시 쩍 소리와 함께 코피가 터졌다.

"컥!"

어느새 복싱 자세를 취한 종혁은 코를 잡고 물러난 그를 보며 싱긋 웃었다.

"왜? 안 보였어?"

"……참가한다."

다른 사원이 초승달 형태의 단검인 카람빗을 꺼내며 자세를 잡았고, 둘은 동시에 종혁을 향해 달려들었다.

왼쪽 목을 노리는 카람빗과 앞으로 내민 오른 무릎을 찍는 군용대검.

종혁은 느린 시간을 빠르게 유영하는 두 개의 공격에 눈빛을 싸늘하게 가라앉히며 발을 뒤로 내디뎠다.

"뻔해, 병신들아."

종혁은 허리를 틀며 왼쪽 목을 노리는 카람빗 든 사원

을 향해 숨겨 두었던 오른 주먹을 강하게 내질렀다.

쩌어억!

턱을 얻어맞은 카람빗을 든 사내의 고개가 돌려지자, 종혁은 재차 허리를 돌리며 허공에 군용대검을 휘두르던 놈의 관자놀이를 후려쳤다.

쩌억!

그리고 그대로 그를 덮치며 주먹을 해머처럼 내리쳤다.

쩍! 쩍! 쩍!

사람의 얼굴을 박살 내는 데도 흥분 한 점이 들어 있지 않은 눈.

오싹!

'이 자식…….'

군용대검을 든 사원은 그 생각을 마지막으로 정신을 잃었다. 그의 손에서 피 묻은 군용대검이 떨어져 내렸다.

"야! 최종혁!"

섬뜩!

고개를 돌린 종혁은 사각에서 눈을 찔러 오는 카람빗에 다급히 몸을 뒤집으며 그 팔을 양다리와 양팔로 휘감았다.

그리고…….

뿌드득!

"크으읍?!"

"유도선수한테 달려드는 거 아니다, 병신아."

종혁은 꺾여 버리다 못해 덜렁거리는 그의 팔꿈치를 놓으며 재빨리 그의 등 뒤로 달려들어 목을 휘감았다.

그리고 그의 사타구니를 잡아 몸을 어깨에 걸치며 높이 쳐들었다.

"뒤지진 않을 거야."

"미친……."

지금부터 하려는 건 상대의 등을 어깨에 고정시켜 뒤통수부터 떨어트리기에 낙법도 할 수 없는 끔찍한 기술이다.

혹여 운이 좋다고 해도 어깨 골절을 피할 수 없는 기술.

하지만 종혁은 망설임 없이 놈을 바닥으로 찍어 버렸다.

콰드득!

뼈가 부서지는 듯한 소리와 함께 축 늘어져 버리는 놈의 몸.

그제야 본인의 긴장도 풀며 일어선 종혁은 자신이 만든 광경을 가만히 둘러보았다.

한 명은 다리를 뒤로 뒤집은 채 꿈틀거리고 있고, 다른 하나는 얼굴이 피투성이가 되어 꿈틀거리고 있다.

마치 사람에게 밟힌 애벌레 두 마리 같다.

'너희에겐 묻고 싶은 게 많아.'

하지만 지금은 아니다.

오택수 때문이 아니라 답을 해 줄 사람이, 꼬리인 이들의 몸통을 알려 줄 사람이 따로 있기 때문이다.

"작품이라도 감상하냐?"

"아, 수고하셨어요. 덕분에 마음 놓고 싸울 수 있었습니다."

정말이다. 오택수가 반지하 입구를 지키지 않았다면 이

렇게 진심으로 날뛰지 못했을 것이다.

이 두 놈도 오택수 때문에 심리적으로 부담감을 느꼈을 터.

"지랄한다! 너 지금 옆구리에 구멍 뚫렸어! 어깨도!"

"네?"

"거기 말고 반대쪽!"

"……아, 진짜네."

언제 찔렸는지 옆구리가 피에 젖어 가고 있다.

대략 7cm만 높이 찔렸어도 위험했던 부위.

아까 군용대검을 든 놈을 덮칠 때 옆구리가 따끔했었는데 그게 이건 것 같다.

종혁은 '둘 정도는 껌이네'라고 생각하려던 걸 관둬야 했다.

회귀 후 처음으로 먹은 칼빵.

끔찍한 참사가 예고된 상황에서도 포기하지 않고 결국 송곳니를 박아 넣은 것에 종혁은 절로 나오는 헛웃음을 터트렸다.

'지독한 새끼들.'

너무 쉬워서 자신도 모르게 방심했나 싶지만, 그보다는 놈들의 독심이 혀가 내둘러진다.

어깨에 꽂힌 카람빗을 뽑은 종혁은 혀를 차며 발을 내디뎠다.

그에 오택수가 식겁하며 외쳤다.

"하지 마, 새끼야!"

"뭘 하지 마요. 이 새끼들 수갑 채우려는 건데."

순간 오택수의 얼굴이 빨개진다.

"그, 그건 내가 할 테니까 쉬어. 너 그러다 죽어!"

"여기 찔려선 안 죽어요."

"뭐?!"

"그럼 걔들은 오 경위님에게 맡길게요. 과장님께도 대신 연락해 주세요."

"야! 야-!"

오 경위의 외침을 뒤로한 종혁은 반지하로 걸어가 핸드폰을 들었다.

-여, 여보세요?

"형이다. 문 열어."

이놈이다.

꼬리인 저들의 몸통을 알려 줄 사람이.

놈들이 무슨 짓을 했고, 대체 뭘 봤는지 알려 줄 사람이.

우당탕! 벌컥!

"혀, 형? 혀엉……!"

피에 젖은 옆구리를 발견한 고영광은 결국 울음을 터트리고 말았고, 종혁은 마음고생했다며 그의 머리를 헤집었다.

"그럼 이야기 좀 들어 볼까?"

"네?"

"저 새끼들이 왜 널 찾아온 건지 짚이는 게 있지?"

종혁은 순간 떨리기 시작하는 그 두 눈을 보며 이를 드러냈다.

"불어. 뭐야?"

"아…… 토, 토끼발 형, 블로 누나……."

"뭐?"

"토끼발 형이요! 블로 누나! 그 사람들도 구해야 돼요!"

순간 상황을 파악한 종혁은 푸근히 웃었다.

"걱정 마. 거긴 나만큼 위험한 인간들이 가 있을 테니까."

어떤 면에선 종혁 본인보다 더 위험하다.

'혹시 국정원이라고 아니?'

예전, 러시아에 피지컬 트레이닝 전수를 끝내고 돌아온 날 공항에 마중을 나왔던 국정원. 간단한 부탁 정도는 들어주겠다 약속한 그들.

종혁은 그런 그들에게 순철에게 토끼발 등의 접속 아이피 주소를 얻어 넘겨주었다.

"걱정 말고 형을 믿어."

종혁은 얼떨떨 고개를 끄덕이는 고영광을 향해 입을 열었다.

"그래서 대체 뭘 본 거냐?"

* * *

서울에 위치한 5층짜리 건물이 갑자기 시끄러워진다.

"빨리 정리해!"

"그냥 본체만 챙겨! 시간 없어!"

세진은행 프로젝트의 뒤처리를 위해 출장을 나간 사원

들 중 하나의 조가 붙잡힌 것도 모자라 다른 조들까지 경찰에 쫓기고 있다고 한다.

그들은 지부 폐쇄를 선택할 수밖에 없었다.

불이 붙은 담배를 입에 문 육십대 여성은 그 모습을 보며 헛웃음을 흘렸다.

"여기가 도떼기시장도 아니고……."

그래도 차라리 이게 낫다.

출장을 나간 사원을 보조하기 위해 함께 파견한 지원부 감시조의 사원들이 아니었다면 일이 어그러졌다는 걸 한 박자 뒤에나 알게 됐을 것이다.

'1999년 대전 지부와 강원도 연수원이 날아간 이후 감시에 더 신중을 기하기로 한 게 아니었다면?'

강원도 연수원이 날아가면서 함께 날아간 서울 제3지부 꼴이 날 뻔했다.

"지랄 염병이네, 진짜!"

'당장 한 달 후면 장남 결혼식인데 이게 뭐냐고!'

언제나 그녀의 자랑이었던 장남.

턱시도를 입고 늠름하게 입장하는 모습을 사진으로도 볼 수 없다고 생각하니 치가 떨리고 이가 갈린다.

장남뿐만이 아니다.

무뚝뚝하지만 잔정이 많은 차남, 기가 센 장녀, 귀염둥이 막둥이까지 다신 볼 수가 없다.

머리끝까지 분노가 치솟고 있었다.

그런 그녀에게 오십대의 남성이 다가선다.

“이제 가셔야 할 시간입니다, 지부장님.”

“누구던가요?”

“특수범죄수사과라고 합니다.”

“……전체 다?”

“현재 파악 중이지만, 최종혁이 최초로 사원들을 잡은 것 같습니다. 장소는 다크 드래곤 암이라는 디코이의 집입니다.”

“또 듣네요. 그 이름.”

눈빛이 차가워진 지부장이 이를 간다.

빠드득!

‘이 개새끼란 말이지?’

가족과 생이별을 하게 만든 악마가 말이다.

하지만 뭔가 안 맞는 부분이 존재한다.

“시간상 안 맞지 않나요?”

종혁이 사원들을 처리하고, 다크 드래곤 암에게 정보를 얻어 특수범죄수사과 형사들을 파견하기까지 걸리는 시간과 정체불명의 무리가 출장 나간 사원들을 막아선 시간이 일치하지 않는다.

디코이들의 제거는 같은 시각에 이뤄지기로 했으니 말이다.

그리고 지원조가 말하길 출장 나간 사원들을 제지한 이들은 왠지 경찰과 다른 분위기였다고 했다.

“아무래도 이번 프로젝트에 관한 정보가 사전에 유출된 게 아닌가 싶습니다.”

"……커뮤니티."

"예. 아무래도 그 커뮤니티에서 세진은행 프로젝트에 대한 부정적인 의견도 있었기에 그중 누군가가 최종혁과 인연이 있어 연락을 했고……."

현재 특수범죄수사과 소속이 아닌 최종혁은 혹시나 하는 마음에 나름 감시를 붙인 것일 터다.

그러다 디코이를 제거하러 출장을 나간 사원이 걸린 거다.

"그래서 특수범죄수사과가 추격의 바통을 넘겨받은 거군요."

"현재 가장 유력한 가설입니다."

'빌어먹을! 운이 없어도 이렇게 없을 수가 있지?'

이 프로젝트에 걸린 일들이 얼마나 많던가.

또 대형 프로젝트도 연관이 되어 있었다.

해커들의 커뮤니티 사이트라 그 안에서 활동하는 해커들이 뭔가 이상한 걸 눈치채도 정보의 출처를 밝힐 수 없을 거라 생각해서 프로젝트를 승인했는데, 결국 이렇게 코가 깨져 버렸다.

"알았어요. 그럼 그 이름 본사에 올리고 이제부터 관리해 달라고 전하세요. 안 그러면 내가 미쳐 날뛰는 꼴을 보게 될 거라고 덧붙이고요!"

"예."

"후우. 프로젝트 결과는요?"

"죄송합니다……."

중요한 순간 교란 목적으로 모집했던 고영광들에게 목

격이 되어 다급히 물러나는 수밖에 없었다.
때문에 중요 정보도, 돈도 모두 목표치를 달성할 수가 없었다.
"……쯧. 가죠. 부산으로."
"모시겠습니다."
그렇게 그들이 빠져나가고 약간의 시간이 흐른 후 뻐어엉 소리와 함께 그들의 있었던 건물이 폭발했다.

* * *

삐용삐용.
구급차가 수시로 도착하는 병원의 VVIP실에 누운 종혁은 뚱한 눈으로 쳐다보는 김종두 과장의 시선을 피해 고개를 돌렸다.
"경찰 이미지 마케팅이라며? 요샌 그런 내근직도 칼을 먹는가 보다?"
"하하. 이래서 운 나쁜 놈은 뒤로 넘어져도 코가 깨진다나 봐요."
"하하? 그래? 운이 나빴어?"
"네. 전 억울합니다. 아는 형 집에 놀러 갔을……."
"이 개새끼야-!"
김종두가 종혁을 향해 달려들자 함께 문병을 온 형사들이 다급히 붙잡았다.
"에헤이! 진정해요, 진정. 저거 처음으로 칼 맞았잖아요."

"그러니까 딱 한 대만 때릴게. 딱 한 대마안!"

"과장님, 진정시켜."

"읍! 으으읍!"

특수범죄수사과의 2인자 박대철은 실실 웃고 있는 종혁을 보며 입술을 비틀었다.

"처음 맞아 본 칼찌 맛은 좀 어때? 맛있냐?"

진짜 형사가 되기 위한 통과 의례라고 할 수 있는 칼빵. 칼찌.

이 트라우마를 이겨 내지 못하고 형사를 관두는 사람이 굉장히 많다.

"딱히? 솔직히 오 경위님이 말하지 않았으면 집에 가고 나서야 알았을걸요?"

종혁의 눈을 빤히 바라본 형사들은 풀썩 웃었다.

흔들림은커녕 무심하기까지 한 눈.

"……그래. 너 형사 해라, 씨발."

"아하하. 그래서 다른 피해자들은 어떻게 됐어요?"

그 말에 난동을 부리던 김종두도 몸을 멈추고, 못 말리겠다며 고개를 젓던 형사들의 낯빛도 어두워진다.

"후우. 두 명이 중상이야. 다행히 목숨이 위험할 정도는 아니라는데……."

무려 중상이다. 수술을 무사히 끝낸다고 해도 아마 꽤 오랜 시간 거동이 불편할 거다.

"다른 세 명은 경상. 정말 다행히도 다들 서울에 살아서 빨리 도착할 수 있었어."

"다행이네요. 정말로……."

종혁은 중상을 입은 그들의 후유증이 적기를 기도했다.

"그래서."

"네?"

"그 사람들은 누구냐?"

피해자들이 말하길 형사인 자신들이 도착하기 전 누군가가 놈들에게서 구해 줬다고 했다.

종혁은 얼른 말하라 눈으로 외치는 그들에게 대략적인 사정을 설명했다. 국정원이란 단어를 쏙 뺀 채 말이다.

'국정원과 내 관계가 밝혀져선 안 돼.'

그렇게 되면 놈들도 금세 알게 될 것이고, 그렇게 되면 일이 복잡해진다. 그렇기에 국정원에 부탁을 할 때도 신원을 밝히지 말라고 하지 않았던가.

'놈들은 계속 방심을 해야 돼.'

아마 놈들은 오래 지나지 않아 본인과 국정원의 관계를 의심하게 될 거다. 일단 국정원의 피지컬 트레이닝을 맡았으니까.

'하지만 의심과 확신은 그 무게가 완전히 다르지.'

"하. 그 외모만 꼬맹이가 큰일을 해 줬네……."

이 피해자들을 구한 건 종혁이 아니라 순철이라고 할 수 있었다.

"그래서 우리에게 먼저 말을 안 한 거구나?"

"철이가 말해 준 거지만, 정보를 얻은 곳의 출처가 믿을 수 없는 곳이었으니까요. 그래도 미리 말 안 해서 죄송합니다."

"……그래. 다음부터는 그러지 마라. 우리가 남이냐?"

그들은 미리 말을 하지 않은 종혁에게 많이 섭섭했지만, 자신들 역시도 그랬을 것 같기에 이해하기로 했다.

"그래, 수고했다. 쉬어라."

"예, 조심히 들어가세요. 놈들 잡으면 연락해 주시고요."

"쉬어."

종혁의 어깨를 두드린 형사들이 나가자 종혁은 베게 뒤에 숨겨 둔 담배를 꺼내어 물었다.

찰칵! 치이익!

"후우우."

'걸릴까?'

일단 판을 깔았으니 됐다.

그럼 뭐라도 기웃거릴 터.

'그때가…….'

"아무리 VVIP라지만, 병실에서 담배를 피워도 되는 건가?"

위험한 눈빛을 짓던 종혁은 문을 열고 들어오는 사람을 보곤 고개를 모로 기울였다.

"청장님께서 여긴 왜……."

이택문 경찰청장뿐만 아니다. 돌아간 줄 알았던 김종두도 함께 들어오고 있었다.

그것도 똥 씹은 표정으로 말이다.

뚜벅뚜벅 걸어온 이택문은 종혁의 입에 물린 담배를 빼앗아 본인의 입에 가져갔다.

"후우우."

무슨 일인지 모르겠지만 거슬리는 게 있는지 뚱한 얼굴의 미간을 좁히고 있는 이택문.

그는 꽤 시간이 흐른 후에야 혀를 차며 입을 열었다.

"최 경감."

"예, 말씀하십시오."

"이번 사건 넘기기로 했으니 그렇게 알아. 그럼 가지."

"아, 역시 그렇게 됐습니까?"

"음?"

종혁은 의아해하는 둘의 모습에 소리 죽여 웃었다.

'거봐. 방심을 하니까 이렇게 알아서 꼬리를 드러내 주잖아!'

그것도 이렇게 빠르게 말이다.

"푸하하하하핫!"

종혁은 결국 웃음을 터트리고 말았다.

"아이고, 배야."

옆구리의 실밥이 터질 듯 따끔거리고 나서야 웃음을 멈춘 종혁은 다시 뚱한 얼굴로 돌아온 이택문을 보며 이를 드러냈다.

"얼마나 많던가요. 세진은행이 털리면 안 되는 인간들이."

"많았지."

오늘 하루, 아니 하루도 아니다. 1시간도 안 돼서 연락이 온 곳만 열 곳이 넘는다.

다들 불면 날아가 버릴 송사리였지만, 그들의 배후는

이택문의 자리를 위험하게 만들기에 충분한 권력을 가진 이들이었다.

“사건은 어디로 넘어갑니까?”

“부산청.”

‘박종명?’

의외의 이름이 튀어나오자 종혁은 눈을 껌뻑였다.

하지만 이내 곧 이해했다.

종혁이 파악한 박종명은 권력지향형 인물이다. 충분히 가능성이 있었다.

‘문제는 이 인간이 그 조직과 얽혔냐는 건데…… 일단 체크.’

“씁! 최종혁, 얼른 아는 거 안 불지?”

상황 파악을 끝내고 경악하던 김종두 과장이 재촉을 하고, 이택문도 눈빛으로 재촉을 하자 종혁은 베게 뒤에서 쪽지 하나를 꺼내어 내밀었다.

“혹시 이 이름들입니까?”

“……?!”

어떻게 알았냐는 의문이 담긴 이택문의 눈빛에 키득키득 웃은 종혁은 다시 베게 뒤에서 다른 쪽지를 꺼내어 내밀었다.

“이번 일에 억울하게 휘말린 고영광 씨가 목격한 겁니다. 아마 이 사람이 놈들의 진짜 목표가 아니었나 생각됩니다.”

“……유달수?”

"계좌번호가 몇 번으로 시작하는지 보이십니까? 참고로 힌트는 남산입니다."

"중정?"

중앙정보부. 안기부의 전신이자, 옛 군부독재의 흔적.

그 민감한 단어가 나오자 이택문의 얼굴이 딱딱하게 굳었다.

"조사해 보시면 꽤 재밌는 게 튀어나올 겁니다."

"야, 최 경감."

"저도 이 이상은 모릅니다."

아니다. 안다.

회귀 전 이때쯤 대한민국을 뒤흔든 사건이 하나 있었다.

과거 군부독재 시절의 망령이 죽지도 않고 기어 나와 떠벌린 어떤 말 때문에 대한민국 재계 서열 1위의 기업 회장이 휠체어를 타고 검찰에 출석을 하였다.

'설마 그게 이놈들 작품이었다니!'

솔직히 유달수란 이름만 가지곤 회귀 전의 그 사건과 연결을 시킬 수가 없었다.

그런데 전 대검찰청 중앙수사부장이었던 중앙지검 검사장이 알려 준 몇몇 정보들 가운데 이 계좌번호에 대한 게 있었다.

과거 중앙정보부 및 안기부가 소속 요원들이 은행에서 통장을 발급받으면 무조건 이렇게 시작되는 번호였다고 말이다.

그렇다 보니 절로 이 사건이 떠올랐다.

그런데 문제는 회귀 전, 세진은행 해킹 사건과 이 사건은 분명 별개의 사건이라는 점이다.

하지만 알고 보니 이어지는 사건.

'대체 왜? 뭣 때문에 이런 짓을 저지른 거지? 설마…….'

"야, 설마 이거 이 새끼들이 이 유달수란 놈의 뒷주머니를 털어서 멱살을 잡고 뭔가를 터트리려고 한 거 아닐까?"

흠칫!

마침 같은 생각을 하던 중이라서 속으로 놀란 종혁은 말을 꺼낸 김종두를 보며 고개를 끄덕였다.

"저도 그 생각을 하는 중입니다."

유달수는 과거의 망령이다. 이 계좌에 든 돈 한 푼이 아쉬울 인간이란 소리다.

종혁은 이택문을 봤다.

"조용히. 연락 중이니까."

검지를 입에 가져갔던 이택문은 마침 상대방이 전화를 받자 입을 열었다.

"원장 되십니까? 나 이택문 청장입니다. 옛 중정이나 안기부 요원이었던 사람의 신상을 알고 싶어서 연락드렸습니다. 아마 내용을 들어 보시면 원장도 꽤 관심이 생길 겁니다."

이택문은 약간 떨어진 곳으로 걸음을 옮겨 본격적인 통화를 시작했고, 김종두는 헛웃음을 터트렸다.

"아는 형 집에 놀러 갔다가 뜬금없이 해킹 사건에 휘말려 칼을 맞더니, 이젠 대가리 속에 뭐가 들었는지도 모를

중정 요원이라고? 종혁아."

"네."

"내가 진지하게 말하는데, 너 굿 한번 해 봐라. 이러다간 네가 제명에 죽지 못하겠다."

"푸핫! 봐서요. 지금보다 심해지면 생각해 볼게요."

"장난 아니고 진심이다. 진짜 꼭 해 봐."

그렇게 말한 김종두는 목이 타는지 멀리 있는 냉장고로 향했다.

그때였다.

-지치고 힘들 땐…….

"네. 최종혁 경감입니다."

-나예요.

나탈리아다. 종혁은 눈을 빛냈다.

-정말 이놈들과 최는 끊을 수 없는 악연인가 보네요.

'그럼요. 절대 끊을 수 없는 악연이죠.'

"그래서 어딥니까?"

종혁은 국정원 팀장뿐만 아니라 나탈리아에게도 부탁을 했다. 왠지 느낌이 이상하니 혹여 해킹 때 이상한 놈들이 있으면 추적을 해 달라고 말이다.

그 결과가 이제야 나온 것 같다.

-기다려요. 곧 올라갈 테니까.

"네?"

-걱정 말아요, 내 친구.

그 말을 끝으로 끊긴 전화에 종혁은 '대체 무슨 생각이냐'며 미간을 좁혔다.

"왜? 뭔데?"

"아뇨. 아는 분께서 문병을 오신다고 해서요."

"음?"

똑똑똑!

"네, 들어오세요."

드르륵!

"맙소사! 몸은 괜찮나요, 최!"

들어오자마자 종혁에게 키스를 퍼붓는 러시아 미녀에 김종두와 이택문의 눈이 동그래졌다.

* * *

"종혁아. 이, 이 아름다운 분은 누구시냐?"

커다랗게 만발한 장미꽃이 사람이라면 이럴까.

저 꼭대기에 앉아 세상을 무심하게 내려다보는 여왕벌이 사람이라면 이럴까.

꽃향기를 가득 풍기는 금발 러시아 미녀의 등장에 김종두는 정신을 차리지 못했다.

그건 이택문도 별반 다를 게 없었다.

표정은 여전히 뚱하지만 나탈리아에게 시선을 떼지 못하는 그.

'에라이.'

"인사하세요. 예전부터 저를 도와주신 주한 러시아대

사관 2급 서기관 안젤리나 씨예요."

종혁은 행복의 쉼터로 인해 인연을 맺게 됐다는 말을 덧붙였다.

"지금은 1급이에요, 최."

그녀의 능숙한 한국어에 김종두와 이택문이 놀란다.

"그렇다고 하시네요."

"어흠. 만나 뵙게 되어 영광입니다. 저는 종혁이가 아빠처럼 생각하는 본청 특수범죄수사과의 과장! 김종두입니다!"

"아, 당신이 김종두 과장이군요? 안젤리나예요. 제 친구 종혁을 많이 아껴 주셔서 감사해요."

"으허헛! 그런 것까지 말했니, 종혁아?"

'이봐요. 당신 딸이 셋이잖아.'

사모님도 두 눈 시퍼렇게 살아 계신다.

"경찰청장 이택문입니다, 러시아 정보부 한국 지부장님. 한국어가 유창하시군요."

'당신도 사모님이 아직…… 음?'

종혁의 표정이 딱딱하게 굳었다.

"청장님, 이분은 서기……."

말을 정정하려던 종혁은 서로를 의미심장하게 바라보는 나탈리아와 이택문의 모습에 풀썩 웃고 말았다.

"국정원장님께 들으셨나 보군요."

들은 시기는 아마 김가을 살인사건 때일 것이다. 그때를 제외하면 이택문과 국정원장 사이엔 접점이 없었다.

이택문은 고개를 끄덕였다.

절대 빼기면 안 된다고 어찌나 신신당부를 하던지, 이택문은 그때 얼마나 놀랐는지 몰랐다.

'그런 비밀을 감추고 있었을 줄이야…….'

최기룡이 청장이었을 시절부터 국정원이 왜 경찰을 지지하나 싶었는데 이런 비밀이 숨겨져 있었다.

종혁은 혼란스러워하는 김종두에게 나중에 설명해 주겠다는 눈빛을 보내곤 나탈리아를 봤다.

'이래서 굳이 올라온다고 한 거구나.'

종혁은 그제야 그녀가 그리는 그림에 대해 깨닫고는 속으로 헛웃음을 터트렸다.

'정말 대단한 여자라니까.'

이래서 반해 버릴 수밖에 없다.

"흐응."

순간 분위기가 돌변한 나탈리아는 백에서 담배를 꺼내어 물었다.

치이익.

새빨간 입술에 물려 타들어 가는 담배에서 연기가 몽환적으로 흩어진다.

정체가 들통이 나자 그녀는 본래의 모습을 가감 없이 드러냈다.

"내 정체를 알고 있다니 말이 편해지겠네요. 비공식 요청이에요. 오늘 최가 체포해 옆에 가둬 둔 놈들의 신병을 넘기세요."

"나탈리아?"

"미안해요, 최. 친구인 당신에게도 밝힐 수 없는 게 있답니다."

종혁의 표정이 삽시간에 굳었지만, 나탈리아는 요지부동이었다.

결국 참다못한 종혁이 소리를 지르며 얼굴을 구겼다.

"지금 뭐하자는 겁니까?! 나랑 인연을 끊자는 거예요? 더 이상 내 피지컬 트레이닝은 필요 없다는 겁니까?"

움찔!

눈에 띄게 흔들린 그녀는 한숨을 폭 내쉬었다.

"좋아요. 말해 드리죠."

또각! 또각!

화병이 올려진 서랍장에 등을 기댄 나탈리아는 말할 내용을 정리하려는 듯 눈을 굴리다 입을 열었다.

"원래는 우리 러시아의 친구인 최에게 상처를 입힌 놈들이 누군지 잠시 추적을 해 봤을 뿐이에요. 그런데 아는 얼굴들이 나오더라고요?"

"……아는 얼굴들?"

나탈리아는 미간을 좁히며 집중하기 시작한 세 남자의 모습에 싱긋 웃었다.

"이야기는 여기까지."

"엑?!"

"이 이상은 기밀…… 어머!"

몸을 돌리며 함께 돌아간 그녀의 팔꿈치에 화병이 걸려

떨어졌다.

와장창!

"미, 미안해요, 최. 일부러……."

말을 하던 나탈리아의 입이 다물어진다.

그건 다친 곳은 없냐고 말하려던 종혁도 마찬가지다.

'저게 왜 여기에?!'

종혁은 눈을 부릅떴고, 나탈리아는 흩어진 조각들 사이에 널브러진 손가락 한 마디 크기의 기기, 도청기를 들어 올렸다.

"어머나. 이게 여기 왜 있을까?"

얼굴에 화사한 미소가 피워 낸 나탈리아는 핸드폰을 들었다.

"세르게이? 잡아."

더 이상 그녀의 얼굴에 미소 따윈 남아 있지 않았다.

한편 병원에서 약간 떨어진 곳에 주차된 승합차 안.

헤드셋을 쓰고 있던 한 사십대 남성이 혀를 찬다.

"들켰다. 출발해."

"예!"

부우웅.

차가 느릿하게 출발하자 함께 있던 동승자들이 머리를 벅벅 긁는다.

종혁이 이 병원에서 수술을 받는다는 소식에 겨우 도청기를 넣어 놨는데, 그게 들켜 버리고 말았다.

그것도 아주 중요한 순간에 말이다.

"일단 들을 건 다 들은 것 같은데……."

동감이라는 듯 다른 이들이 고개를 끄덕인다.

그들은 사십대 남성을 봤다.

"부장님."

부장이라 불린 남성은 검지를 세웠다.

"기다려. 지금 정리 중이니까."

뭔가 좀 복잡한 내용이다.

'SVR과 최종혁이 아는 사이다. 그런데 그게 피지컬 트레이닝 때문이다.'

"최종혁 자료 가져와."

"여기 있습니다."

종혁의 증명사진이 붙은 서류 안에는 종혁에 대한 정보가 빼곡하게 적혀 있었다.

종혁의 고등학교 성적부터 고정숙의 자산 현황까지. 하지만 이게 빙산의 일각에 불과하다는 걸 이들은 모르고 있었다.

"그래. 여기 있군."

최종혁이 유도 국가대표 수석 코치를 맡은 순간부터 선수들의 기량이 최소 20퍼센트 향상됐다.

부장은 이 20퍼센트란 단어에 집중을 했다.

'확실히 이 정도라면 욕심을 낼 만해.'

단순히 선수 기량이 늘어나는 걸로 생각할 문제가 아니다.

만약 러시아 군인과 정보부 요원의 기량이 그렇게 늘어

난다면?

'작전 성공률이 달라지지.'

"일단 최종혁이 러시아 군부나 정보부에 피지컬 트레이닝을 해 줬는지부터 알아봐."

"러시아 파견 직원은 이미…… 어떻게든 알아보겠습니다."

다단계 투자사기 프로젝트가 어그러지며 많은 게 박살 난 이후 회사는 러시아에 다시 직원을 파견했다.

정체가 들통날 위험을 감수한다면 아마 알아볼 수 있을 거다.

고개를 끄덕인 부장은 다시 생각에 잠겼다.

'아는 얼굴. 분명 아는 얼굴이라고……. 빌어먹을! 김 원장 그 빌어먹을 늙은이가 정신을 차린 건가?'

아니면 사지 멀쩡히 러시아로 잡혀간 다른 사원들이 불었을 수도 있다.

일단 뭐든 엿 된 거다. SVR이 지금부터 자신들을 쫓을 거라는 것이니 말이다.

"전 지부에 지금 잡혔거나 쫓기는 사원들 얼굴 보내서 마주친 적이 있는지 알아봐."

"만약 있다면……."

"어쩌겠어. 얼굴 갈아야지."

하지만 그렇게 많은 숫자는 아닐 거다. 얼굴을 수시로 바꾸는 게 자신들이니 말이다.

"그리고 추격당하는 사원들에게 자살코드 발송하고, 혹시 모를 사태를 대비해 안가에 처형조 파견해."

"예."

"그럼 정리한다."

그 말에 운전을 하는 사원까지 귀를 쫑긋 세운다.

"현 시간부로 최종혁은 감시 3등급으로 지정."

총 5등급까지 있는 그들 회사의 요주의 인물 감시 등급.

그동안 회사와 얽히거나 수사 능력을 모두 종합했을 때 그 정도의 등급이 알맞다.

방금도 보라. 유달수란 이름을 가지고 곧바로 자신들이 세진은행 해킹을 통해 얻으려 했던 걸 유추했다.

정보력과 두뇌가 비상하단 증거다.

"러시아 정보부와 짝짜꿍하지 않겠습니까?"

"저 오만한 러시아가? 소비에트가? 일개 경찰이랑?"

"……죄송합니다."

"쯧."

혀를 찬 부장은 말을 이어 갔다.

"하지만 발각됐으니 감시는 하지 않는다."

"부장님!"

"방금 못 들었어?"

종혁이 더 이상 피지컬 트레이닝은 필요 없냐고 하니까 결국 입을 열었다. 즉, 러시아는 종혁이 필요하단 소리다.

이런 상황에서 도청기가 발견됐다. 지금부터 러시아 정보부는 철통같이 보호를 할 터. 섣불리 접근했다가는 이쪽의 꼬리만 드러날 뿐이다.

'하지만 딱 거기까지지. 새끼 새처럼 보호받는 처지.'

아마 도청기도 어물쩍 넘어가고 말 거다.

정보부란 그런 놈들이니까. 그로 인해 종혁과 사이가 틀어진다고 해도 제 자존심을 지킬 놈들.

'어차피 강제로라도 최종혁의 능력을 빌릴 수 있을 테니까.'

즉, 종혁은 회사 일을 방해했을지라도 위험을 끼칠만한 인물이 될 수 없단 소리다.

'그래도 회사 일을 방해했으니 죽여 버리고 싶지만…….'

대체 종혁 때문에 본 손해가 얼마던가.

새로 지으려던 연수원이 날아가 버린 것뿐만 아니라, 천문학적인 소득이 예상되던 이번 프로젝트도 어그러졌다.

정말 죽여 버리고 싶었다.

하지만 이 역시도 러시아 때문에 불가능했다.

부장은 혀를 찼다.

"방금 정리한 내용 모두 인사과에 전달해."

"예, 알겠습니다. ……그리고 뭐하죠?"

종혁을 감시하기 위해 출장을 나온 그들이다.

솔직히 몇 달을 예상하고 나왔는데, 겨우 몇 시간 만에 일이 실패로 끝나 버렸다. 시간이 갑자기 붕 떠 버린 상태였다.

"낚시라도 갈까요?"

"……오케이. 고."

"흐흐흐. 역시 우리 부장님. 그럼 남해로 핸들 틀겠습니다!"

고개를 끄덕이던 부장은 이제야 긴장을 풀며 등받이에 등을 묻었다.

“아쉽네요. 뒷이야기까지 들었으면 좋았을 텐데요.”

“어쩔 수 있나.”

발각이 됐으니 어쩔 수가 없다.

그들은 별일이 없길 바라며 남해로 향했다.

* * *

도청장치 탐색이 시작되자 종혁은 옥상으로 향했다.

찰칵! 치이익!

‘방심했군.’

자신이 놈들을 방해하기에 놈들 역시 어떤 제스처를 취해 올 걸 이미 알고 있었음에도 그에 대한 대처를 해 놨음에도 도청기가 심어졌다는 걸 모르고 있었다.

이건 방심이 맞았다.

머리를 쓸어 올리며 잠시 동안 반성을 한 종혁은 입술을 비틀기 시작했다.

‘그래, 이제야 날 인식하기 시작했다는 거냐?’

종혁 본인에 대해 얼마나 알고 있을까.

종혁은 그게 무척이나 궁금해졌다.

“불 좀 빌릴 수 있겠습니까?”

“아, 예.”

종혁은 나가온 사내에게 라이터를 빌려줬다.

찰칵! 치이익!

"감사합니다. 그리고 미리 말하지 못해서 죄송하다고 하십니다."

종혁은 그가 그리는 수신호를 보고 한숨을 내뱉었다.

"아니요. 제가 더 감사하다고 전해 주세요. 진심으로요."

나탈리아가 자신의 주변을 감시하지 않았으면 어떻게 됐을까. 아마 생각도 없이 주저리주저리 떠들었을 것이다.

그랬다면 기껏 숨겨 왔던 것들이 모두 탄로 났을 터.

그걸 생각하니 섬뜩해질 수밖에 없었다.

그래서 진심으로 나탈리아가 고마웠다.

이런 종혁의 진심 어린 눈빛에 싱긋 웃은 사내는 고개를 까딱이곤 멀어졌고, 종혁은 담배 연기를 깊게 마시며 이제 놈들이 어떻게 나올까 머리를 굴리기 시작했다.

그런 그에게 낯빛이 굳은 김종두 과장이 다가왔다.

"불어."

"어디서부터요?"

"처음부터 끝까지."

배신감이 스며 있는 그의 눈에 종혁은 나탈리아와의 인연을 설명하기 시작했다. 물론 진실은 아니었지만 그마저도 김종두에겐 믿지 못할 이야기였다.

"허어. 잘나가는 운동선수를 귀화시키기 위해 지부장급이 나선다니."

"고작 잘나가는 수준이 아니었잖아요."

"시끄러워, 인마."

아까 일을 생각하면 아직도 심장이 벌렁벌렁 뛴다.

"아무튼 그 이후 권 영감의 행복의 쉼터 복지 시스템을 러시아에 적용시키는 걸로 인연이 깊어졌다고?"

"나탈리아 씨는 진심이었으니까요. 그런 좋은 분과 인연을 맺는 걸 거부할 이유가 없죠."

"……귀화는 안 할 거지?"

"과장님, 저 대한민국 경찰이에요."

"흐흐흐. 그럼. 암! 우리 종혁이는 대한민국의 자랑스런 경찰이지! 그래서 더 숨기는 건?"

순간 훅 들어오는 질문에 종혁은 의뭉스레 웃었다.

"나중에 때가 되면요."

"이놈이?"

"내려가죠. 더워요."

"그래. 가자, 가. 아 요새는 에어컨 없으면 버틸 수가 없네. 아, 그런데 그놈들 정체가 대체 뭘 것 같냐? 대체 노렸던 게 뭘까?"

'아마 주가 차익이겠죠.'

갑자기 튀어나온 과거의 망령의 발언으로 인해 재계 서열 1위 기업, 삼전그룹의 주가가 곤두박질쳤다.

이 당시 기사 타이틀은 정경유착으로 키워 낸 기업, 삼전.

삼전그룹은 기업 이미지에 막대한 타격을 입었고, 김희건 회장은 법원까지 들어가야 했다.

비록 공소시효가 끝난 일이 대부분이라서 집행유예 판결을 받았지만, 한번 떨어져 비린 주가는 쉬이 회복되지 않았다.

'돈에 미친 이놈들이라면 충분히 벌일 수 있는 일이야.'

또 유달수뿐만 아니라 다른 이들의 계좌까지 털지 않았던가.

놈들은 고작 세진은행 해킹으로 인해 삼전기업뿐만 아니라 다른 권력자들의 약점까지 틀어쥐려고 했던 것이다.

'대단한 새끼들.'

정말 알면 알수록 감탄이 나올 수밖에 없다.

"종혁아?"

"……과장님. 그놈들, 아마 저희가 아는 놈들일 수도 있어요."

"응?"

"제 촉이 그렇게 말하고 있거든요."

"네 촉이?"

한 번 세워졌다 하면 빗나간 적이 없는 종혁의 촉.

종혁은 미간을 좁히는 그를 보며 싱긋 웃었다.

'자, 그럼 그물을 키워 보실까?'

이미 짜여 있는 그물인 SVR과 국정원. 여기에 대한민국 경찰을 더 추가시킨다.

아래로 향하는 종혁의 걸음은 무척이나 경쾌했다.

콧노래를 부르며 내려오던 종혁은 병실 입구를 막고 있는 검은 양복을 입은 두 인종의 사내들에 눈을 빛냈다.

'벌써 왔나 보네, 국정원.'

"수고하십니다."

스윽.

"응?"

종혁은 가로막은 손과 손의 주인을 번갈아 봤다.

"들어갈 수 없습니다."

"……에이, 이러지 마요. 내 병실인데? 후회합니다?"

"후회란 단어는 최 트레이너가……."

퍼억!

"컥!"

종혁은 배를 움켜쥐며 눈을 부릅뜬 요원의 관자놀이를 팔꿈치로 후려쳤다. 그에 요원은 그대로 정신을 잃었고, 다른 요원들이 발작을 일으켰다.

"이봐, 최 트레이너!"

"이 자식이 죽으려고! 야!"

종혁은 살기등등한 그들의 모습에 어깨를 들썩였다.

"푸흐흐. 이 양반들이 벌써 감이 떨어졌나. 이봐, 당신들을 가르친 게 나야. 벌써 잊었어?"

움찔!

순간 그들의 몸이 굳는다.

어찌 잊을 수 있겠는가. 지옥 같았던 나날들을 말이다.

그러다 참다못해 폭발했던 몇 명은 병원 신세를 져야 했다. 무기는 쥐지 않았지만, 동시에 달려들었는데도 말이다.

코웃음을 친 종혁은 국정원 요원과 함께 서 있던 SVR 요원을 봤다.

"유고, 나 감당 가능해요?"

"……총을 쥐면 가능하겠군요."

"하지만 여기서 못 쏘죠?"

"……."

SVR 요원은 슬그머니 입구에서 비켜섰고, 감사하다 고개를 끄덕인 종혁은 문을 박차며 들어갔다.

"구원군 등장이요! 혼자 경찰이라서 많이 뻘쭘하셨죠, 청장님?"

김종두 과장은 마치 일행이 아니라는 척 필사적으로 고개를 돌렸고, 이택문은 한숨을 푹 내쉬었다.

"미안합니다. 내 부하가 좀 사납습니다."

"……아닙니다. 최 경감에 대해선 잘 알고 있으니까요. 오랜만이야, 최 경감. 늦었지만 경감으로 진급한 거 축하한다."

"오랜만입니다, 차장님."

국정원 국내 파트의 차장. 요원들에게 피지컬 트레이닝을 전수하던 당시 몇 번 기웃거렸던 인물이다.

"그리고 팀장님은 당장 오늘 통화했고."

"야, 야!"

"그래."

차장의 눈이 차갑게 가라앉는다.

"우리 요원들을 사사로이 이용했더군."

"와, 먼저 언제든 도와주시기로 해 놓고 이렇게 말 바꾸기 있어요? 이러면 섭섭한데요."

"……쯧."

"그리고 그 덕분에 찾던 놈들도 찾았잖아요."

"뭐?"

차장이 눈을 부릅뜨며 싱글벙글 웃고 있는 종혁을 노려본다.

그러나 종혁은 이미 나탈리아를 보고 있었다.

"아까 분명 내 옆구리에 구멍 뚫은 놈들을 쫓다 보니 아는 얼굴들이 나왔다고 했죠? 그리고 그 아는 얼굴은 여기 국정원도 아는 얼굴일 거고."

우아하게 차를 마시던 나탈리아가 박수를 쳤다.

"역시 영특하네요, 최."

씩 웃은 종혁은 차장을 봤다.

"그리고 그 국정원도 아는 얼굴은 차장님 역시도 찾던 놈들일 테고. 그런데 어머나, 그걸 여기 팀장님이 내 부탁을 받고 찾아 버렸네?"

"……경찰 조직의 미래가 밝은 것 같습니다, 청장님."

"목줄은 단단히 쥐고 있으니 너무 걱정 마십시오."

'아니, 내가 뭘 어쨌다고.'

이택문의 말에 내심 섭섭해진 종혁은 나탈리아 옆에 털썩 앉았다.

"그럼 저도 자격이 있다 판단을 하고 잠시 세 분의 대화에 개입하겠습니다."

종혁은 나탈리아를 봤다.

"그래서 그놈들은 찾았어요?"

"찾긴 찾았는데, 이미 도망쳐 버린 뒤였어요. 건물에 불을 질러 버리고."

"불이요? 호오오……. 신기하네. 나도 그런 애들 아는데."

종혁은 흠칫 몸을 굳히는 김종두를 응시했다.

"조, 종혁아, 이거 설마……."

"거봐요. 내가 촉이 섰다고 했잖아요."

"이런 미친?! 아니, 걔들이 애들과 연결된다고?! 이게 말이 돼?! 확률적으로 말이 안 되잖아!"

"어디 세상 일이 확률로만 돌아가나요."

"그래도 이건 말이 안 되지!"

타아악!

찻잔을 거칠게 내려놓은 이택문이 종혁과 김종두를 봤다.

"설명해."

잡아먹을 듯한 그의 눈빛에 김종두가 발작적으로 입을 열었다.

"그게 작년 겨울 강원도의 철량리란 마을에서……."

그렇게 시작된 김종두 과장의 설명에 이택문의 미간은 점점 좁혀져 갔다. 그건 국정원 차장도 마찬가지였다.

왜인지 기시감이 드는 내용. 그는 거대한 교회란 대목에서 엉덩이를 들썩였다.

'이, 이거 설마?'

"그런데 추적을 해 보니 놈들이 아지트로 쓴 것으로 추정되는 모처의 교회는 이미 불타 버린 뒤였고, 놈들도 세상에서 증발해 버린 듯 자취를 감춰 버렸기에 수사는 거기서 종결시킬 수밖에 없었습니다."

"불에 탔다? 세상에서 증발해 버린 듯 사라졌다?"

종혁은 눈에 의구심이 들어차기 시작한 이택문과 이미 얼굴이 딱딱하게 굳은 차장을 보며 다리를 꼬았다.

그리고 김종두에게 귓속말을 했다.

"거봐, 맞잖아요. 우리가 찾는 새끼들."

"아니, 이게 동일 조직이라는 걸 떠올린 네가 미친놈이지!"

그런 둘의 모습을 일견한 이택문은 나탈리아를 보며 이를 드러냈다.

"이거 아무래도 설명이 필요할 것 같습니다."

부탁하는 말투가 아닌 강요하는 말투.

나탈리아는 싱긋 웃었고, 종혁은 속으로 아이고 이마를 때렸다.

"내가 말을 해야 될 이유가 있나요?"

"여긴 대한민국입니다, 지부장."

"리, 그런 말은 자신보다 약자에게나 하는 거랍니다."

쾅!

"지금 대한민국이 우습다는 말입니까!"

"편하게 생각하세요. 음, 커피가 맛있군요."

"이봐, 지부장!"

짜악!

분노를 터트리려던 이택문은 박수를 친 종혁을 뚫어지게 쳐다봤고, 종혁은 싱긋 웃었다.

한참 동안 그런 종혁을 노려보던 이택문은 혀를 차며

자리에 앉았고, 수고하셨다며 고개를 숙인 종혁은 나탈리아를 보며 이를 드러냈다.

"그냥 좀 가르쳐 주면 안 될까요? 나도 내 옆구리에 구멍을 뚫은 새끼들이 어떤 새끼들인지 궁금하니까!"

그 말과 함께 종혁의 몸에서 살기가 폭발했다.

그러자 나탈리아의 입가에 진한 미소가 맺혔다.

"정말 욕심이 난다니까. 좋아요. 친구가 이렇게 간절히 요청을 하니 들어줘야겠네요."

"고마워요, 나탈리아. 하지만 귀화는 안 됩니다."

"아쉬워라."

장난스레 눈을 흘긴 그녀는 이내 다리를 꼬며 입을 열었다.

종혁과 함께 놈들을 박살 냈던 그날의 일을 말이다.

나탈리아는 자세하게 말하진 않았다.

하지만 알아야 할 건 모두 알렸다.

그에 병실엔 침묵이 내려앉을 수밖에 없었다.

'그런 놈들이 이 대한민국에 있다고?'

단순히 국정원 안가에서 그런 일이 벌어졌기에, 심지어 그걸 저지른 사람이 국정원 안가 관리 요원이었기에 눈에 불을 켠 채 놈들을 좇았던 차장으로선 알고 있었냐는 듯 팀장을 봤고, 팀장은 다급히 고개를 저었다.

이택문도 이런 차장과 비슷한 심정이었다.

'그런 놈들이 이 대한민국에서 활개를 치고…….'

"이야아."

갑작스런 탄성에 화들짝 놀란 사람들이 종혁을 봤다.

"아주 재밌는 새끼들이네, 이거?"

종혁은 이택문을 봤다.

"청장님, 어떤 새끼님들이 이 개새끼들을 부산청으로 넘기라고 했다고요?"

빠드득!

잠시 깜빡하고 있었던 일을 상기한 이택문은 이를 갈았다.

"이 대한민국에 벌레들이 있었군."

"그러게 말입니다."

종혁은 분노를 불태우는 이택문과 차장의 모습에 의미심장한 미소를 지었다.

'엮었다!'

나탈리아가 의도한 그림이자, 종혁이 교정한 그림.

종혁은 나탈리아를 봤다.

'어떤가요? 내 솜씨가?'

'굿.'

아주 굿이었다.

이택문과 나탈리아, 국정원 차장과 팀장이 떠나고 종혁과 김종두 과장만 남겨진 VVIP 병실.

김종두는 심란한 얼굴로 담배를 입에 물었다.

"이제 나도 늙은 건가."

"왜요? 이야기를 따라갈 수 없어서요?"

"아니, 결국 침묵하기로 한 세 분의 결정을 이해해 버려서."

이렇게 놈들에 대해 알게 됐지만, 이택문과 국정원 차장의 결정은 침묵을 하자는 것이었다.

국정원은 이미 배신자가 나왔기에, 이택문은 박종명 부산청장이 의심되기에.

비밀은 아는 사람이 적을수록 지켜지는 것이기에 그들은 이 자리에 있는 사람들만 알기로 합의를 보았다.

나쁜 놈들은 어떻게든 때려잡아야 했던 김종두로선 이 결정이 너무 답답했지만, 그러면서도 이해해 버리고 만 자신의 모습에 작은 환멸마저 느끼고 있었다.

'그런 개새끼들은 대한민국 경찰 전체가 달려들어서 때려죽여야 하는데!'

"아, 좆같네."

"전 그래서 더 과장님이 존경스러운데요?"

"뭐?"

종혁은 눈이 흔들리는 그를 보며 푸근히 웃었다.

"가장 현명한 선택을 하신 거잖아요."

대한민국 경찰 전체가 달려들어서 검거한다?

그래서 뿌리를 뽑을 수 있으면 얼마든지 그럴 수 있다. 아니, 그럴 수 있었다면 이미 예전에 가진 바 모든 능력을 동원해서 그렇게 했을 거다.

하지만 한 놈이라도 놓치면?

그게 이놈들의 대가리인 '어르신'이라면?

훗날의 대한민국 어딘가에서 또 독버섯이 자라고 말 거다.

종혁은 그런 끔찍한 미래를 맞이하고 싶은 생각이 티끌만큼도 없었다.

"……정말 그렇게 생각하냐? 내가 현명했다고 생각해?"

"네. 진심으로 존경합니다."

정말이라는 듯 단단히 빛나는 종혁의 눈빛에 김종두는 풀썩 웃고 말았다.

"그래. 너랑 내가 이제 놈들에 대해 알고, 청장님도 알게 됐는데 이보다 뭐가 더 중요하겠냐."

"그럼요. 그 부분이 가장 중요하죠. 과장님과 청장님이 아시게 됐다는 거."

김종두는 고개를 끄덕였다.

이제부터 김종두 본인과 이택문은 접근하는 모든 것, 모든 사건에서 놈들을 의심하게 될 터.

범죄 수사에 거리와 성역이 없는 특수범죄수사과의 장인 김종두 본인과 전국 경찰 조직의 모든 걸 볼 수 있는 이택문.

이 정도만 해도 놈들을 잡을 그물은 만들었다고 봐야 했다.

"그리고 국정원과 SVR도 있잖아요."

국내 파트의 안보를 총괄하는 차장이 놈들에 대해 알게 됐다.

솔직히 차장을 완전히 신뢰하는 건 아니다. 어쩌면 놈들의 끄나풀일 수도 있다.

하지만 상관없다.

'끄나풀이건 협력을 하건 상관없지. 그에 대한 대비는 다 해 놓은 상태니까.'

종혁의 가슴속에서 살의가 활활 타오르기 시작했다.

"풋. 걔들이 우릴 돕겠냐? 오늘처럼 뺏기지나 않으면 다행이지."

"아."

종혁은 그럴 수도 있다며 어깨를 으쓱였고, 김종두는 뜬금없이 알게 된 거대한 적에 한숨을 푹 내쉬었다.

"아, 그런데 결국 잡긴 잡았네?"

"어? 그러네요?"

경찰 이미지 마케팅과로 전출이 결정됐을 때 본청 옥상에서 둘이 나눴던 대화. 김종두는 종혁에게 가서 한풀이 다 하고 몸성히 돌아오라고 말했었다.

"잠깐, 그러고 보니 옆구리랑 어깨에 구멍이 뚫렸네?"

"사, 사랑합니다!"

주먹을 부르르 떨던 김종두는 다시 한숨을 내쉬었다. 방금 전과는 다른 의미였다.

"넌 진짜 굿을 해 봐. 내가 볼 때 네 조상님들이 널 싫어하는 것 같아."

"아하하."

"웃기는……."

피식 웃은 김종두는 종혁의 어깨를 쫙 때리고 몸을 돌렸다.

"간다. 몸조리 잘해."

"으윽. 들어가십시오. 충성."

쿠웅.

문이 닫히자 종혁은 담배를 물었다.

그런 그의 눈은 언제 웃었냐는 듯 흉흉하게 빛나고 있었다.

"자, 이제 그물은 넓혔고……."

이제 국정원도 종혁의 부탁을 함부로 무시할 순 없을 터. 혹여 차장이 놈들의 끄나풀이라고 해도 들어줄 수밖에 없다.

이용할 수 있는 패가 더 늘어났다고 봐야 했다.

아니, 예전에 쥐었던 패를 이제야 제대로 쓸 수 있게 된 것이다.

언제 어떻게 써야 가장 자연스러울까 고민했던 나날들.

그것만으로도 정말 엄청난 성과였다.

"이제 놈들이 하나둘씩 걸려들기만을 바라면 되겠네."

그렇다보면 결국 놈들의 뿌리를 뽑을 수 있을 터.

"푸후우. 기다려지네, 그날이."

미래 어느 날, 발밑에서 버둥거리며 악을 지를 얼굴조차 모르는 어르신의 모습을 떠올리자 온몸이 저릿저릿 울리는 것 같았다.

종혁의 미소는 더욱 비릿해졌다.

–엇? 이제 오십니까, 제수씨!

–안녕하세요, 과장님. 일이 이제야 끝나서요.

'제수씨? 언마?'

눈을 껌뻑이던 종혁은 문을 걷어차듯 거칠게 열며 들어오는 어머니 고정숙의 무심한 얼굴을 발견하고 하얗게 질려 버렸다.

'아, 난 죽었다.'

침대에서 내려온 종혁은 무릎을 꿇었다.

"살려 줘. 잘못했어요."

* * *

불이 꺼진 어두운 병실.

침대 위에 무릎을 꿇고 앉은 고영광은 손톱을 깨물었다.

'어쩌다 이렇게 됐을까? 난 왜 만날 이럴까.'

너무도 달콤했던 유혹에 넘어가 버린 결과일까.

아니면 실력이 좀 있다고 자만했던 결과일까.

'부모님이 살아 계셨으면 내가 이런 위험한 걸 했을까?'

당시엔 위험한지 위험하지 않은지 몰랐지만, 결국 그런 생각까지 든 영광은 무릎을 더 끌어안았다.

"엄마. 아빠……."

드르륵! 쾅!

"씨부럴. 야, 네가 어둠의 자식이냐?"

불을 켠 종혁은 동그랗게 뜬 눈으로 이쪽을 보는 영광에게 캔 맥주를 던졌다.

"앗!"

"좆같을 때는 술이 최고지. 마셔."

"저, 저 미성년자인데……."

"지랄. 맥주가 술이냐? 내숭 떨지 말고 마셔."

"……감사합니다."

달칵, 치이익!

"우왓!"

"아주 지랄 염병을 한다."

"아니, 이건 형이 던져서……."

"닥치고 휴지 어디 있어."

영광이 가리킨 곳에서 휴지를 가져와 대충 닦은 종혁은 침대 끄트머리에 엉덩이를 걸치며 술을 들이켰다.

"그런데 얼굴도 맞으셨어요? 눈이 판다……."

움찔!

"닥치고 안 마시면 그냥 아가리에 꽂아 넣는다."

어깨를 움츠린 영광은 눈치를 보며 캔맥주를 입에 가져갔고, 종혁은 그사이 다 마신 캔을 구기며 다른 캔을 꺼내 들었다.

"여기 치킨도 먹어 가면서 마셔."

"네."

대화는 그걸로 끝이었다.

불편하지만 마냥 불편하지는 않은 침묵.

배가 차고 얼굴이 불콰하게 달아오르자 영광의 입술이 달싹이기 시작했다.

하지만 그보다 종혁의 입이 먼저 열렸다.

"일단 처벌은 면치 못할 거야."

"혀, 형!"

"네 의도가 아니었다고 해도 결국 해킹을 한 건 맞으니까 법의 심판은 받아야겠지. 하지만 너무 걱정은 하지 마. 형이 좋은 변호사 붙여서 집행 유예 받게 해 줄 테니까."

"지, 집행 유예요?"

"어, 있어. 빨간 줄이 그어지는 건 맞는데, 그냥 사회에서 평소처럼 살 수 있는 거. 그런 다음에 네 재산 찾자."

"……네?"

"네 부모님이 네게 남긴 유산. 네가 정당히 받았어야 할 네 권리."

종혁은 다시 눈이 동그래지는 영광의 손을 힘주어 잡았다.

"그러니 버텨."

울컥!

버티란 말에 갑자기 눈물을 왈칵 솟는다.

"또, 또요? 왜요? 왜, 왜 나만 견뎌야 하는데요? 대체 전 언제까지 버텨야 하는 건데요! 왜 나만-!"

그동안 쌓인 한의 폭발에 종혁은 씁쓸히 웃었다.

"어쩌겠냐. 버텨야지. 이 좆같은 세상 그거 말고 답이 있겠냐?"

특히 부모 없는 아이에겐 너무도 가혹한 세상이다.

"흐어어어엉!"

종혁은 영광을 한 팔로 끌어안았고, 영광은 그 넓은 품에서 그동안 쌓였던 모든 울분과 설움을 토해 냈다.

"훌쩍. 감사합니다. 정말 다…… 왜 제게 이렇게 해 주시는지 모르겠지만…….”

“야, 내가 한 말 벌써 잊었어? 네가 정수 형 동생이니까 내게도 동생이라고 했냐, 안 했냐?”

“해, 했는데…….”

“그럼 뭐가 문제야? 씨발, 형이 돼서 동생한테 이 정도도 못해 줘?”

“혀엉.”

이런 사람도 있구나. 이런 어른도 있구나. 다 날 괴롭히는 것만은 아니구나.

영광의 눈에 눈물이 고이기 시작했다.

“남자 새끼가 울진 말고.”

“흡! 쿨쩍……. 헤헤.”

“웃기는.”

그래도 헤헤 웃는 영광의 모습에 종혁은 진짜 명함을 내려놓고 일어섰다.

“그럼 간다. 오늘은 그거 마시고 푹 자고 힘든 일 있으면 여기로 연락해.”

“어, 어디 가시게요?”

“할 일이 있어서.”

고개를 모로 기울인 영광은 닫힌 문을 가만히 응시했다.

왜일까.

다시 혼자가 됐는데, 방금 전처럼 외롭고 무섭지가 않았다.

영광은 헤실 웃으며 맥주를 홀짝였다.

* * *

과아아아앙! 끼익!

차를 몰아 어딘가에 도착한 종혁은 곧바로 건물 안으로 들어섰다.

로비를 지나던 경찰들은 웬 환자가 들어오자 막아서려고 했지만, 종혁이 보여 주는 경찰공무원증에 순순히 물러났다.

그렇게 지하로 향한 종혁을 반긴 건 빼곡하게 세워져 있는 컴퓨터 책상들과 시끄럽게 울리는 전화벨 소리, 그리고 치열한 응대 소리였다.

종혁은 가장 계급이 높은 사람을 찾았다.

"충성. 본청 경찰 이미지 마케팅과 최종혁 경감입니다."

"무슨 일이야?"

"윤문현 경장을 만나러 왔습니다."

"그래? 불러 줄까?"

"아닙니다. 그리고 죄송합니다."

"음?"

고개를 꾸벅 숙인 종혁은 안으로 들어갔다.

"네, 112입니다."

그랬다. 여기는 112 신고센터였다.

물어물어 윤문현 경장 앞에 선 종혁은 조심스럽게 입을 뗐다.

"윤문현 경장님?"

"예?"

이제 이십대 후반 정도 됐을까.

제법 잘생긴 외모의 사내가 약간 짜증 섞인 눈으로 쳐다본다.

"오늘, 아니 어제 22시 33분에 자기가 해킹을 했는데 누가 잡으러 왔다는 신고 전화를 받으신 적 있죠?"

"……아, 그 전화요? 네, 맞습니다. 제가 받았습니다."

"그래요?"

'너구나?'

이놈이 맞았다.

"야."

짝!

"어?"

볼을 맞은 윤문현이 당황하며 눈을 껌뻑인다.

종혁은 그런 그의 양 볼을 툭툭 쳤다.

"야, 야."

"이, 이게 뭐하는 짓입니까!"

윤문현은 다급히 일어났고, 그 순간 종혁은 얼굴을 와락 구겼다.

"야, 이 개새끼야-!"

퍼어억! 쿠당탕!

112 신고센터 안에 침묵이 내려앉았다.

6장. 나쁜 친구들

종혁은 의자 몇 개를 쓰러트리며 넘어진 윤문현에게 어슬렁거리며 다가갔다.

“다, 당신 뭐야!”

112 신고센터 안에 있던 다른 경찰들도 목소리를 높인다.

“피해자 고영광. 나이 17세. 부모 없음. 그리고 어제 22시 33분, 우연히 범죄에 휘말렸고 그 입막음을 위해 죽을 뻔했다. 고영광을 제거하러 온 사람은 신원 조회조차 안 되는 전문 킬러.”

“뭐, 뭣?!”

도떼기시장이 됐던 센터 안이 조용해지고, 얼굴을 붉히며 달려왔던 부센터장이 걸음을 멈춘다.

“피해자 고영광은 살려 달라고 112에 신고 전화를 했지만, 전화를 받은 경찰은 장난 전화는 하지 말라는 말로 일축. 경찰이 피해자가 살려 달라 뻗은 손을 뿌리쳤다.”

종혁은 의자를 들어 그에게 던졌다.

빠아악!

“아아악!”

종혁은 의자에 얻어맞고 비명을 지르는 그의 머리를 움켜쥐었다.

“보이냐?”

“꺅!”

“헉?!”

종혁이 환자복을 들어 올리자 피가 스민 붕대가 보인다.

“네 그 개씹 같은 응대 때문에 내 옆구리 이 자리에 칼이 6센티미터나 들어왔고, 어깨엔 3센티미터 칼이 박혔어. 내가 우연히 그 자리에 없었더라면! 그 칼들에! 17살, 아직 꽃도 피어 보지 못한 어린 소년이 난자당할 뻔했다고! 왜? 네 좆같은 응대 때문에!”

주먹을 꽉 쥔 종혁은 그의 가슴을 후려쳤다.

“커헉!”

“네가 뭐냐? 네가 뭔데 피해자의 간절한 구조 요청을 장난으로 치부하냐? 네가 예수야? 부처야? 아님 뭐 목소리만으로도 사람의 심리를 파악할 수 있는 그런 전문가인가?”

퍼억! 퍽! 퍽!

“억! 욱!”

“꼴에 씨발 아프다고 비명은 지를 줄 알지? 하, 진짜 이 새낄 어떻게 죽이지?”

"야! 최종혁 경감!"

종혁은 어깨를 잡아채는 부센터장의 손길에 순순히 물러났다.

하지만 그 두 눈은 죽일 듯 윤문현을 응시하고 있었다.

"야, 경찰 하기 싫으면 지금 관둬."

어쩌면 피곤했을 수도 있다.

어쩌면 고영광의 신고 전화를 받기 전 진상에 시달렸을 수도 있고, 친한 지인이 상을 당했을 수도 있다.

아마 어제 하루 굉장히 힘들었을 것이다.

하지만 경찰이라면 그렇다고 하더라도 그러면 안 된다.

112 신고센터면 더더욱 안 된다.

자신이 받는 신고 한 통에 사람의 목숨이 달려 있을 수 있기에 모든 전화를 내 생애 마지막 신고 전화처럼 여겨야 된다.

이런 각오가 없다면 여기 이 의자에 앉아 전화를 받으면 안 된다.

"지금도 몸에 구멍 나면서, 음주운전 불응 도주하는 차에 매달리면서, 도주하는 범인 쫓다 차에 치이는 경찰들 얼굴에 똥칠하지 말고! 네가 뭔데? 네가 뭔데 경찰들의 그런 노고를 똥통에 처박는데, 새끼야! 씨발-!"

"이 새끼가!"

짜악!

"너 내가 지켜본다. 어? 경찰 관두는지 아닌지 지켜볼 거라고!"

"이 새끼가 그래도!"

짝! 짝 퍼억!

"큽!"

주춤 물러난 종혁은 처벌을 달게 받겠다며 아예 열중쉬어 자세를 취했다. 그 당당한 모습에 부센터장의 눈이 휙 돌아 버렸다.

"아주 씨발 너만 경찰이지? 너희 형사만 경찰이지, 어? 그래, 오늘 날 잡자. 이 개새끼야."

넥타이를 풀어낸 그는 종혁에게 달려들며 주먹을 휘둘렀고, 종혁은 이를 악물며 버텼다.

빽! 퍼퍼퍽! 빠악!

점점 피투성이가 되어 가는 종혁의 얼굴. 결국 봉합이 터진 건지 옆구리에서 흐른 피가 바지를 적신다.

"마, 막아! 부 센터장님 막아!"

"놔, 씨발! 놔! 너흰 좆같지도 않아?!"

"압니다. 저희도 씨발 좆같은데 더 때리면 이 사람 죽습니다!"

"……후우우. 알았으니까 놔. 안 때릴게."

"저, 정말이시죠?"

"정말이니까 얼른 전화기부터 잡아! 뭐하고 있어! 피해자 안 구할 거야?!"

잡아 뜯어말리던 경찰들이 아차 하며 제자리로 달려가자 부센터장은 종혁의 머리를 움켜쥐었다.

"따라와, 씨발 새끼야. 넌 내가 어떻게든 옷을 벗겨 버릴 테니까."

종혁은 순순히 그를 따라갔다.

그렇게 센터 안의 한 사무실로 들어간 부센터장은 종혁을 의자에 던져 버리곤 갑자기 커피를 타기 시작했다.

그리고 그 커피와 휴지를 종혁의 앞에 내려놨다.

"마셔. 피도 닦고."

"감사합니다."

너무도 뜬금없이 분위기가 바뀌었지만, 종혁은 당황하지 않고 휴지를 풀었다.

그렇게 피를 대충 닦은 종혁은 커피를 홀짝였고, 부센터장은 너무도 태연한 그 모습에 풀썩 웃었다.

"네 이름은 많이 들었다."

전국 경찰들이 욕심을 내는 경찰, 최종혁 경감.

'아주 똘똘한 놈이랬지.'

소문만 그렇게 난 듯했는데, 정말 그런 것 같다. 이렇게 순순히 맞아 준 것을 보면 말이다.

"내 체면 세워 줘서 고맙다."

만약 종혁이 그 자리에서 내가 뭘 잘못했냐며 뻗댔다면 생각조차 하기 싫은 상황이 벌어졌을 거다.

최악으로는 형사와 센터 경찰들의 대립이 일어났을 거다.

"아닙니다. 제가 죄송합니다."

"그러니 사과는 안 할 거다. 네가 남의 회사에 와서 좆같이 군 건 사실이니까."

"하하, 예. 저도 넘치는 혈기에 눈이 돌았던 것 같습니다."

"말은 청산유수네."

"아하하."

"그런데 정말이냐?"

"예. 정말 죽을 뻔했습니다. 의사 말에 의하면 7센티만 높았어도 눈을 뜨지 못했을 거라고 합니다."

"……그건 미안하다. 아마 윤 경장도 무슨 일이…… 씨발. 그래, 이건 변명의 여지가 없다. 내 관리 소홀이야. 내가 책임지고 징계할 테니까 더는 간섭하지는 마."

"저도 이 이상 더 할 생각은 없습니다."

고개를 끄덕인 부센터장은 커피를 호록 마셨고, 종혁도 따라 마시다 미간을 찌푸렸다.

'아, 쓰려.'

입안이 터진 것 같았다.

"그런데……."

"예?"

우물쭈물거리던 부센터장이 눈을 질끈 감았다.

"그거 정말이냐? 곧 신고센터를 개편할 거라는 거."

종혁은 눈을 껌뻑였다.

'어디서 샌 거지?'

경찰의 날 때 긴급 발표를 할 내용.

누가 그걸 참지 못하고 불었나 고민하던 종혁은 오늘 자신이 벌인 일도 있기에 결국 말하기로 했다.

"예. 대대적인 개편이 있을 예정입니다. 앞으로 신고센터에서 근무를 하려면……."

심리학을 전공하진 않더라도 최소 2년은 공부해야 되며, 최소 7년간 현장을 겪은 경찰들을 대상으로 센터 대원을 뽑을 거다.

"2년이나?"

"일단 내후년까지는 최소 200시간을 이수해야만 센터에 있을 수 있을 겁니다."

그러니 대비하라는 종혁의 눈빛에 부센터장은 고맙다며 고개를 끄덕였다.

"그럼 현장을 7년 동안 경험해야 된다는 건?"

"오늘 보셨잖습니까. 윤 경장이란 사람, 현장 경험 없죠?"

"……씨발. 미국 경찰들의 방식을 차용하겠다는 거네."

"규정을 더 빡세게 적용시킬 예정입니다."

그동안 미국 경찰 신고센터를 보며 얼마나 부러워했던가.

미국은 긴급신고센터의 대원이 되기 위해선 무조건 현장 경험이 필수다.

그 덕분인지 제대로 된 설명을 할 수 없는 위급한 상황에서도 능동적으로 대처하며, 피해자들을 빠르고 안전하게 구해 낸다.

"또한 신고센터장 코스도 개설할 예정입니다."

오직 긴급센터 관리를 위한 전문가 양성.

곧 경찰대학교와 중앙경찰학교에 신설이 될 예정이며, 앞으로 112 센터의 간부가 되기 위해선 무조건 범죄심리학 등 관련 학위가 한 개 이상은 필요하게 될 거다.

이는 상황통제센터도 마찬가지다.

"후우. 이택문 그 형님 오직 경찰의 인권과 공권력 강화에 온 힘을 쏟겠다더니 결국 이런 경정을 내리셨네."

솔직히 현장이 지겨운, 현장에 적응을 못한 경찰이 주로 오는 곳인 112 신고센터.

이젠 그럴 수 없을 것 같다.

"이 나이에 공부를 해야 된다니……."

"피해자를 보다 빠르고 안전하게 구하기 위함이니 협조 부탁드리겠습니다."

"알아. 그래서 아무 말도 안 하는 거고. 씨발, 그래. 피해자를 한 명이라도 덜 만들기 위한 일이라는데 대가리 한번 갈아 봐야지."

"감사합니다."

"그런데 괜찮겠냐?"

이렇게 자세히 말해 준 것도 있지만, 오늘 센터에서 난동을 부린 것 때문이다. 무조건 징계가 떨어지게 될 거다.

"아니, 벌써 경감인 엘리트가 어쩌자고……."

"하하. 까짓거 시말서 몇 개 쓰고 말죠."

"웃을 일이냐? 그리고 너 옆구리 계속 피 나."

"침 바르면 됩니다. 아, 그리고 경찰의 날을 기념하기 위한 예능 촬영을 위해 서울 전역 파출소에 협조를 구할 예정인데, 어떻게 부센터장님도 관심 있으십니까?"

"……그거 하면 우리 에어컨 바꿔 주냐?"

"에어컨뿐이겠습니까?"

컴퓨터부터 시작해 모든 게 최신식으로 바뀔 거다.

"진짜? 정말 싹 다 바꿔 준다고?"

"그럼 관심이 생기신 걸로 받아들여도 될까요?"

"어, 해 봐. 얼른. 빨리."

종혁은 어느새 수첩까지 꺼내 든 그를 보며 씩 웃었다.

더 혼났다는 증거를 위해 어깨를 축 늘어트리고 나온 종혁은 차에 오르자마자 담배를 물었다.

"이걸로 신고센터도 바뀌게 되겠지."

지금도 마찬가지지만, 훗날에도 112 신고센터 경찰의 잘못된 대응에 의해 죽어 간 피해자가 얼마나 많았던가.

그중에는 국민들이 너희가 경찰이냐며 들고 일어선 사건들도 제법 있다.

"이 변화로 인해 그 일들이 부디 막아질 수 있길……."

잠시 하늘을 보며 간절히 빈 종혁은 다시 병원으로 향했다.

옆구리에서 피가 안 멎는 게 위험했다. 이젠 눈앞이 흐려지고 있었다.

* * *

결국 종혁에겐 3개월 감봉이라는 징계가 떨어졌고, 초기 대응을 잘못한 윤문현 경장은 1개월 감봉 처리가 됐다.

종혁은 그 징계를 겸허히 받아들였고, 윤문현 경장도 느낀 게 많았는지 별다른 반발을 하지 않았다.

그렇게 시간이 흘러 퇴원일이 되었다.

-지금 막 김희건 회장이 서울중앙지방검찰청의 로비에…….

국정원이 무슨 생각을 한 건지 결국 그 일은 터지게 됐다.

삼전그룹의 주가는 곤두박질쳤고, 김희건 회장은 휠체어를 탄 채 중앙지검에 출석하게 됐다.

"이건 박노형 대통령님의 뜻이라고 봐야 하나……."

그게 아니었으면 이렇게 오픈되지 않았을 일이었다. 유달수의 신변은 국정원이 확보를 했으니 말이다.

"피바람이 좀 불겠네."

여기에 연관된 법조계 인사들이 제법 있다. 그중엔 현직 법무부 장관도 있을 정도이니 그쪽은 아예 물갈이가 된다고 봐야 했다.

'뭐 나는 굿이나 보고 떡이나 먹으면 되니까.'

종혁은 핸드폰을 들어 박태규에게 전화를 걸었다.

"네, 접니다. 주식 매수는 어떻게 진행되고 있죠?"

종혁은 그렇게 전화를 하며 병실을 나섰고, 병실은 이내 곧 조용해졌다. 다음 환자를 기다리며 말이다.

"후."

경찰 이미지 마케팅과에 한숨이 번진다.

평소라면 서로 의견을 적극적으로 묻고 반영하며 오류를 줄이는 열정적인 모습을 보였을 그들이 가장 안쪽 빈 자리를 보며 한숨을 내쉬었다.

"벌써 3주지? 팀장님이 입원한 게?"

"그렇지. 벌써 그렇게 됐지."

그들은 힘없이 대답을 하면서도 의아해했다.

종혁이 없는 것을 제외하면 다른 건 다 똑같다.

부식거리는 여전히 넘쳐 났고, 퇴근도 제시간에 딱딱 맞춰 한다. 팀원이 바뀐 것도 아니고, 일감이 사라진 것도 아니다.

아니, 종혁이 있을 때와 비교를 하면 그 업무량이 절반 수준으로 떨어져서 더 편하다고 볼 수 있다. 오택수 팀장 대리 역시 팀원들이 일에 터치를 안 하기에 더.

계속 간섭하고 일감을 미친 듯 끌어오던 종혁과 일할 때와 비교하면 천국인 수준이다.

그런데 일할 의욕이 나질 않는다.

결국 그들은 마우스에서 손을 떼고 말았다.

그에 컴퓨터를 뚫어져라 쳐다보며 오늘 자 신문을 모니터링하고 있던 최재수가 눈살을 찌푸렸다.

"지금 다들 뭐하는 겁니까?"

"최 경장도 좀 쉬어. 곧 점심시간이잖아."

"뭐하냐고 묻고 있습니다."

"이봐, 최 경장."

목소리가 낮아지자 최재수는 팀원들을 둘러봤다.

좋은 책상, 좋은 의자에 앉아 늘어진 모습으로 불편한 표정을 보내는 그들. 그런 그들의 책상엔 아침 일찍 가지 않으면 살 수 없는 디저트와 백화점에서 산 생과일주스가 놓여 있다.

'최 경감님 아니었으면 저런 것도 못 먹었을 것들이!'

못 먹기만 했을까.

이리 치이고, 저리 치이며 공사장 인부들보다 더 힘들게 구르고 있었을 것이다. 정시 퇴근은 물론이고, 이런 엄청난 일도 하지 못했을 것이다.

"하아. 그렇게 일하기 싫으면 그냥 푹 쉬세요. 씨발, 이래서 머리 검은 짐승은 거두는 게 아니라니까."

"뭐?"

"우리 팀장님도 병신이지. 이딴 놈들이 뭐 좋다고 그렇게 다 퍼 줘? 태스크 포스는 씨발."

"야!"

"이 새끼가!"

"당신들이 노예야? 어? 관리자 한 명 없다고, 관리자가 일을 시키지 않으니까 뭘 할지 모르겠어? 어?! 그렇게 살고 싶으면 경찰 때려치우고 그렇게 살아! 난 다 배우고 다 익혀서 더 높은 곳으로 올라갈 테니까!"

'팀장님처럼! 아니, 그보다 더 높이!'

노예란 말에 팀원들의 얼굴이 벌겋게 달아오른다.

"씨발, 팀장님이 돌아와서 이 모습 보면 참 좋아하겠다!"

그 말이 결정타였다.

중지를 치켜든 최재수는 다시 자리에 앉았고, 그런 그를 보며 씩씩거리던 팀원들은 이내 이를 악물었다.

솔직히 부끄러웠다.

이 중 가장 연차가 낮은 최재수는 자신들보다 종혁과

더 오래 있었다.

자신들보다 더 종혁을 믿고 의지할 텐데도 종혁이 입원한 순간부터 지금까지 단 한 치의 흐트러짐도 없이 맡은 바 일을 열심히 하고 있었다.

'씨발, 쪽팔리게.'

눈에 불을 켠 그들은 서로를 바라봤다.

"사이트 버그 검사했어?"

"지금 시범 운행중!"

경찰 이미지 마케팅과가 다시 불타오르기 시작했다.

한편 문 밖에 서서 그들의 대화를 모두 다 들은 종혁의 입가에 미소가 맺혔다.

"최 경장 경찰 다 됐네요."

"경찰은 무슨. 이제야 사람 취급 받을 수준이 된 거지."

그 말이 옳다. 그래도 그게 어딘가.

종혁과 오택수는 최재수의 성장이 대견할 수밖에 없었다.

"들어갑시다."

"그래, 들어가자."

종혁은 사무실 문을 박차며 활짝 웃었다.

마치 방금 전 대화는 듣지 못했다는 듯 발길질은 힘차기 그지없었다.

"잘들 있었냐!"

"……전체 차렷! 경례!"

"충성!"

"그래, 충성. 내가 병신처럼 다치는 바람에 다들 그동안 힘들었지? 사과의 의미로 오늘 오전 근무만 하고 진하게 회식할 테니까 전원 참석할 수 있도록. 이상."

"우와아아아……!"

"그럼 그때까지 밀린 일부터 해결하자. 미니홈피 관리팀부터 내 자리로 와."

"옙!"

그렇게 종혁이 자리에 앉자 경찰 이미지 마케팅과에 활기가 돌기 시작했다.

* * *

약 20평 정도 되는 작은 회의실.

옹기종기 모여 앉은 여성 4명이 눈을 데구루루 굴린다.

그런 그녀들의 얼굴은 작게 상기되어 있었다.

"우, 우리가 성공을 하긴 했나 봐. 이런 곳에서도 불러주고……."

"응, 응!"

불과 몇 달 전까지만 해도 꿈조차 못 꿨던 장소.

거리에선 만날 자신들의 노랫소리가 울려 퍼지고 알아보는 사람도 부쩍 많아졌지만 그래도 인기를 실감하지 못했는데, 무려 국가 기관에서 불러 줬다.

그것도 특별 예능을 찍자고 말이다.

"우리 진짜 성공했나 봐……."

"수고했어, 언니……."

"흐엉."

얼마 전 음악프로그램 1위를 했을 때만큼의 감동이 그녀들의 가슴을 흔든다.

그녀들은 서로를 끌어안으며 조용히 눈물을 흘렸다.

그 순간이었다.

"야, 울지 마! 화장 지워져!"

"아, 실장님……!"

"감동 깨지 마세요!"

"닥쳐! 지금 이게 얼마나 중요한 자리인지 몰라?! 여기서 좋은 인상만 남겨야 관공서 행사도 따낼 수 있다고!"

대학교 축제나 지방 축제보다 돈을 훨씬 많이 주는 게 관공서 행사. 목숨을 걸어서라도 이번 예능 촬영을 잘 찍을 수 있게 하겠다 다짐을 한 실장은 다시 한번 주의를 주었다.

"아무튼 좀 있다가 관계자님 오시면 크게 인사하고……."

똑똑!

"옙!"

문이 열리며 누군가 들어오자 4명의 여성들은 눈을 부릅떴다.

"어?"

"요, 안뇽."

남성 2인조 발라드 아이돌 그룹. 자신들과는 결이 다른 아이돌이었다.

그뿐만이 아니다.

그들의 뒤를 이어 벅스, GS워너비 등 요새 한창 뜨고 있는 그룹이나 솔로 가수가 들어왔다.

그 절정은 무려 레전드인 남녀혼성그룹 캐니스였다.

90년대를 주름잡은 레전드 혼성그룹 캐니스.

"아, 안녕하십니까!"

"네, 안녕하세요."

여기가 음악방송 복도인지 경찰청의 회의실인지 분간이 안 가는 수준. 그들은 저마다 흥분을 하거나 기대를 하며, 또 누군가는 심드렁한 얼굴로 관계자를 기다렸다.

그리고 이내 그들이 기다리던 이들이 도착했다.

뚜벅뚜벅!

나연석 PD와 함께 들어온 종혁은 단상에 서며 가수들을 주욱 둘러봤다. 뜬금없이 젊은 사람이 등장하자 웅성거리는 그들.

'이 정도면 이 시기의 드림팀이라고 할 수 있겠네.'

"반갑습니다. 경찰 이미지 마케팅과의 팀장 최종혁 경감입니다."

"연출을 맡을 나연석 PD입니다."

"그럼 지금부터 경찰의 날 특집 3부작 예능, 가칭 우당탕탕 좌충우돌 파출소 생활기에 대한 회의를 시작하겠습니다."

그렇게 경찰의 날을 맞이한 관찰 대결 예능 준비가 시작되었다.

* * *

우당탕탕, 지이이잉!

아침의 서울, 한 파출소에서 시끄러운 소리가 울려 퍼진다.

"좋은 아침입니…… 어우, 뭐야?"

"그거예요, 그거. 오락프로그램 촬영."

"아, 그거야?"

출근을 하던 경찰들은 파출소에 설치되는 카메라들에 신기해하고, 파출소 한구석에 놓인 벤치에서 신세를 지던 어젯밤의 취객은 슬그머니 자세를 바로 하며 어깨를 움츠린다.

언제나 똑같은 풍경이 반복되는 파출소에 변화가 생기고 있었다.

"이거 본청에서 기획한 거랬지?"

호록 커피를 마시는 한 경찰의 말에 다른 경찰이 고개를 끄덕인다.

"네. 경찰 이미지 마케팅과? 뭐 그런 곳이래요."

"아니, 파출소에 뭐 볼 게 있다고……. 몇 명이 온대?"

"네 명이요."

"상전이 네 명이나? 골치 아프겠구만. 차라리 경찰서를 가지."

그럼 경찰에 대해 더 다채롭게 보여 줄 수 있을 것이다.

하지만 그건 표면적인 이유고, 다른 이유 때문에 껄끄럽다.

무려 연예인이다.

얼굴에 상처라도 나면 큰일 나는 연예인.

그런 짐덩이가 네 개나 추가되니 파출소 업무는 꼬일 수밖에 없을 터.

거기다 당장 내일이 금요일이다. 주 5일 근무제 시행이후 주말에 편입되어 버린 금요일.

내일부터 이틀간 화장실조차 제대로 갈 수 없을 만큼 바쁠 텐데 그런 짐덩이까지 케어할 순 없었다.

"그런데 본청에선 사람이 안 온 거야?"

"아직요."

"하, 시발. 아무리 우리 소장님이 신청을 했다지만, 저런 짐덩이를 던져 놓는 거면 와서 인사라도……."

쿠당탕!

파출소 내의 경찰들은 입을 다물며 바닥을 뒹구는 사내를 봤다.

누군가에게 던져지듯 날아와 뒹군 사내의 손엔 수갑이 채워져 있었다.

그런데 이 모습이 썩 낯설지가 않다.

분명 황당한 광경임에도 말이다.

'어디서 봤더라…….'

뚜벅뚜벅!

"충성. 오랜만입니다!"

경찰들은 구둣발 소리를 내며 들어와 거수경례를 종혁을 발견하곤 눈을 껌뻑이다가 몸을 벌떡 일으켰다.

“최 경위님-!”

“하하. 잘 계셨죠, 홍익파출소 여러분?”

그랬다. 우당탕탕 좌충우돌 파출소 생활기의 촬영 파출소 중 한 곳은 바로 홍익파출소였다.

“정말 우리 파출소가 될 줄은 몰랐는데 말이야.”

달그락.

장철호 소장이 종혁의 앞에 믹스 커피를 내려놓는다.

“최초로 남녀 탈의실 및 당직실 분리한 파출소가 여긴데 여길 아니면 어딜 고르겠어요?”

“너 때문이잖아, 인마.”

커피를 마시던 종혁은 고개를 모로 기울였다.

“무슨 말인지 모르겠는데요?”

“……그래, 그렇다 치자.”

“아니라니까요.”

“알았다고. 아, 이거 인사가 늦었습니다. 홍익파출소 소장 장철호입니다.”

“우당탕탕 좌충우돌 파출소 생활기의 지휘를 맡을 나연석 PD입니다.”

“참고로 남대문서 반장님이셨어요. 별명이 장베르만일 정도로 성격이…….”

“이 자식이?”

"봐요, 그렇죠?"

나연석 PD는 친분이 짙어 보이는 둘의 모습에 눈을 빛냈다.

"서로 잘 아시는 관계인가 보네요."

"알 수밖에요. 저놈 첫 발령지가 여기였거든요. 그때 얼마나 풍파를 일으켰는지……. 어휴, 말을 하자면 한도 끝도 없습니다."

"어? 그렇게 말하시면 나 억울한데?"

"아니라고? 청일고 전따 사건과 윤영철 사건을 네가 안 일으켰다고?"

"전 검거를 한 거지, 일으키진 않았어요."

"그게 그거지."

"청일고 전따 사건이요?"

청일고 전따 사건은 나연석 PD도 아는 사건이다.

1학년 전체가 한 학생을 왕따시켰고, 결국 왕따 학생은 자살을 하려다가 경찰에 구출이 됐다.

주범들은 이 동네의 지주 격인 있는 집 자식들.

경찰서장까지 얽힌 일이라 사회적 문제로 대두되면서 전국에 왕따 근절 캠페인까지 일어났을 만큼 큰 사건이었다.

윤영철 사건은 아버지가 육군 장성이어서 유명해진 사건이다.

일명 채팅 살인 미수범 윤영철. 정신감정 결과 대한민국 역사상 첫 번째로 사이코패스 판정을 받았다.

"그게 최 팀장님이 해결한 사건이었습니까?!"

"하하. 뭐, 어쩌다 보니……."

"어쩌다 보니는 무슨. 네가 여기 있는 동안 잡은 범죄자가 몇 명인데. 오늘도 봐. 또 오는 길에 범죄자를 잡아왔잖아?"

"아하하."

나연석 PD는 더 눈을 빛냈다.

'오늘 같은 일이 한두 번이 아니라고?'

먼저 도착해 카메라 설치 동선을 확인하던 나연석 PD.

범죄자를 집어 던지며 등장하는 종혁의 모습에 이게 무슨 일이냐며 경악을 했었는데, 이게 일상이었다니 도무지 믿기지가 않았다.

"그보다 이거 어쩔 거야. 정말 할 거야?"

종혁은 장철호 소장이 내민 손바닥 반만 한 크기의 작은 사각 케이스, 바디캠에 미간을 좁혔다.

정수찬은 끝내 제시간 안에 프로토 타입을 개발해 냈고, 종혁은 그 시범 운영을 이번 예능 촬영을 통해 선보일 예정이었다.

"왜요. 싫대요?"

"그럼 좋아하겠냐? 감시를 당하는 건데? 말이 나왔으니 하는데 말인데 말이 경찰 인권 향상이지, 이거 본청에서 일선 경찰들을 감시……."

감시란 말에 종혁의 표정이 딱딱하게 굳는다.

"네, 맞죠. 감시가 아니라고는 말 못하겠네요."

"뭐?"

"하지만 이런 도구까지 필요하게 된 원인에 대해서도 고민을 이젠 해 봐야 하지 않겠습니까?"

시민을 위해 존재하는 경찰임에도 도리어 시민들이 억울한 피해를 입게 만드는 견찰도 세상에는 분명 존재한다.

인정하고 싶지 않지만, 이것을 인정하지 않고서는 이 경찰 조직은 절대 개선될 수 없다.

그렇기에 종혁은 그런 견찰들의 공권력 남용을 방지하기 위해서, 진짜 경찰들이 떳떳해질 수 있도록 바디캠의 도입은 필요하다고 여겼다.

"그리고 언제까지 당하고만 있을 겁니까? 억울하지도 않아요?"

술에 취해, 분을 못 이겨 경찰을 때려 놓고 나 몰라라 하는 쌍놈들. 먼저 여경들 성추행해 놓고 제압을 당하니 억울하다 외치며 진단서를 끊는 개새끼들. 경찰이 손도 대지도 않았는데 드러눕는 미친놈들.

웃긴 건 이게 하루에도 몇 번씩 일어나는 평범한 파출소의 일상이라는 점이다.

바디캠을 통해 객관적 증거를 확보할 수만 있다면, 그런 경찰들의 억울한 피해도 줄어들 터였다.

"소장님, 제가 본청 들어갔다고 목에 힘줄 만큼 없어 보입니까? 상부의 사냥개가 될 정도로 성공에 미친놈으로 보였어요?"

아니다. 범인 검거에만 미쳤던 놈이 종혁이다. 그러면

서 파출소 생활 개선에 앞장을 섰던 종혁.

"미안하다……."

"후, 죄송합니다. 저도 좀 격해졌네요. 아무튼 이 바디캠 시범 운행으로 인해 인권위도 많이 바뀌게 될 겁니다."

"인권위도?! 어떻게?"

"일단은 경찰 인권위뿐이지만, 싹 다 갈아엎을 거예요."

여론이 휘몰아쳐도 흔들리지 않을 강단 있는 고위 간부들을 인권위원으로 위촉할 것이고, 변호사도 제대로 된 변호사들과 전속 계약을 맺을 계획이다.

"이 모두 청장님의 의지십니다."

"……정말 미안하다. 오해해서."

"됐어요. 상부가 욕먹는 게 하루 이틀도 아니고. 일단이 경사님들부터 불러 주세요. 이왕 말 나온 김에 해치워야죠. 하, 이런 거면 미리 말이라도 해 주시지."

"어? 어어."

장철호 소장은 얼른 전화기를 들었고, 이내 몰려들어온 홍익파출소 간부들은 종혁의 설명에 오해를 했다며 사과를 했다.

그런 그들의 모습에 나연석 PD는 눈을 초롱초롱하게 빛냈다.

하지만 종혁의 말은 이제부터 시작이었다.

"그러니 현 시간부로 발생하는 모든 사건에 단호하게 대처하세요."

"응? 다, 단호하게?"

"정말? 저, 정말 매뉴얼대로 해도 돼?"

"예. 매뉴얼대로 엄정하고 단호하며 신속하게. 이에 발생하는 모든 책임은 청장님께서 지십니다."

그들의 눈이 부릅떠졌다.

단호하게.

겨우 한 마디뿐인데 왜 이렇게 울컥하게 될까.

'드, 드디어 상부가 우리를 돌봐 주는구나!'

'우리의 노고가 인정된 거야! 드디어! 드디어-!'

그들의 눈시울이 붉어지기 시작했다.

오늘이 경찰 생활 최고의 기념일이었다.

"씨발. 다 죽었다, 이 개새끼들아!"

"이 쌍놈의 새끼들-!"

-치익! 출연자들 도착했습니다. 나 PD님 어디세요?

드디어 녹화 시작.

이제부터 카메라가 자신들을 찍는다 생각하자 으쌰으쌰 파이팅을 하던 경찰들은 딱딱하게 굳었고, 종혁은 그런 그들을 보며 키득키득 웃었다.

"자, 그럼 하루 일과를 시작해 볼까요?"

그렇게 가칭 우당탕탕 좌충우돌 파출소 생활기 촬영이 시작됐다.

* * *

"후우우."

도로가에 세워진 승합차 안.

4인조 걸그룹 티파니의 리더 박성아가 차창 밖으로 보이는 '홍익파출소' 이 다섯 글자를 응시하며 숨을 고른다.

'여기가 오늘부터 우리가 녹화할, 아니 근무할…….'

일주일에 무려 3일, 하루 9시간 이상 근무할 파출소다.

파출소, 경찰.

솔직히 좀 무섭다.

하지만…….

'그때보다 힘들겠어?'

유럽을 횡단하며 버스킹을 하고 그 수익으로만 생존하던 프로그램을 찍었던 그녀. 아마 그보다 힘든 경험은 그녀 자신의 인생에 없으리라.

그렇기에 다른 걱정부터 든다.

박성아는 예능 출현이 처음이라 하얗게 질린 막내 멤버의 손을 꼭 잡으며 걱정을 토해냈다.

"실장님, 저희 정말 9시간이나 촬영해도 스케줄 괜찮은 거 맞아요?"

"……안 괜찮지."

현재 인기 절정인 티파니다.

하루에 잡히는 행사만 기본 4개. 이 3부작 예능 촬영으로 인해 일주일에 6개 이상의 행사가 날아가 버린다.

이렇게 막대한 손해를 입는데도 승낙을 한 건 경찰이 내민 달콤한 대가 때문이다.

우승 시 경찰의 날 행사 초대 및 앞으로 1년간 모든 국가 행사 초대. 일반적인 참석이 아니라 초대 가수로서 참가한다.

티파니처럼 한 곡 반짝 뜬 가수가 아니라, 국내 최정상의 연예인만 참가할 수 있는 국가 행사에 말이다.

즉, 격과 급이 달라진다는 소리다.

그렇기에 소속사는 한번 도박을 걸어 보기로 한 것이다.

"구, 국가 행사요?!"

이 말을 처음 듣는 박성아와 막내 멤버는 파랗게 질렸다.

"그러니까 뭐든지 열심히 해. 힘들면 울어! 토해! 대신 성아 네가 제일 잘하는 악바리 근성을 보여! 알았어?"

"우, 울어요? 토해요?"

'또?'

버스킹 예능을 촬영하며 하루에도 몇 번씩 눈물을 쏟아냈던 그녀는 얼굴이 하얗게 변한다.

"내가 알아보니까 순경이 처음 파출소에 출근하면 선배들이 화장실 청소부터 시킨다더라. 전날 취객들 때문에 난장판이 된 화장실을."

"아."

"거기다……."

매니저는 나름 알아본 것에 대해 설명하기 시작했고, 그럴수록 박성아와 막내 멤버의 얼굴은 하얗게 질려 갔다.

쿵쿵쿵!

"나오실 시간입니다."

"파이팅! 악바리 박성아, 아자아자아자!"

"……후, 다녀오겠습니다."

"잘해!"

드르륵 문을 연 박성아는 자신을 찍는 카메라에 활짝 핀 미소로 인사를 하며 홍익파출소로 향했다.

점점 가까워지는 파출소 문에 그녀는 다시 심호흡을 했다.

'잘하자. 잘하자. 무조건 잘하자.'

"언니……."

"우리 연습한 거 잊지 않았지?"

"……응, 언니."

"들어가자."

딸랑!

문을 열고 들어간 그녀들은 숨을 깊게 들이마셨다.

"하나, 둘. 충성! 티파니 박성아와!"

"이인영은!"

"현 시간부로 홍익파출소 근무를 명 받았습니다. 이에 신고합니다! 충성-!"

실력파 가수다운 우렁찬 성량이 꿰뚫자 모든 게 멈춰 버린 파출소.

'……응?'

박성아는 자신들을 보며 눈만 껌뻑이는 경찰들의 모습

에 뭘 잘못한 건가 마른침을 삼켰다.

그때였다.

짝! 짝! 짝!

'저, 저분은?'

박성아는 박수를 치는 종혁을 보며 깜짝 놀랐고, 장철호 소장은 혀를 내두르며 입을 열었다.

"와아, 여기가 군대인 줄. 야, 누가 저 시보들에게 인사 좀 가르쳐 줘라."

"푸하하하핫!"

"으하하하핫!"

박성아와 이인영의 얼굴이 빨갛게 달아올랐다.

"으흐흐. 넌 순경, 난 경장. 넌 한 순경, 난 최 경장. 넌 핫바리, 난……."

퍼어억!

"커헉?!"

"닥쳐라. 나 너 팰 수 있다."

"버, 벌써 때려 놓고…… 헉!"

종혁을 따라와 놀리다 결국 배를 얻어맞은 최재수를 일견한 한승연은 잔뜩 얼어 있는 박성아의 모습에 아차 했다.

"어머. 호호, 반가워요. 앞으로 두 분의 사수가 될 한승연 순경이라고 해요."

"바, 박성아입니다."

"이인영이에요!"

"너무 그렇게 딱딱하게 굴지 마요. 여긴 그런 곳 아니니까. 따라와요."

한승연은 둘을 데리고 탈의실로 향했다.

"여기가 여자탈의실."

"여, 여자탈의실이요? 파출소는 탈의실이 따로 있어요?"

남녀 탈의실 분리가 뭔가, 음악방송 대기실이건 행사 대기실이건 대기실에선 남녀 함께 옷을 갈아입을 때가 대부분이다. 그래서 행사 땐 대부분 차에서 갈아입는다.

"따로만 있을 뿐일까."

콧대를 세운 한승연은 탈의실 문을 열었고, 박성아와 이인영은 탈의실 풍경에 헛숨을 삼켰다.

우중충하게 나무로 꾸며진 벽에 서늘한 철제 캐비닛.

앉아 있어도 불편할 것 같은 검은색 소파에 탈의실 옆 여자 숙직 공간엔 허름한 라꾸라꾸 침대와 이불이 각을 지어 세워져 있다

그나마 화장대들과 커다란 냉장고 두 대가 이곳이 여성들의 공간임을 알려 줄 뿐, 보기만 해도 절로 가슴이 답답해지는 풍경이었다.

하지만 그녀들은 알까.

이건 이번 촬영 때문에 모조리 싹 다 거짓으로 리모델링을 했다는 걸. 원래는 연분홍빛 대리석 공간에 원목 화장대, 원목 캐비닛 등 최고급으로 꾸며져 있었다.

'에혀. 이분들만 아니었으면…….'

오늘도 핑크색 소파에 앉아 우아하게 모닝커피를 마시며 고아하게 화장을 고쳤을 것이다.

'그러다 콜 터져서 눈썹을 반만 그리고 튀어 나가…….'

"꺄, 꺄악! 피, 피!"

이인영이 휴지통에 담긴 피투성이 붕대 뭉치를 발견하고 호들갑을 떨자 한승연은 한숨을 폭 내쉬었다.

"이런 건 따로 봉지에 싸서 버려 달라니까. 아주 자기 다쳤다고 자랑 안 하면 못 살지?"

그렇게 말하며 화장대 서랍에서 검은 봉투를 꺼내 아무렇지도 않게 담는 한승연의 모습에 둘뿐만 아니라 촬영팀도 식겁한다.

"이, 이런 일이 자주 있나 봐요?"

"아, 피요? 자주 보죠. 하루에 한두 번은 무조건?"

이건 진실이다. 원래 기온과 불쾌지수가 높은 여름엔 사건이 많이 발생하는데, 관내에 강변공원과 번화가가 있어서 시비나 폭행으로 이어지는 주취 사건이 많다. 그걸 말리다보면 경찰도 자연스럽게 피를 보게 된다.

"저도 어제 다쳤어요, 여기."

팔뚝을 따라 길게 그어진 상처.

다행히 얇게 베인 듯 대수롭지 않게 웃는 그녀의 모습에 안 그래도 하얗게 질려 있던 박성아는 숫제 시체처럼 파랗게 질려 버렸다.

"딸꾹!"

"자, 그럼 얼른 환복을 할까요? 야, 박 시보!"

"시보 박시연-!"

"방송국분들 정중히 내보내고, 아침 식사 준비해."

"예! 알겠습니다, 충성! 자, 이제 나가 주시지 말입니다. 여자들 환복하지 말입니다."

"어? 어?"

'안 돼! 가지 마세요!'

'여기에 우리만 남겨 두지 마세요!'

박성아와 이인영은 마음속으로 손을 뻗었지만 문은 속절없이 닫혔다.

"응? 안 갈아입어요?"

"가, 갈아입을게요!"

'어, 엄마야!'

그들은 학교에 지각을 할 때보다 더 허둥지둥 옷을 갈아입었다.

그렇게 환복을 마치고 화장실로 간 둘은 오바이트 지뢰로 가득한 내부를 닦는 다른 시보들의 모습에 절망하고 말았고, 키득 웃은 승연은 둘을 밀어 넣고 종혁을 찾았다.

"남자아이돌팀은 왜 아직도 안 왔다고 합니까? 9시가 넘어가는데. 얘들 그쪽에서 먼저 꽂아 달라고 사정한 거 아니었어요?"

"차가 막힌다고……."

"그럼 빨리 출발했으면 되는 거 아닙니까? 아나. 경찰

일이 우습게 보이나."

'최 경위님, 아니 최 경감님…….'

오랜만에 봐서 그런지 더 멋있어진 종혁.

고작 25살에 경감으로 특진을 하더니 경찰 이미지 마케팅과라는 부서의 팀장이 됐다고 한다. 무려 본청의 팀장이 말이다.

둘 사이의 간격이 더 커진 느낌이었다.

'이제 현장은 안 뛰시는 건가? 조금만 더 배운 후에 특수에 가려고 했는데…….'

괜스레 울적해지고 있었다.

"하, 진짜 아무리 스카이라지만 경찰이 우습나……."

주로 발라드를 부르며 2000년 초반에 한국을 휩쓴 꽃미남 아이돌 그룹 스카이. 티파니와 함께 홍익파출소에서 근무하며 근무 평가로 대결을 할 이들이다.

그런 중요한 출연자가 아직도 오지 않자 투덜거리던 종혁은 한승연을 발견하고 눈을 동그랗게 떴다.

"추, 충성!"

한승연은 어느새 다가온 종혁에 화들짝 놀랐고, 종혁은 그런 그녀를 위아래로 훑었다.

"올-. 이젠 좀 경찰 티 나는데요?"

순경 2년 차가 돼서 그런지 이제야 좀 근무복이 어울리는 느낌이다. 이제야 모진 풍파에 단단해진 느낌이랄까.

이런 그의 칭찬에 한승연은 자신도 모르게 웃고 말았다.

"감사합니다!"

"머리는 좀 괜찮아요?"

"괜찮습니다. 그리고 팀장이 되신 걸 축하드립니다."

"뭘요. 고작 임시인데."

"그래도……."

싱긋 웃은 종혁은 화제를 돌렸다.

"박성아 씨들은 좀 어때요?"

정확히는 카메라가 없을 때를 묻는 거다.

"아, 풋. 뭘 들은 건지 군기가 바짝 들었던데요? 마치 겁에 질린 강아지 두 마리 같았어요."

"시보 때 한 순경처럼?"

"저, 전 안 그랬는데요?!"

"뭘 안 그래요. 다 들었는데……."

눈을 부릅뜬 승연은 시보 때 사수였던 김 경장을 찾았지만 올해도 결국 고배를 마신 그는 이미 지방의 파출소로 전출을 가 버려서 보이지 않았고, 종혁은 그런 그녀를 보며 키득키득 웃었다.

그때였다.

끽!

파출소 앞에 밴이 멈춰 서자 종혁은 미간을 좁혔다.

"하. 이제야 설렁설렁 도착……."

말을 하던 종혁은 밴 안에서 들리는 소리에 입을 다물었다.

"아, 진짜 내가 왜 저딴 좁고 더러운 파출소 따위에서 촬영을 해야 하냐고! 그것도 겨우 3부작을!"
"맞아! 우리가 급이 있지!"
"닥쳐! 회장님 명령이니까 하라면 해!"
종혁과 승연의 낯빛이 딱딱하게 굳는다.
아니, 종혁의 눈과 입술은 삐뚜름 비틀어지고 있었다.
"이 새끼들 봐라?"
"힉?!"
종혁을 본 승연은 하얗게 질렸다.

* * *

"하하, 안녕하세요."
"꺄악!"
"스카이다, 스카이!"
여경들의 비명이 튀어나오는 홍익파출소.
그 건물 바깥의 코너에서 담배가 타들어 가는 소리와 함께 연기가 뿜어진다.
그리고 종혁이 안절부절못하는 승연과 함께 걸어 나온다.
"아니, 왜 이렇게 늦었…… 아, 팀장님!"
파출소 바깥에서 스카이의 매니저를 앞에 둔 채 얼굴을 붉히던 나연석 PD의 얼굴이 일그러진다.
'하, 이렇게 훌륭하고 멋진 간부 앞에서…….'
변화하려는 경찰의 선봉에 선 종혁의 앞에서 망신을 당했다.

부끄럽고 화가 났다.

종혁은 그런 그의 모습에 고개를 모로 기울이다 삼십대의 매니저를 봤다.

"좀 늦으셨습니다?"

"하하, 차가 좀 막히다 보니 그렇게 됐습니다. 죄송합니다. 앞으론 이런 일 없도록 하겠습니다."

"지금 그걸……."

나연석 PD를 멈춰 세운 종혁은 이해한다는 듯 환하게 웃었다.

"아, 그래요? 그럼 다음부터 조심해 주세요."

"으하핫! 이해해 주셔서 감사합니다. 역시 젊은 간부님이시라 시원시원하시네요!"

"하하. 편히 쉬고 계세요."

"예! 그럼 두 분만 믿겠습니다! 필요한 게 있으시면 언제든 말씀해 주십시오!"

그렇게 말한 매니저는 차로 향했고, 종혁은 떠나는 차를 보며 푸흐흐 웃음을 터트렸다.

"미, 미안합니다, 팀장님. 내가 입봉 PD라 힘이 없어서……."

"뭘요. 개새끼가 개새끼처럼 짖은 것뿐인데 나 PD님이 왜 죄송합니까?"

"……예?"

백번 양보해서 지각은 이해할 수 있다. 도로에 큰 사고가 났다든지 예상치 못한 이유로 정말 차가 막힐 수도 있으니까.

하지만 그들이 내뱉은 말은 참고 넘어갈 수 없었다.

이건 홍익파출소, 아니 경찰 전체를 무시하는 행위였다.

'아, 이거 빡도네?'

"한 순경."

"수, 순경 한승연!"

"박성아 씨들은 어땠다고 했지?"

방금 전과 같은 질문이건만 그 목소리는 확연히 달랐다.

"……마치 겁이 많은 강아지 같았습니다!"

그것도 교육이 아주 잘돼서 하라는 대로 잘하는 강아지.

"오케이. 그럼 튀어 가서 서 경장 데리고 와."

"넵!"

"……팀장님?"

나연석 PD는 처음 보는 종혁의 껄렁한 모습에 눈을 껌뻑였다.

"충성! 부르셨습니까."

종혁이 화가 난 것 같다는 승연의 말에 다급히 달려 나온 이십대 후반의 서 경장은 눈을 초롱초롱하게 떴다.

"서 경장."

"예! 말씀만 하십시오!"

공공연한 비밀이지만, 청일고 왕따 사건 때 주범의 부모들을 싹 다 날려 버린 것으로 추정되는 종혁.

어디 그뿐인가.

종혁이 홍익 파출소에 있는 동안 해 놓은 일이 몇 개던가.

종혁은 서 경장이 닮고 싶은 롤모델이었다.

"학창 시절 때 폭주 좀 뛰었다고 했지?"

종혁이 무슨 말을 할까 잔뜩 기대했던 그는 머리를 긁었다.

"아하하. 옛날 얘기죠. 지금은 마음 고쳐먹고……."

"그럼 네가 스카이 사수 해라."

"예? 그건 유 경위님께서 하기로……."

이제 정년이 얼마 남지 않은 유 경위. 푸근한 경찰의 이미지를 위해 성격이 서글서글한 그가 스카이의 담당이 되기로 했다.

"이경숙 경사님이랑 네가 인계받아. 유 경위님에게는 내가 잘 말씀드릴 테니까."

"이, 이 경사님과요?! 그것도 저까지요?"

홍익파출소의 안주인이라 불릴 만큼 꼼꼼하지만 성격이 드세기가 이루 말할 수 없고, 약간이라도 마음에 안 드는 사람은 들들 볶기로 유명한 이경숙 경사. 그래서 별명이 시어머니다.

거기다 서 경장 본인도 성격이 좋지 않다.

그래서 자신을 거쳐 간 시보들이 서 계장이라고 부르지 않던가. 한번 물면 살이 떨어져 나갈 때까지 놓지 않는다고 말이다.

'그런 나랑 이 경사님을 걔들 사수로 붙인다고?'

"……스카이, 걔들 상태 메롱입니까?"

"지금 튀어가서 걔들 환복 끝나면 화장실부터 처넣어. 그리고 병철이 애들 업장 한 바퀴 돌아. 병철이한테는 내가 후까시 좀 잡으라고 이야기해 놓을 테니까. 이러면 답이 될까?"

관내 기생충인 병철이파. 성인 오락실과 마사지, 단란주점 이렇게 사업장 세 개를 간신히 운영을 하는 조폭인데, 나름 선을 지킬 줄 아는 놈들이라서 지켜보고만 있는 중이다.

'씨벌. 그 새끼들 개새끼들인가 본데?'

그렇지 않으면 종혁이 이렇게 행동할 이유가 없다.

상황 파악을 끝낸 그는 이를 드러냈다.

"알겠습니다. 그렇게 하겠습니다."

"고맙다."

"충성!"

그가 안으로 달려가자 종혁은 입술을 비틀었다.

'경찰이 우습지? 그럼 우습지 않도록 해 줄게.'

놀이공원 귀신의 집은 어린애 장난으로 느끼게 해 줄 거라 다짐을 한 종혁은 한승연을 봤다.

"한 순경은 지금 올라가서 박성아 씨들과 시보들 청소 관두고 내려오라고 해. 박성아 씨들에겐 지금부터 순찰 나갈 거니까 각오 단단히 하라고 말하고."

"충성!"

한승연마저 안으로 달려가자 종혁은 그제야 나연석 PD

를 향해 고개를 숙였다.

"맘대로 바꿔서 죄송합니다."

나연석은 고개를 붕붕 저었다.

"정말 화끈하시네요. 그런데 박성아 씨들은 왜 순찰을……."

"파출소에서 가장 다양한 상황을 겪을 때가 언제인지 아십니까?"

"……순찰이라는 거군요."

"떡은 미운 놈이 아니라 예쁜 사람에게 줘야죠."

다이나믹하고 멋진 분량이 좍좍 뽑힐 거다.

"괜찮겠습니까? 걔들이 그래도 팬덤이 큰 아이돌인데요."

그들이 팬들에게 입을 털기 시작하면 종혁이 고달파질 거다.

그런 그의 말에 종혁은 웃음을 터트렸다.

"PD님, 그렇기에 경찰 일이 얼마나 고된지 알게 되지 않겠습니까?"

청소는 하루에도 몇 번씩 하는 파출소의 일과다. 시청하는 팬들이야 엉덩이를 들썩일 만큼 힘든 일이겠지만, 파출소에서는 정말 사소한 일과.

거기다 병철이파 정도는 현장에서 겪을 수 있는 수많은 악 중 아주 작은 악이다. 경찰들은 그런 악들에게서 국민을 지키는 거다.

솔직히 골탕을 먹이려는 의도가 다분하지만, 고작 이 정도를 고생이라고 할 수 있을까.

일선의 현장은 이마저도 일상이라 치부할 만큼 더럽고 힘든 일로 가득하다.

종혁은 그저 그런 파출소의 민낯을 보여 주는 것뿐이다.

“다만 거기서 버티고 못 버티고는 그들의 의지에 달린 일이죠. 박성아 씨들도요.”

종혁의 입장에선 저들이 버티지 못하고 울어 버리는 게 낫다.

그만큼 경찰의 노고가 돋보일 테니 말이다.

‘……와, 이 사람 정말 대단하네.’

그렇다면 자신도 달리 생각해야 됐다.

그때였다.

-코드 원! 코드 원!

홍익파출소 안에서 터져 나오는 소리.

코드 원. 최단 시간 내에 출동해야 되는 긴급출동 코드로, 수상한 사람이 집 앞에 있거나 음주운전, 뺑소니 사고, 현재 이루어지는 폭행 등의 행위에 코드 원이 발동된다.

“저거부터 출동하면 되겠네요.”

종혁은 핸드폰을 들었다.

“예, 소장님. 제가 지원할 테니까 지금 들어온 콜 한 순경 조에게 맡기시죠? 네. 바디캠 꼭 챙기게 해 주십시오. 예, 감사합니다. 충성.”

그 말에 눈을 부릅뜬 나연석 PD는 안으로 달려 들어갔고, 종혁은 핸드폰을 들었다.

"네, 오 경위님. 거긴 좀 어때요?"

가상으로 큰 범죄를 저지르고 도주를 하는 연예인들의 뒤를 경찰이 쫓으며 검거하는 상황 예능인 가칭 경찰과 도둑.

짧으면 1부작, 길면 2부작으로 방영될 예정이다.

서울과 인천이 주 무대로 검거팀은 광역수사대가 맡기로 했다. 그리고 촬영 지휘는 오택수가 맡았다.

"그냥 재지 말고 최대한 빠르게 잡으라고 하세요. 우리가 뭐 웃기려고 방송 나갔습니까? 김재선 씨랑 장호돈 씨한테는 정말 진심으로 검거할 거라고 양해 구해 주시고요. 예, 수고하세요."

따라랑! 후다닥!

"달려!"

종혁은 헐레벌떡 뛰어나오는 네 명의 손에 들린 바디캠에 흐뭇이 웃으며 발을 뗐다.

"이번엔 어떤 씨발 새끼가 코드 원을 터트리게 했을까나?"

종혁의 두 눈에 살기가 들어차기 시작했다.

* * *

쿠웅!

한승연의 작은 손에 끌려온, 아침부터 술에 취해 옆 손님에게 주먹을 휘두르던 사십대 취객이 땅을 향해 메쳐진다.

“적법한 매뉴얼에 의거해 당신을 폭행 및 공무집행방해죄로 현장 체포합니다. 당신은 묵비권을 행사할 수 있고…….”

“이익! 놔! 니들이 나한테 이러면 안 되지! 이 무능한 새끼들아! 여기 경찰이 사람 친다! 경찰이 국민을 팬다-!”

“네, 네. 선생님께서 하신 모든 언행은 여기에 다 녹화되셨고요. 적법한 매뉴얼대로 검거하는 겁니다.”

‘푸핫!’

대수롭지 않게 받아치는 게 승연도 경찰이 다 됐다.

종혁은 겁에 질린 건지 한 발 떨어져 서로를 끌어안은 채 오들오들 떠는 박성아와 이인영을 응시했다.

‘적응하는 데 시간이 좀 걸리겠네.’

하긴 중앙경찰학교를 졸업해 배치된 시보들도 처음 이런 현장에 투입되면 얼어붙는데, 그녀들이라고 별수 있을까.

빠르게 적응시키면 되는 일이다.

“어디 보자. 시간이…… 응, 딱 좋네.”

종혁은 핸드폰을 들었다.

띠리링, 띠리링!

운전석에 오르려던 승연의 파트너가 전화를 받는다.

“홍 경사님, 가는 길에 PC방 한 바퀴 도시죠.”

-나야 좋-지!

홍익파출소 근무 시절 일단 순찰을 나갔다 하면 꼭 범죄자 한 명씩은 잡아 온 종혁이다. 그런 종혁이 가자는데 거부할 이유가 없었다.

전화를 끊자 나연석 PD는 종혁에게 다가왔다.

"이 시간에 PC방은 왜 가는 겁니까?"

"귀여운 강아지들이 기어 나올 시간이라서요."

"네?"

"아이씨, 정말 안 폈다니까요! 이 재떨이 저희 거 아니에요!"

"아, 진짜 찍지 마요!"

"딱 걸렸는데 뭐가 아니야! 얼른 학교 말 안 해?!"

"한 번만 봐주세요!"

방학이라고 빨갛고 노랗고 파랗게 멋을 낸 강아지들이 앙앙거리는 모습에 종혁은 흐뭇이 웃었다.

'아, 때리고 싶다.'

저 동그란 뒤통수를 후려쳐 버리면 참 소원이 없을 듯했다.

"어? 박성아?"

"뭐?"

움찔!

순간 시선이 몰리자 박성아는 몸을 움츠렸다.

분명 한참 어린아이들이지만, 담배를 문 채 서로 욕을

하며 게임을 하던 모습을 보니 선뜻 '함께 계도해라'라는 작가의 스케치북대로 움직이기가 힘들다.

"아하하. 아, 안녕. 애들아."

"지, 진짜다! 와, 씨발! 존나 예……."

빠아악! 빡!

"억!"

결국 참지 못한 종혁 때문에 순간 조용해진 PC방.

아니, 종혁 때문만이 아니다. 거의 동시에 한승연도 가까이 있는 놈의 뒤통수를 후려쳤다.

"아, 아니 저……."

종혁은 씩씩거리다 이쪽을 보며 놀라는 승연의 모습에 피식 웃었다.

"어떤 새…… 악?!"

종혁은 키보드에 머리를 박고 다시 고개를 쳐드는 놈의 뒤통수를 움켜쥐며 나연석 PD를 향해 웃어 주었다.

"아하하. 잠시 끊어 가시죠."

종혁은 빨간 강아지의 뒤통수를 쓰다듬으며 굳어 버린 다른 암컷, 수컷 강아지들을 향해 이를 드러냈다.

"어이, 강아지들. 숨질래?"

뿌드득 쥐어지는 솥뚜껑만 한 주먹에 그들은 하얗게 질렸다.

"앙앙 짖어도 상황을 봐 가면서 짖어야지. 이 형아가 앙앙 말고 깽깽 짖게 해 줄까?"

그들은 마치 모터를 단 것처럼 빠르게 고개를 저었다.

"잘못했지?"

끄덕끄덕끄덕!

"그럼 어떻게 해야 할까? 해맑게 웃으며 정중히 학교와 이름과 나이를 말해야 할까, 아니면 방금처럼 앙앙 짖어야 할까?"

"마, 말해야 돼요!"

"옳지. 형이 계속 지켜본다. 그리고 홍 경사님. 이런 애들은 좀 단호하게 대처하시라니까요."

"응?"

순간 홍 경사의 눈이 흔들렸다가 제자리를 찾는다.

"으하핫! 왜? 귀엽잖아."

"홍 경사님이 그러니까 한 순경도 갈피를 못 잡는 거 아닙니까."

"승연이가? 에이, 카메라 앞이라고 내숭……."

"호, 홍 경사님!"

"어이쿠. 자, 그럼 우리 명예 경찰관님들도 일을 해 볼까요?"

"네? 네!"

종혁을 멍하니 바라보던 박성아는 얼른 한승연과 함께 강아지들의 학교와 이름을 적기 시작했고, 강아지들은 최대한 선량하고 어색하게 웃으며 순순히 협조했다.

그걸 흐뭇이 종혁은 어느새 카메라 밖으로 물러나 툭 치는 홍 경사의 모습에 의아해했다.

"정말 단호하게 대처해도 돼? 피해 없이?"

"괜찮다니까요. 다 청장님이 책임지십니다."

"……그래, 그렇단 말이지? 이젠 패도 된다는 말이지?"

홍 경사의 입가에 비릿한 미소가 번지자 종혁은 씁쓸히 웃었다.

'이 양반도 쌓인 게 많나 보네.'

어디 홍 경사뿐일까.

경찰에게 대드는 진상도 국민이라고 참고 견디며 선생님, 선생님 해야 되는 게 일선 파출소의 경찰들이다.

치안의 최전방인 파출소임에도 지금까진 본인의 실수는 본인이 책임져야 했기에, 지켜야 할 가정과 어딘가에서 생겨날 피해자들을 위해 참고 견뎌야 했던 이들.

"이왕 온 김에 신원 조회나 하고 가시죠? 혹시 압니까, 수배자가 있을지?"

움찔!

'응?'

"그럴까? 이인영 시보."

"네? 네!"

"따라와요."

김 경사는 이인영과 함께 검문을 하러 갔지만, 종혁은 저 멀리에서 슬그머니 일어나 화장실로 향하는 삼십대의 사내를 보곤 눈을 가늘게 떴다.

'킁킁?'

약간 고약한 냄새가 난다.

코를 긁은 종혁은 그를 따라 화장실로 향했다.

덜컥! 덜컥!

잠그다 못해 누가 잡고 있는 것처럼 어떤 힘이 느껴지는 손잡이.

'빙고.'

씩 웃은 종혁은 정중히 화장실 문을 두드렸다.

쿵쿵쿵!

"선생님. 네가 나올래요, 내가 들어갈까요. 여기 4층이라서 떨어지면 많이 아파요. 인질 그따위 소리 하면 뒤지게 처맞습니다."

-……씨부럴.

욕설과 함께 문이 열린다.

종혁은 한숨을 푹 내쉬며 걸어 나오는 사내의 어깨에 팔을 걸쳤다. 그래서인지 사내의 목에 새겨진 어설픈 뱀 문신이 더 선명하게 보인다.

"수배? 모가지에 싸구려 문신이 있는 걸 보니 깡패?"

"음주운전 및 도주입니다, 형님. 인천에서 생활하다 접었습니다, 형님. 기물 파손으로 수배 맞습니다, 형님. 사람은 안 쳤습니다, 형님."

"그래?"

'흐으응…….'

코가 반응을 했는데 잡범이다.

고개를 모로 기울였던 종혁은 어차피 신원 조회를 해보면 될 일이라 생각하며 어깨를 으쓱였다.

"저기 카메라로 찍는 거 보이지?"

"자리로 돌아가서 순서를 기다리겠습니다, 형님."

"옳지. 잘 아네. 자, 가 봐."

"감사합니다, 형님. 수고하십시오, 형님."

"그래, 이따 보자."

종혁은 해맑게 웃으며 손을 흔들었고, 잠시 후 순찰차 뒷좌석에 승객 한 명이 더 올라탔다.

너무도 뜬금없이 발견한 수배범에 나연석 PD와 제작진은 입이 찢어져라 웃었다.

종혁의 말처럼 다이나믹한 분량이 죽죽 뽑히고 있었다.

* * *

"아, 진짜 우리 엄마가 알면 저 죽는다니까요?!"

"드르렁! 푸우우! 드르렁!"

삽시간에 난장판이 된 홍익파출소.

종이컵을 든 채 종혁의 곁으로 다가온 장철호 소장이 헛웃음을 터트린다.

"네가 온 게 확확 느껴진다, 느껴져."

이게 과연 아침 10시 파출소의 풍경이라 할 수 있을까.

코드 원 콜을 받고 출동을 나갔던 경찰들이 범인뿐만 아니라 수배범과 PC방에서 담배를 피우던 양아치들까지 잡아 왔다.

종혁이 여기 있음이 팍팍 느껴졌다.

"에이, 뭘 이런 걸 가지고."

"칭찬으로 들리냐?"

"호호. 그보다 스카이 애들은 좀 어때요?"

와락!

그 짧은 사이에 뭔 일이 있었던 건지 장철호의 얼굴이 구겨진다.

"크크크."

"어휴."

"송 씨 할머니랑 박 씨 할아버지는 요즘도 오세요?"

3일에 한 번씩 출근 도장을 찍으시며 그동안 동네에 무슨 일이 있었는지 미주알고주알 다 말하며 간식을 축내시는 송 씨 할머니와 치매에 걸리셔서 집이 근처임에도 매일 길을 물으러 오시는 박 씨 할아버지.

"아, 오케이. 송 씨 할머니에게 붙이면…… 오셨네."

딸랑.

문이 열리며 허리가 굽은 할머니가 들어오자 경찰들은 하얗게 질렸고, 장철호는 재빨리 그녀에게 다가갔다.

"아이고, 또 오셨어요? 거기 스카이 순경들 이리로 와요!"

"네? 네!"

종혁은 여경들과 이야기를 나누다 화들짝 놀라 다가오는 그들을 향해 명복을 빌어 주었다.

송 씨 할머니의 별명은 기본 3시간이었다.

'나도 걸릴라.'

슬그머니 몸을 돌린 종혁은 승연의 곁에서 뭘 해야 될지 몰라 안절부절못하는 박성아들에게 다가갔다.

그렇게 홍익파출소의 하루가 시작되고 있었다.

* * *

"죄송합니다. 정말 죄송합니다."

"예, 조심히 가세요."

술이 깨자 다시 정상인으로 돌아온 건지 코드 원의 주인공이 연신 고개를 숙이며 파출소를 나서자, 그 뒤를 이어 빨갛고 노랗고 파란 네 명의 십대 후반 학생들도 파출소를 나선다.

보호자와 연락이 닿지 않아 훈방 조치로 풀려난 그들.

"아, 씨발. 재수 없게……."

"큭큭. 야, 대가리는 괜찮냐?"

"몰라, 대가리 터지는 줄 알았어. 씨발. 덩치만 졸라 커서."

힐끔 파출소를 보는 그들이 얼굴을 구긴다.

"어떻게 할래? 다시 PC방 갈 거야? 아님 편의점?"

"나 돈 없는데? 돈은 형님한테 다 있잖아."

"아, 씨발. 만 원도 없어?"

"그러는 넌 있으세요?"

"아니? 큭큭큭."

"미친 새끼. 야, 걸레. 넌 있냐?"

"나도 없거든?"

그들 중 유일한 소녀가 몸을 들썩이자 소년들의 눈이

가늘어진다.

"왜? 너라면……."

"한마디만 더 해 봐. 찢어 버릴 테니까."

"워워. 쏘리?"

소녀는 혀를 차며 고개를 돌렸고, 소년들은 주머니를 털어도 천 원 한 장 나오지 않는 것에 한숨을 푹 내쉬었다.

"야, 그냥 들어가자."

"에혀, 그러자."

그들은 근처에 얻어 놓은 아지트인 모텔 달방으로 향했다.

벌컥!

"똥개야! 오빠들 왔다!"

환하게 웃으며 외치는 노랑머리.

그 외침에 마치 투룸처럼 하나의 방을 두 개로 나눠 공간이 분리된 안쪽 방에서 후다닥 소리가 나며 한 소녀가 달려 나온다.

"에헤헤. 왔어?"

속옷은커녕 노란 박스티 하나만 입은 채 달려 나와 그들의 앞에 쪼그려 앉는 소녀. 소년들은 다리 사이로 보이는 거뭇거뭇한 것에 입술을 비튼다.

"집은 잘 지켰냐?"

"응! 빨래도 했고, 청소도 했고, 나도 씻었어!"

"아, 그랬어?"

힐끔 소녀의 아랫도리를 살핀 노랑머리는 입술을 비틀며 그녀를 일으켜 세워 어깨에 팔을 걸쳤다.

"그럼 오빠랑 기분 좋은 짓 할까?"

"어우, 씨발. 아침부터 그 짓을 하고 싶냐?"

"닥쳐!"

움찔!

"기, 기분 좋은 짓 아닌데. 아픈데……."

"괜찮아. 이번엔 정말 기분 좋게 해 줄게. 오빠 믿지?"

"저, 정말?"

"그럼-."

노랑머리는 그녀를 방으로 데려가며 비릿하게 웃었다.

* * *

아직 해가 지지 않은 늦은 오후의 허름한 주택가.

한승연과 박성아, 이인영이 어느 집 앞에 선 한 노인을 향해 고개를 숙인다.

"조심히 들어가세요."

"그래요. 고마워요."

푸근히 웃으며 손을 젓는 박 씨 할아버지의 행동에 웃으며 돌아선 박성아와 이인영의 눈시울이 갑자기 붉어진다.

"이잉. 언니……."

오늘로 벌써 3일째다. 집을 찾아 달라 파출소의 문을

두드린 박 씨 할아버지를 댁에 모셔다드린 게.

그럼에도 박 씨 할아버지는 여전히 자신들을 기억 못했고, 그러면서도 매번 저렇게 웃으며 손을 저었다.

그게 너무 슬퍼 가슴이 아팠다.

"박 씨 할아버지는 언제부터 저러신 거예요?"

"제가 홍익파출소에 오기 전부터 저러셨대요."

"가, 가족은요? 같이 사시는 가족분들은 없으신 거예요?"

"다 하늘나라로 가셨어요. 가족들과 함께 여행을 가셨다가……."

중앙 분리대를 넘어온 트럭과 교통사고가 났는데, 박 씨 할아버지와 손녀만 기적처럼 살아남았다.

하지만 손녀는 뇌 쪽에 장애를 입어 먼 지방의 특수시설에 보내졌고, 이후 박 씨 할아버지는 매일같이 집을 찾아 파출소의 문을 두드리고 계셨다.

"네?!"

철렁!

결국 박성아와 이인영의 두 눈에서 닭똥 같은 눈물이 뚝뚝 흘러내리고, 제작진들에게도 숙연함이 내려앉는다.

"언니, 어떡해. 할아버지 불쌍해서 어떡해!"

어떻게 할 수 있는 일이 있을까.

박성아는 어떻게든 해 달라며 발을 동동 구르는 막내를 끌어안아 팔뚝을 쓸어내렸다.

그러며 한승연을 봤다.

"박 씨 할아버지 같은 분들을 도울 수 있는 제도가 없는 건가요?"

"현재로선 없죠."

씁쓸하면서도 단호한 말에 모두가 탄식을 터트렸다.

나연석 PD는 종혁을 봤다.

"정말 없는 겁니까?"

"있긴 있습니다만……."

"있습니까?!"

나연석뿐만 아니라 제작진도 종혁을 본다.

그 기대감 어린 눈빛들에 종혁은 씁쓸히 웃었다.

"현재로선 요양원으로 인도하는 것뿐입니다."

하지만 그게 과연 박 씨 할아버지를 위한 일일까.

정작 박 씨 할아버지가 그걸 원치 않았다.

사회복지 쪽으로 도우미를 요청해 보기도 했지만, 그때 종혁은 박 씨 할아버지가 화를 내시는 모습을 처음 봤다.

"왜, 왜요?"

"할아버지는 집을 못 찾는 게 아닙니다. 가족이 다 함께 있는 집을 찾는 거지."

그래서 매일 집을 찾아 달라 파출소를 찾고, 그래서 누군가 집에 들어오는 걸 싫어하시는 거다.

안 그래도 내 집처럼 느껴지지 않는데 모르는 사람이 오면 더 그렇게 느껴지기에, 그들을 받아들이면 가족이 죽은 걸 정말 받아들여야 하기에 타인의 방문을 거부해 버리는 거다.

치매가 걸린 와중에도 본능적으로 거부하는 것이었다.

그렇다고 특수시설에 있는 손녀를 데려오자니 그것도 못할 짓.

이런 종혁의 말에 여성들은 결국 얼굴을 가리며 울음을 터트렸고, 남성들도 뜨거운 한숨을 뱉어 냈다.

"후. 잠시 컷 합시다."

카메라가 내려지자 나연석 PD는 담배를 물었다.

"이런 게 파출소의 일상이군요."

"이 정도는 극히 일부분이죠. 그러니 잘 좀 부탁드리겠습니다."

무거운 이야기라지만 너무 다큐가 되지 않게, 가벼운 이야기지만 개그가 되지 않게. 어디까지나 국민들이 공감하며 울고 웃을 수 있는 절묘한 편집이 필요하다.

'그리고 그건 이 사람 특기지.'

휴머니즘. 진지함 속에서도 웃음을 찾고, 웃음 속에서도 아픔을 찾는 데 천부적인 재능을 가진 사람이 바로 나연석 PD였다.

"……예. 맡겨 주십시오."

처음 경찰의 생활상을 그린다기에 솔직히 가볍게 생각했던 그다. 방금 전까지도 완전히 심각한 상황은 일어나지 않았기에 그렇게 생각했다.

하지만 지금은 아니다.

저런 사연이 있는 박 씨 할아버지가 매일같이 찾아오는데도 극히 일부분의 일상이라고 한다.

그뿐만이 아니다.

대화할 사람이 없어 파출소로 수다를 떨러 오는 수다쟁이 송 씨 할머니.

종혁이 아니었으면 계속 삔댔을 비행 청소년.

대낮부터 술에 취해 난동을 부리다 여경을 밀쳤다가 엎어치기로 제압을 당한 퇴직한 선생님.

경찰에게 되레 위협을 가하는 깡패.

술만 마셨다 하면 찾아와 난동을 부리는 아가씨.

주위에서 쉽게 보기 힘든 이들 모두가 경찰에겐 일상이라고 한다.

'아니, 주위에서 쉽게 보기 힘든 게 아니야.'

이들 경찰이 그들을 보듬어 감싸고 있기에 국민들이 알지 못하는 것이다.

'이런 이들을 일개 웃음 소재로 삼는다고?'

절대 그럴 순 없었다.

"최선을 다하겠습니다."

종혁은 불이 화륵 타오르는 나연석 PD의 모습에 만족스럽게 웃으며 돌아섰고, 박성아는 멀어지는 종혁의 등을 가만히 응시했다.

무슨 생각을 하는 걸까.

그녀의 눈빛이 일렁이고 있었다.

* * *

하늘이 점점 어두워지기 시작하자 홍익파출소에 긴장

이 내려앉는다. 오늘도 어김없이 찾아온 여름의 토요일. 진짜 하루의 시작이다.

"항상 말하지만 다치지 말자. 홍익파출소!"

"아자아자, 파이팅!"

—삐이이잉! 코드 제로! 코드 제로!

"……출동해!"

"옙!"

"홍익파출소에서 인근 순찰차에 전파한다. 코드 제로, 코드 제로."

—삐빅. 순마 47 접수 종발!

삽시간에 부산해지는 홍익파출소.

지난 3일 동안 처음 보는 풍경에 연예인들과 제작진이 얼어붙은 채 눈을 굴리고, 종혁은 튀어 나가는 이 경사와 서 경장을 반사적으로 따라나서려는 스카이 둘의 뒷목을 잡아 세웠다.

"켁?!"

"어딜 가려고요?"

"아니, 이 경사님이 어디든 따라……."

"코드 제로는 살인 사건입니다. 그냥 대기하세요."

살인이 발생한 현장 목격, 현재 진행 중이거나 살인으로 번질 수 있는 상황 등 살인에 연관된 모든 위급한 상황을 통틀어 코드 제로라 부른다.

쿵!

스카이와 박성이 씨들의 얼굴이 하얗게 질린다.

'어딜 민간인이.'

그래도 영 아닌 건 아닌 듯, 아니면 오늘까지 3일 동안 고생을 많이 한 듯 겁을 먹고 움츠리는 스카이들의 모습에 고개를 끄덕인 종혁은 장철호 소장을 봤다.

"그럼 전 이 네 명 데리고 순찰 다녀오겠습니다."

"아, 그래 줄래? 고맙다."

"아닙니다. 아, 홍 경장님. 한 순경 좀 빌릴게요."

"응? 오케이. 총이나 제압 도구는 있어? 빌려줘?"

"있습니다."

가슴을 두드린 종혁은 밖으로 나가자며 손으로 까딱였고, 연예인들과 제작진은 슬금슬금 눈치를 보며 종혁의 뒤를 따랐다.

"후아."

"하!"

너무도 살벌한 분위기에 막혔던 숨통이 트인 그들은 자신들을 데리고 나온 종혁을 고맙다는 듯 바라보면서도 의아해했다.

"이런 상황에서 순찰을 나가도 되는 건가요?"

나연석 PD의 말에 종혁은 씁쓸히 웃었다.

"코드 제로만 사건이 아니니까요."

"아……."

"그리고 쌍욕 먹기 전에 사라져 줘야죠."

"예?"

코드 제로가 터지는 순간 파출소엔 칼날이 세워진다.

이런 상황에서 연예인이라고 눈앞을 알짱거렸다간 쌍욕을 푸짐하게 얻어먹을 터. 반쯤은 같은 식구인 시보도 이때 실수하면 눈물을 쏙 뺄 만큼 혼나는데, 연예인이라면 촬영 중단 사태까지 벌어질 수 있었다.

아니, 어쩌면 새로운 파출소를 찾아야 할지도 몰랐다.

"무전기 챙겨 왔습니다, 최 경감님. 임시 순찰 코드는 순 19입니다."

"아, 땡큐. 그런데 몇 번째 코드 제로야?"

"이번 달 들어서 벌써 네 번째요."

사람들은 살인 사건이 일어났는데도 너무 태연히 대화하는 둘의 모습에 마른침을 삼켰다. 특히나 네 번째라고 덤덤히 말하는 한승연의 모습은 너무 이질적이었다.

'저렇게 젊은 여경이…….'

'이게 경찰인가?'

종혁의 말은 진실이었다.

박 씨 할아버지는 정말 극히 일부분의 일상이었다.

"아무튼 한 순경은 마포서에 연락해서 현재 순찰 경로 물어봐. 우리만으로 순찰을 돌 순 없으니까. 그리고 최 경장은…… 아, 이 새끼 다른 촬영 현장에 보냈지."

첫날 데리고 다니며 가르칠 건 대충 가르쳤기에 우당탕탕 좌충우돌 파출소 생활기의 다른 촬영 현장에 보냈다.

한승연은 그런 종혁의 말에 입술을 깨물었다.

'재수는 벌써 이렇게 인정을 받는구나…….'

왠지 분했다.

"……경. 야, 뭐해. 연락 안 해? 아, 내가 해야 하는구나."

"아, 아닙니다! 제가 하겠습니다!"

승연이 핸드폰을 쥐며 돌아서자 고개를 모로 기울이던 종혁은 이내 스카이와 박성아, 이인영을 불렀다.

"들었다시피 마포서 의경들과 도보 순찰을 돌게 될 텐데, 스카이 씨들은 한 순경과 한 조가 돼서 움직여 주세요."

"네, 네."

살인이란 말에 겁에 질린 건지 스카이는 넋을 놓은 얼굴로 고개를 끄덕였고, 종혁은 박성아를 봤다.

"그리고 박성아 씨와 이인영 씨는 저와 함께합니다."

정확히는 함께하는 게 아니다.

이 둘은 의경 순찰조와 합류해 인솔 경찰의 지휘를 따를 거고, 종혁은 한 발 떨어져 뒤에 있을 거다.

이런 종혁의 말에 박성아는 스카이와 약간 다른 반응을 보였다.

"그런가요……."

꽤 실망하는 표정.

"한 순경과 떨어져서 실망스럽겠지만, 혹시라도 상황이 터졌을 때 대처하기 편하기 위해서니 이해 부탁드립니다."

남자인 스카이야 상황이 터지는 순간 뒤로 던져 버리면 그만이지만, 여자인 박성아와 이인영은 보호해 줄 사람이 필요하다.

종혁 본인이야 그런 것 따지지 않고 뒤로 던져 버릴 테지만, 잔정이 많고 책임감이 큰 승연은 분명 박성아와 이인영부터 보호할 터.

뭐가 어떻게 돌아갈지 모르는 상황에서 한 사람의 인력이 빠진다는 건 너무도 큰 손해기에 어쩔 수 없는 선택이었다.

"자, 그럼 출발합시다."

* * *

홍익파출소의 도보 순찰 합류 소식에 의아해했던 의경들은 카메라들과 함께 나타난 사람들을 보고 눈을 부릅떴다.

'바, 박성아!'

박성아다. 요새 인기 절정인 박성아가 무려 경찰 근무복을 입고 나타났다.

'꾸, 꿈인가?'

하지만 틀어 올린 머리로 인해 매끈하게 떨어지는 하얀 목덜미와 반팔을 입어 거의 드러난 얇고 하얀 팔, 그리고 코에 닿는 향긋한 향기는 진실이었다.

그들은 결국 참지 못했다.

"우와아아아악!"

화들짝!

갑자스런 한호성에 놀랐던 바성아와 이인영의 표정이

오묘해졌다.

'맞아. 우리 가수지, 참!'

그동안 정신없이 한승연을 따라다니며 온갖 상황을 겪고, 파출소 경찰들도 별 반응을 보이지 않기에 자존감이 밑바닥을 뚫고 있었던 그녀들의 입가에 점점 미소가 피어오르기 시작했다.

"조용! 조용히 안 해?!"

의경을 진정시킨 한 이십대 중반의 사내가 앞으로 나선다.

"허흠. 안녕하십니까! 오늘 두 분과 함께 순찰을 할 마포서 의경중대 최고 선임 노수길 수경이라고 합니다! 충성!"

"아, 충성!"

"잘 부탁해요, 오빠들-."

'오, 오빠!'

'나 죽어!'

몸을 배배 꼬며 미소를 주체 못하는 의경들.

그런 그들의 모습에 한숨을 탁 내쉰 인솔 경찰이 종혁을 힐끔 보곤 얼굴을 구긴다.

'썩을 놈들.'

망신도 이런 망신이 있을까.

하지만 그런 그도 미소를 주체 못하며 박성아와 이인영에게 다가갔다.

"흠흠. 저희와의 합류를 환영하며 순찰을 시작하도록

하겠습니다. 그래도 괜찮겠습니까?"

"네! 충성!"

"크흠. 충성."

그들은 그렇게 순찰을 시작했다.

웅성웅성. 시끌벅적.

"어? 카메라다. 촬영하나 봐!"

"해 저어문 소양강에-!"

열을 맞추어 걷는 그들의 곁으로 수많은 사람이 스쳐 지나간다.

많이 취한 건지 위태롭게 걷는 두 직장인, 바닥에 쪼그리고 앉아 남자 친구를 보며 헤실헤실 웃는 여자, 골목에 숨어 담배를 꼬나물고 있는 남자들.

전단지를 나눠 주는 삐끼, 술집으로 들어가는 어려 보이는 친구들.

다양한 모습의 이들을 훑으며 고개를 돌리던 박성아는 문득 종혁을 발견하고 잠시 넋을 놨다.

"……에서 잠든 주취자 확인. 인근 순찰차 보내 주십시오."

길바닥에서 잠든 취객 앞에 서서 덤덤히 무전을 보내고 있는 종혁.

첫 만남부터 시종일관 당당했던 경찰 간부. 분명 동갑임에도 한참 어른에게서나 맡을 수 있던 향기를 풍겼다.

'그저께 PC방에서도 날 구해 줬지…….'

구해 줬다는 말엔 어폐가 있을지 모른다.

종혁은 그 파랑머리 꼬마가 악의에 찬 말을 하려고 할 때 뒤통수를 쳐버리며 끊어 버렸다. 그러며 잠시 끊고 가자고 말하던 박력 있던 모습이란…….

"음?"

"헉!"

눈이 마주치자 재빨리 고개를 돌린 박성아는 발을 동동 굴렀다.

'어, 어떻게! 나 미쳤나 봐!'

"언니, 뭐해? 얼른 가자."

"응? 으응. 그래."

이인영의 등을 두드리며 고개를 돌리던 그녀는 문득 무언가를 발견하곤 눈을 껌뻑였다.

"어? 쟤들은?"

빨갛고, 노랗고, 파랑머리의 학생들.

아는 얼굴이다. 알 수밖에 없는 얼굴들이었다.

그런데 그런 그들이 모텔 안으로 들어가고 있었다. 십대의 꼬맹이들이 말이다.

"어어?"

박성아는 다급히 종혁을 찾았다.

이번엔 다른 의미였다.

"신호등 꼬맹이들이요?"

"네, 네! 저기로 들어갔어요!"

"흠. 알겠습니다. 제가 확인할 테니 성아 씨는 계속 순찰을 진행해 주세요."
"네? 네에……."
'음?'
또 실망하는 모습에 의아해한 종혁은 이내 어깨를 으쓱이며 나연석 PD를 봤다.
"전 잠시 저기 좀 다녀올 테니까 무슨 일 생기면 바로 연락해 주세요."
"하하. 예, 알겠습니다."
고개를 끄덕인 종혁은 박성아가 가리킨 모텔로 향했다.
"흠."
지어진 지 얼마 안 된 듯 모텔의 외관은 제법 세련됐다. 미래, 호텔 같은 모텔들과 비교하면 한참 모자라지만 말이다.
"새끼들. 돈이 없으면 집에서 마실 것이지."
피식 웃은 종혁은 모텔 안으로 들어갔다.
그때였다.
후다닥!
양복을 입은 웬 중년인이 곁을 지나쳐 모텔 안으로 달려 들어갔고, 종혁의 얼굴은 딱딱하게 굳었다.
"저 사람은?"
그저께 한승연에게 엎어치기를 당한 그 선생님이었다.
'피 냄새?'
분명 피 냄새였다.

피가 난 건지, 묻은 건지는 몰라도 냄새가 신선했다.

그뿐만 아니라 어디서 뒹굴기라도 한 건지 옷과 얼굴이 엉망이었다. 종혁은 긴장을 끌어올리며 안으로 들어갔다.

"방금 들어간 그놈들! 그 세 놈들은 어디 있습니까!"

"무슨 소리세요. 세 명이라뇨."

"몇 호실이냐고요—! 수영아! 수영아—!"

'수영이?'

몸에서 피 냄새를 풍기는 선생님이 수영이란 사람을 찾는다.

종혁은 갑자기 맡아지는 고약한 냄새에 미간을 찌푸리며 모텔 직원의 얼굴을 살폈다.

'흐응?'

"아, 이 씨발 진짜! 아, 어서 오세요! 여긴 그런 사람 없으니까 나가라고요!"

"수영아—!"

"아, 진짜 업무 방해로 신고하기 전에 가시라고요! 손님도 오셨는데, 씨발!"

"이익! 그럼 내가 찾겠습니다!"

"저 씨!"

당황해 뛰어나오려는 모텔 직원의 얼굴과 간절하기 그지없는 선생님의 얼굴을 번갈아 본 종혁은 입술을 비틀었다.

'요것 봐라?'

종혁은 일단 계단으로 달려가는 선생님의 뒷덜미를 잡아챘다.

"켁?!"

뿌득 소리와 함께 허공에 붕 떴다가 바닥에 떨어진 그.

"워워, 일단 진정하시고."

종혁은 문을 열고 나오다 굳어 버린 모텔 직원을 향해 경찰공무원증을 꺼내어 보여 줬다.

"헉?!"

"오호? 내 생각이 맞구나?"

원조교제 혹은 보도방이다.

"아, 아니 그게……."

"몇 호실이냐, 그 새끼들?"

"아, 아니 저……."

띵! 스르릉!

"와 씨 그 뚱땡이 더럽게 많이……."

움찔!

"뭐야, 왜 안 가는……."

열린 엘리베이터를 통해 나오다 굳어 버린 신호등 강아지들, 아니 여자 꼬마 강아지까지 넷.

보도방이 아니라 원조교제다.

종혁은 그런 그들을 보며 씩 웃었다.

"거기 똥강아지들, 이리로 튀어와."

"……씨발, 튀어!"

"꺄악!"

종혁은 황급히 뒷문을 향해 도주하는 그들의 모습에 한숨을 내쉬었다.

"그리로 튀라는 게 아니었잖아, 새끼들아."

혹시 모르기에 선생님에게 수갑을 채운 종혁은 뒷문을 향해 몸을 날렸다.

"순 19, 순 19. 원조교제 패거리 발견 추적 중! 이더 모텔에서 신한 사거리 방향으로 도주 중! 인근 순찰차는 지원 바람!"

* * *

"허억! 헉!"

폐가 입 밖으로 튀어나올 것 같은 고통을 참으며 달리고 달린 노랑머리의 소년은 가로등 불빛조차 제대로 없는 어둔 골목길에 위치한 모텔 안으로 달려 들어갔다.

"형! 형님!"

벌컥 숙소의 문을 열고 들어갔던 소년은 무언가를 발견하곤 그대로 굳어 버렸다.

거실에 앉아 담배를 피우고 있는 목에 문신 있는 사내의 팔뚝에 피가 묻은 붕대가 감겨 있고, 그 옆에서 티셔츠만 입은 소녀가 눈물을 글썽이고 있다.

"형님? 다, 다치셨어요?!"

"아, 씨발 좆같은 꼰대 새끼. 별 미친 새끼한테 걸려서……."

한탕 뛰고 소녀를 데리고 나오는데, 갑자기 옆의 '수영'이란 이름을 부르짖으며 달려들더니 칼을 꺼내 들어 휘두른 것도 모자라 경찰에게 쫓기기까지 했다.

"야, 이 씨발년아. 똑바로 말해. 그 미친 새끼 알아, 몰라?"

"선생님이요? 선생님 좋은 사람인데."

눈을 껌뻑이며 해맑게 웃는 소녀.

"……너 설마 이름이 수영이냐?"

"네! 박수영입니다!"

그 순간 상황을 모두 파악한 사내의 얼굴이 와락 구겨졌다.

"씨발. 좆같네."

된통 걸린 거다.

'씨발, 괜히 꼬드겨서 데려왔나.'

지하철역을 서성이기에 데려왔더니 결국 이 꼴이 되고 말았다.

"넌 또 뭔데? 왜 혼자 왔어? 다른 애들은? 민정이는?"

"……아! 저, 저희 좆됐어요! 짭새한테 걸렸어요!"

"뭐?! 어쩌다가!"

"몰라요! 민정이 데리고 나오는데 그저께 그 PC방에서 저희 끌고 간 그 짭새 새끼가……!"

"미친! 그래서 의리 없이 너만 도망친 거냐?!"

"어떡해요! 죽일 듯 쫓아오는데!"

"아으으! 씨발, 진짜 되는 게 없네!"

벌떡 일어난 사내는 안방으로 달려가 가방에 돈부터 집어넣기 시작했고, 그 모습에 노랑머리는 화들짝 놀랐다.

"뭐, 뭐하시게요!"

"그럼 씨발 이대로 잡히리? 너도 얼른 와서 챙겨!"

"아, 네!"

다급히 달려와 다른 가방에 옷을 집어넣던 노랑머리는 뒤통수를 찌르는 시선에 고개를 돌렸다가 움찔 몸을 굳혔다.

"혀, 형님. 저 똥개는 어떡해요?"

뒤를 돌아본 사내는 초롱초롱 이쪽을 보는 소녀를 보며 혀를 찼다.

"놓고 간다. 그 선생 새끼 또 쫓아올라."

"……네."

대충 챙길 거만 챙긴 둘은 현관문으로 향했고, 소녀는 그런 둘을 쪼르르 뒤쫓았다.

그에 노랑머리는 소녀를 툭 밀었다.

"우리 잠깐 나갔다 올 테니까 집 지키고 있어. 알았어?"

"응! 맛있는 거 사 와!"

'사 오기는 씨발.'

혀를 찬 둘은 문을 열고 나갔고, 쿵 닫히는 문을 바라보던 소녀는 거실 한구석에 쪼그려 앉아 무릎을 모았다.

그리고 기다렸다.

언제나처럼. 새로 사귄 저 친구들이 돌아오길.

* * *

쿠당탕!

"크허억!"

"아악!"

홍익파출소의 회의실 안으로 빨갛고 파랑머리를 집어 던진 종혁은 노랑머리 여학생의 머리를 틀어쥔 채 끌고 들어갔다.

"꺄아악!"

그 험악한 모습에 종혁의 무전을 듣고 다급히 합류했다가 여기까지 쫓아온 제작진은 얼어붙었고, 장철호 소장은 아무것도 아니라며 그들을 달랬다.

몇몇 경찰들은 슬그머니 회의실 앞을 막았다.

휘익!

"아아악!"

머리카락이 뽑히든 말든 소녀를 던져 버린 종혁은 회의실 문을 닫으며 피식 웃었다.

"씨발, 어린 것들이 할 짓이 없어서……. 야, 꼬맹이. 너 몇 살이냐?"

담배? 피울 수 있다.

술도 마실 수 있다.

법으로 금지했다지만, 어디 십대가 그런 걸 들을까. 할 놈들은 다 한다.

하지만 원조교제는 아니다.

"……."

"허쭈? 말 안 해? 대가리 안 돌아가냐? 그저께 너희 여기 와서 니들 이름이랑 나이 말했어. 아놔, 이것들을 확 진짜."

움찔!

"소, 소년계 보내 주세요!"

"네, 네! 저희 그때까지 말 안 할 거예요! 그치?!"

겁에 질린 듯 구석에 모여서 앙앙 짖는 강아지들의 모습에 종혁은 풀썩 웃고 말았다.

"그래. 너희도 그 좆같은 법을 아는구나."

미성년자는 보호자 없이 취조를 할 수가 없다.

담배나 술 정도의 경범죄는 모르지만, 일반 범죄인 원조교제로 추정되기에 무조건 보호자의 참관이 필요했다.

'왜 지들한테 유리한 건 이렇게 잘 알까.'

"좋아. 그럼 딱 하나만 묻는다. 이거 대답 안 하면 니들이 믿는 그 소년계에서도 정말 힘들게 될 거다."

……꿀꺽.

"뭐, 뭔데요?"

"방금 아까 엘리베이터에서 내릴 때 봤던 그 아저씨 알아, 몰라?"

"……?"

"수영이란 이름은?"

종혁은 이번에도 갸웃하는 그들의 모습에 한숨을 탁 내

뱉었다.

"하아. 반성문 쓰고 있어. 좆같이 쓰면……."

뿌드득!

종혁은 주먹을 쥐어 보였다.

"말 안 해도 알지?"

끄덕끄덕끄덕!

"후, 씨발."

밖으로 나온 종혁은 선생님을 찾았다.

"뭐야, 왜 아직도 수갑을 채워 두고 있어?"

선생님은 의자에 수갑이 채워진 채 고개를 푹 숙이고 있었다.

"아, 그게…… 하아. 여기 선생님께서 아무래도 아까 터진 코드 제로의 범인 같습니다."

"뭐……?"

종혁은 서 경장이 내미는 피 묻은 과도에 낯빛을 굳혔다.

"품에서 발견됐습니다. 신고 접수된 옷차림도 일치하고요."

"……지랄 났다. 진짜."

이번엔 다른 의미로 한숨을 길게 내뱉은 종혁은 한쪽 무릎을 꿇으며 선생님을 응시했다.

대체 뭐가 불만인지 입을 꾹 다물고 있는 그.

"선생님. 성함이 어떻게 되십니까, 선생님."

"……."

"하아. 이러시면 저희도 도와 드릴 수가 없습니다. 딸…… 아니, 제자 찾으셔야죠."

흠칫!

'제자를 찾는 거였던가.'

딸이라고 할 땐 반응이 없었는데, 제자란 말에 반응이 온다.

종혁은 가만히 노려보는 선생님의 모습에 싱긋 웃으며 일어섰다.

"서 경장, 미안한데 이분은 내가 취조해도 될까?"

"아, 예. 괜찮습니다."

"고마워. 내가 밥 한 끼 살게. 소장님, 저 소장실 좀 쓰겠습니다."

"커피 줘?"

"사랑합니다. 가시죠, 선생님."

종혁은 일어나지 않으려는 그를 억지로 일으켜 소장실로 안내했다.

선생님을 소파에 앉힌 종혁은 눈을 가늘게 떴다.

'니들이 나한테 이러면 안 되지, 이 무능한 새끼들아.'

그저께 검거됐을 때 선생님은 분명 그렇게 외쳤다.

그땐 그저 취객의 헛소리로 생각했는데, 상황이 이렇게 되니 그 말이 너무 의미심장해진다.

'설마…….'

낯빛을 굳힌 종혁은 자신의 경찰공무원증을 내밀었다.

"본청 특수범죄수사과 소속 경감 최종혁입니다. 들어

보셨는지 모르겠지만, 본청은 대한민국 모든 경찰을 총괄 지휘를 하는 곳이며, 특수범죄수사과는 거리와 성역 상관없이 그 어떤 범죄든 수사하는 곳입니다."

움찔 몸을 굳힌 선생님이 그제야 종혁을 응시한다.

"……정말 본청이란 곳이 모든 경찰을 총괄 지휘를 하는 곳입니까?"

"예. 그러니 제게 신고를 하시면 이전처럼 무시당하지 않고 수사에 착수할 수 있습니다."

"큭! 왜 이제야……."

'역시 그랬던가.'

역시나 여기 선생님은 제자의 실종 및 가출을 했을 때 경찰에 신고를 했던 거다. 그런데 어떤 이유로 무시를 당한 거다.

그게 아니면 수영이란 아이를 그렇게 간절히 찾던 선생님이 이토록 경찰을 불신할 리가 없었다.

'그나마 다행이네.'

다른 이유로 경찰을 불신하는 게 아니니 말이다.

"다시 제 소개를 하겠습니다. 최종혁 형사입니다. 편히 최 형사라고 불러 주세요."

"……조상구입니다. 아시다시피 제자 하나 지키지 못한 못난 선생입니다."

"어이구, 아니요. 제자 한 명을 찾기 위해 이렇게 노력하시는 분께서 못났다니요. 정말 존경스럽습니다. 그동안 제자 찾아 돌아다니시느라 많이 힘드셨죠?"

울컥!

힘드셨냐, 그 짧은 위로의 말에 조상구는 입술을 깨물었다.

"……감사합니다."

똑똑!

"네!"

"커피 왔습니다."

"응? 아, 고마워요, 박 시보."

박성아가 커피를 들고 오자 잠시 놀랐던 종혁은 그녀를 내보낸 후 조상구 선생을 봤다.

호록 커피를 마시는 그의 어깨가 방금 전보다 훨씬 풀어져 있다. 이제 본론을 꺼내야 될 때였다.

"일단 선생님께서 처하신 상황부터 설명해 드리겠습니다. 선생님께선 칼을 휘둘러 사람에게 상해를 입히셨기에 특수상해죄가 적용되실 겁니다."

특수상해는 1년 이상 10년 이하의 징역형이다.

'1, 1년 이상?'

조상구는 다시 울컥했다. 이번엔 다른 의미였다.

"제가 왜 그 나쁜 놈 때문에 그런 벌을 받아야 하는 겁니까!"

"나쁜 놈이요?"

"그놈이…… 그놈이-!"

몇 시간 전 상황을 떠올린 조상구 선생의 두 눈이 불을 뿜었다.

무려 반년이었다.

수영이 집에 간다고 사라져 버린 후 그녀를 찾기 위해 조상구가 서울 전역을 뒤진 시간이.

힘들었다. 괴로웠다. 포기란 단어를 생각하게 됐다.

그러다 의뢰를 맡겼던 흥신소에서 연락이 왔다.

이 동네의 모텔 골목에서 수영을 발견했다고. 그런데 가출 팸에서 몸을 파는 것 같다고.

아니다. 아닐 거다. 그럴 리가 없다.

애써 진정하며 달려왔는데…….

"그놈이 수영이를 어떻게 끌고 나왔는지 아십니까! 개처럼 끌고 나왔습니다! 그 인간 같지도 않은 놈이!"

마치 사람이 새끼 강아지를 드는 것처럼 뒷목을 잡은 채 모텔에서 걸어 나왔다. 그 모습에 눈이 돌아 버린 조상구는 혹시나 해서 준비한 칼을 휘둘렀다.

그렇게 엎치락뒤치락하다가 경찰이 왔고, 놈은 수영과 함께 도망쳐 버렸다. 그리고 조상구 역시도 도망치며 흥신소에서 알려 준 그 가출 팸의 다른 아이들을 쫓았다.

제자를 찾기 위해 흥신소까지 동원했다는 말에 정말 대단하다 생각하던 종혁은 순간 미간을 좁혔다.

"혹시 옆방에 있는 저놈들을 쫓아서 그 모텔까지 오셨던 겁니까?"

"예! 저 나쁜 놈들 쫓아서 왔습니다!"

'모른다고 했는데?'

종혁은 관자놀이를 꾹 눌렀다.

아까 그들은 진심으로 수영이란 아이를 모르고 있었다.

"혹시 잘못 보셨거나……."

"제자를 못 알아보는 선생도 있답니까!"

'그럼 맞다는 건데…… 왜?'

수영은 왜 그놈을 따라갔을까.

종혁의 머릿속에 슬픈 생각이 떠오른다. 제자를 찾기 위해 이런 노력을 기울인 조상구에게는 못할 말이 말이다.

어떻게 입을 떼야 하나 싶을 때 조상구가 돌연 종혁의 손을 붙들며 눈물을 흘렸다.

"제발! 제발 수영이 좀 찾아 주십시오, 형사님!"

"하지만 선생님, 그게……."

"압니다. 형사님이 무슨 말을 하시려는지 압니다! 하지만 수영이는 12세 미만의 정신 연령을 가진 장애아란 말입니다!"

쿠웅!

'뭐?'

"그 아이가! 그런 아이가 뭘 알아서 그놈을 따라갔겠습니까-!"

"아……."

눈을 껌뻑이던 종혁은 이내 벌떡 일어섰다.

그러곤 옆 회의실 문을 열고 들어가 이쪽을 멍하니 쳐다보는 세 명을 무심히 쳐다보며 입을 열었다.

"너희 패거리에 장애아 한 명 있지?"

움찔!

그들은 눈을 부릅뜨며 입을 다물었고, 종혁은 어깨를 들썩였다.

"큭큭. 하, 이 사랑스런 새끼들."

종혁은 뭔가를 느끼고 슬그머니 의자에서 일어서는 파랑머리의 목을 한 손으로 잡아 올려 유리벽을 향해 던져 버렸다.

와장창!

"꺄악!"

"으악! 뭐, 뭐야!"

종혁은 난리가 난 바깥을 무시하며 순간 얼어붙은 빨강머리의 뺨을 후려쳤다.

쩌어어억!

마찬가지로 박살 난 유리벽 밖으로 날아간 빨강머리.

"어? 아?"

종혁은 마찬가지로 얼어붙은 채 입만 뻐끔거리는 소녀의 머리채를 휘감아 꺾었다.

"아으으…… 왜 이러……."

"내가 웬만해선 너희 같은 십대에게 손찌검을 안 해. 왠지 알아? 아직 대가리가 여물지 못하는 나이니까 그래."

모를 수 있기에, 자신이 저지르는 범죄가 얼마나 심각한지 제대로 배우지 못했을 수 있기에 웬만해선 참는다.

"그런데 너흰 안 되겠다. 내가 그은 선을 넘었어."

"아, 아, 아 그, 그그그그그……."

쏴아아.

밑으로 소변이 쏟아졌지만 무시한 종혁은 소녀를 향해 진심으로 살의를 드러냈다.

"아까 도망친 새끼 어디 있어. 찢어 버리기 전에 불어."

* * *

냉장고 돌아가는 소리만이 적막을 해치는 공간.

불빛조차 제대로 닿지 않는 구석에 무릎을 모으고 앉아 있던 수영의 얼굴이 일그러진다.

꼬르륵!

"배고파."

그녀의 눈이 힐끔 싱크대 위 찬장으로 향했다가 급히 원래대로 돌아온다.

잠깐 나갔다 온다고 했다. 올 때 맛있는 걸 사 온다고 했다.

그러니까 기다려야 한다.

먼저 뭘 먹으면 어떻게 알았는지 무섭게 화를 내고 아프게 했던 친구들.

그렇기에 라면을 끓여 먹고 싶어도 참아야 했다.

"늦다. 늦다. 나 배고픈데…… 히이잉."

띵동!

휙 고개가 돌아간 수영은 재빨리 일어나 현관으로 달려가 손잡이를 잡았다가 아차 했다.

"누, 누구세요?"

"나 민정이 친군데, 문 좀 열어 줄래?"

'민정이?'

맨날 머리도 말려 주고, 속옷도 나눠 주는 고마운 친구. 머리가 노래서 너무 예쁜 친구 이름이다.

"네!"

문을 활짝 연 수영은 사람이 아니라 벽이 있음에 의아해했다가 고개를 들었다가 눈을 동그랗게 떴다.

"우와아."

크다. 엄청 크다.

그런데…….

"왜 우세요? 아저씨도 아파요?"

"네가 수영이니?"

"네! 아, 맞아. 안녕하세요. 박수영입니다."

정중히 배꼽인사를 하는 수영의 모습에 종혁은 결국 무너지고 말았다.

"미안하다. 이 아저씨가 늦어서 미안해……."

"네?"

"정말로…… 미안하다."

여기저기 멍이 든 몸을 겨우 가리는 여기저기 구멍이 뚫리고 늘어진 티셔츠만 입은 수영.

종혁은 그녀를 끌어안으며 오열했다.

* * *

"앗! 민정이다! 민정아, 할룽할룽!"

종혁이 벗어 준 셔츠를 입고 홍익파출소 안으로 들어오던 수영은 민정을 발견하고 손을 흔들다가 고개를 모로 기울였다.

친구 민정이 듣지 못한 건지 고개를 돌리고 있었기 때문이다.

"민정아–! 쩡아–!"

목이 터져라 외쳤지만 여전히 못 듣는 친구에 수영은 다시 고개를 갸웃하며 더 크게 부를 준비를 했다.

"수영아, 민정이가 자는가 봐. 우린 안으로 들어갈까?"

"네! 히힛!"

그렇게 소장실 안으로 들어간 수영은 눈을 동그랗게 떴다.

"수, 수영아!"

"앗! 선생님이다! 아, 맞아. 선생님, 안녕하세요!"

어른을 만날 땐 무조건 배꼽인사.

그걸 여전히 잊지 않은 수영의 모습에 조상구는 참지 못하고 그녀를 끌어안았다.

와락!

"윽! 숨 막혀요."

"미안해. 선생님이 미안해!"

“선생님도 미안해요?”

“흐어어어엉!”

종혁은 끝내 울음을 터트리는 그의 모습에, 선생님이 왜 우는지도 모른 채 울상을 지으면서도 괜찮다, 괜찮다 말하는 수영의 모습에 눈시울을 붉히며 소장실의 문을 닫았다.

하지만 아직 슬플 일이 남아 있다는 걸 종혁은 모르고 있었다.

“후우. 죄송합니다. 못난 모습을 보였습니다.”

“아닙니다. 늦게 찾은 저희가 더 죄송합니다.”

“그, 그럴 리가요! 이렇게 수영이를 찾아 주신 것만 해도…… 해도…….”

종혁은 다시 눈시울이 붉어지는 그의 모습에 재빨리 화제를 돌렸다.

“수영이 부모님 연락처는 아십니까?”

“아, 부모님이요…….”

“음?”

“후우. 수영이 부모님은 안 계십니다.”

왜일까. 왜 이렇게 천사 같은 아이만 시련을 받아야 하는 걸까.

“그럼…….”

“아니요. 완전 고아는 아니고, 할아버지 한 분이 계십니다. 서울 어디에서 사신다는 건 알고 있지만…….”

‘그래서 이 아이가…….’

"휴우. 다행이네요. 그분 연락처는 아시나요?"

조상구는 씁쓸히 웃으며 고개를 저었고, 종혁은 탄식을 터트렸다.

'이 양반 아주 나를 들었다 놨다 하시네.'

"혹시 성함은 아시나요? 생년월일도……."

"성함은 기억합니다."

수영이 입학을 할 때 그가 직접 그 자리에 있었기에 기억을 한다. 하지만 그것밖에 모르기에, 자세한 내용은 일개 선생인 그로선 열람 불가이기에 주소지가 서울이라는 것과 이름만 알 뿐이었다.

"저희 학교가 특수학교라……."

"아, 이해합니다."

이해는 못하지만 분명 개인 자료를 열람하지 못하는 데는 이유가 있을 것이다.

그래서 더 대단하다. 겨우 그 두 개의 단서만 가지고 여기까지 왔으니 말이다.

이런 종혁의 칭찬에 머리를 긁적인 조상구는 옆에서 짜장면을 허겁지겁 먹고 있는 수영의 머리를 쓰다듬으며 할아버님의 성함은 말했고, 그걸 받아 적던 종혁은 볼펜을 떨어트렸다.

"……예? 서, 성함이 뭐라고요?"

"왜 그러시는지……."

"자, 잠시만요. 정말 잠시만……."

손짓을 하며 마음을 진정시키려던 종혁은 결국 참지 못

하고 벌떡 일어났다.

이건 아니다. 이건 정말 아닐 거다.

하늘이 이래선 안 됐다.

'그래, 아닐 거야. 아니겠지.'

"최 경감님?"

"바, 박 씨 할아버지 사진. 박 씨 할아버지랑 찍은 사진 있지? 그것 좀 줘 봐."

"네?"

"빨리-!"

"네, 네!"

파출소를 터트릴 듯한 외침에 화들짝 놀란 한승연은 재빨리 서랍을 뒤졌고, 파출소 사람들은 넋이 나간 종혁을 보며 의아해했다.

"여, 여기요!"

평소처럼 고맙다는 말도 하지 못한 채 사진을 낚아챈 종혁은 회의실로 달려가 조상구에게 내밀었다.

아니길 간절히 바라며.

'제발, 제발…….'

하지만…….

"아, 이분 맞습니다!"

쿵!

결국 종혁은 다리에 힘이 풀려 주저앉고 말았다.

"이건 아니잖아. 이래선 안 되는 거잖아-!"

종혁은 하늘을 향해 울부짖었다.

* * *

"할아버지!"

"……뉘신가?"

"흑!"

"흐아아아앙!"

"허어어어엉!"

"이 씨발, 하늘 개좆같은 새끼야-!"

홍익파출소가 눈물에 잠긴다.

사정을 몰랐던 조상구도 무릎을 꿇으며 절망한다.

수영을 맡긴 후 단 한 번도 학교를 찾지 않은 박수철 할아버지.

'그런 잔인한 할아버지일지라도 가족이 낫겠다 싶었는데…….'

조상구는 잔혹한 현실에 하늘을 원망할 수밖에 없었다.

그런 그들의 모습에 눈을 질끈 감은 종혁은 홍익파출소를 빠져나와 담배를 물었다.

"……흐흐. 진짜 지랄이네, 지랄이야. 그렇지 않습니까?"

종혁은 하늘을 보며 끅끅끅 웃었다.

너무도 감사하지만, 매번 원망스럽던 하늘이 오늘은 특히 더 원망스럽다.

"푸흐흐."

오늘따라 더 담배가 썼다.

그때였다.

"흐윽! 끅!"

"음?"

고개를 돌린 종혁은 묘한 표정을 지었다.

건물이 만든 그림자 속에서 박성아가 울고 있다.

"아직 안 가셨습니까?"

"끅! 어, 어떻게 가요……."

촬영을 막 접으려던 때 회의실 유리창이 깨지며 소년 두 명이 파출소로 내동댕이쳐졌다.

그때 그녀는 직감하게 됐다.

이 학생들 때문에 무슨 일이 터졌구나. 그래서 차마 가지 못했던 거다.

그런데 그 결말이 이거였다.

"어, 어떡해요. 수영이 불쌍해서 어떡해요! 박 씨 할아버지 불쌍해서 어떡해요-!"

박 씨 할아버지가 불쌍해서 어떡하냐는 막내의 물음에 할 수 있는 게 없어 슬펐지만 맏언니라서, 리더라서 흔들리는 모습을 보일 수 없었던 그녀.

그랬던 그녀조차도 이 상황에선 견딜 수가 없다. 아니, 이걸 견딜 수 있는 게 이상했다.

종혁은 그렇게 울부짖는 그녀의 모습에 씁쓸히 웃었다.

"후우, 그래도 박성아 씨가 구한 겁니다."

"……네?"

종혁은 코를 훌쩍이며 묻는 그녀를 향해 미소를 지어 주었다.

"박성아 씨가 그 네 명을 발견했기에 수영이를 구하게 된 거란 말입니다."

만약 박성아가 이상하다고 말하지 않았다면 어떻게 됐을까.

아마 조상구가 놈들을 쫓아 그 모텔을 찾은 것도 몰랐을 것이고, 조상구를 제압해 사정을 듣지도 못했을 거다.

그러니 박수영을 구한 건 박성아가 맞았다.

"아……."

"그럼……."

뭔가 위로를 해 주고 싶은데, 지금은 아무런 말이 떠오르지 않는다.

"자, 잠……!"

붙잡으려는 박성아의 부름을 무시한 종혁은 어둠과 소음이 뒤죽박죽인 거리를 걷고 또 걸으며 뜨거워진 머리를 식히려 노력했다.

하지만 그게 좀처럼 안 된 종혁은 결국 핸드폰을 들어 흥신소에 연락했다.

"납니다. 사람 두 명만 찾읍시다. 기한은 일주일. 현상금은 5억. 하루 앞당길 때마다 2천씩 추가. 가능하겠습니까?"

-가, 가능합니다! 어떻게든 찾겠습니다!

"부탁드리겠습니다."

전화를 끊은 종혁은 종배수와 명동파에도 연락을 했다.

대한민국 어둠의 일부분이 움직이기 시작했다.

(회귀 경찰의 리셋 라이프 11권에서 계속)

환상이 숨쉬는 공간 파피루스 blog.naver.com/gnpdl7
아기가 너무강함
사는게죄 판타지 장편소설
사상 최강의 아이가 울부짖었다
"응애-!"
『아기가 너무 강함』
최악의 던전을 봉인했으나 나갈 수는 없었다
영원히 탈출할 수 없는 감옥 속에서 영웅들은 뜻을 모았다
모두의 아기를 만들자!
아이가 커서 각성하면 봉인을 풀 수 있을 것이다!
그렇게 전 세계 영웅들의 자식이자 제자로 태어난 아이, 선
선이는 너무나도 예쁘고, 사랑스럽고, 순수하고……
비범했다!
이제부터, 압도적인 재능으로
뒤틀린 세계를 구원해 낼 선이의 성장이 시작된다!